陳查禮探案全集 1

The House Without A Key

不上鎖的房子

厄爾・畢格斯◎著
劉育林◎譯

臉譜

陳查禮探案全集 1

不上鎖的房子

The House Without A Key

作　　者	厄爾・畢格斯 Earl Derr Biggers
譯　　者	劉育林
特約編輯	曾淑芳
發 行 人	蘇拾平
出　　版	臉譜出版
發　　行	城邦文化事業股份有限公司 台北市信義路二段 213 號 11 樓 電話：(02)2396-5698 / 傳真：(02)2357-0954 郵政劃撥：1896600-4 城邦文化事業股份有限公司 城邦網址：http://www.cite.com.tw
香港發行	城邦（香港）出版集團 白港北角英皇道310號雲華大廈4 / F，504室 電話：25086231 / 傳真：25789337
新馬發行	城邦（新、馬）出版集團 Cite(M) Sdn. Bhd.(458372 U) 11, Jalan 30D/146, Desa Tasik, Sungai Besi, 57000 Kuala Lumpur, Malaysia 電話：603-9056 3833 / 傳真：603-9056 2833 57000 Kuala Lumpur, Malaysia
初版一刷	2002 年 1 月 10 日

ISBN　957-469-720-7

定價：360 元

《導讀》

推理書架上的陳查禮

唐諾

一個內行的、老練的、沉靜專業傾向而非玩家的推理書迷，他的書架上應該有哪些書？——這個問題，或應該說諸如此類的問題，是我個人最近常想常自問的，這裡，我們先把問題擱在這裡，不急。

來看陳查禮。

陳查禮之於我們當然有著特殊的意義，至少多了某種土不親人親的情感趣味，儘管我們也同時曉得這層意義仍屬虛構而來的——陳查禮，至此為止，仍是普世性推理小說記憶之中第一個也是唯一的中國人神探，但這位幼年生長中國、移民夏威夷而任職當地警方的黃皮膚探長，卻是純純粹粹的美國人創造出來的。這老美有個很違背中國人「不炫己長，勿識人短」古訓的頗傲慢家族姓氏，他叫「大仔」畢格斯（Earl Derr Biggers），本業是新聞記者，也玩小說和電影劇本，心血來潮在一九二五年寫成了陳查禮探案的第一本書《不上鎖的房子》，就像歷史上並非很少見的成功模式一樣，居然一炮而紅，畢格斯於是趁熱又陸續打造出往後的五部陳查禮小說，卻在才四十九歲（一九三三年）忽然蒙主寵召，於是陳查禮，乃至於中國神探的叱吒戲碼遂嘎然停在「六」這個數字上。

原始小說只六本，但陳查禮的電影不止，這其實正是陳查禮現象最有趣的地方。從一九二九年畢格斯人還健在開始，陳查禮探案的電影便由二十世紀福斯公司開拍，累積總數幾乎達五十部之多，如此小說數量和電影數量的「不當」比例，極可能是推理史上的第一名，這個詭異的現象透露了一些很有意思的訊息，但也會帶來一些麻煩，一得一失，難免的事。

為數近五十的電影（還不包括舞台劇），當然遠比才六部的小說要遼闊沒節制多了，電影裡的陳查禮，到巴黎、到倫敦、到埃及、到紐奧爾良，人到哪裡命案到哪裡，完全不是原小說安份緝凶解謎於窄窄美國東岸的勤勤懇懇樣子——也就是說，電影中所取用的，與其講是畢格斯的實質小說內容，不如講是畢格斯所創造出來的這個華裔神探人物原型，是這樣一個華人移民神探和當時美國社會的融接和矛盾關係，於是，原本虛擬封閉性的古典式推理小說，從此處打開了一個缺口，焊接上現實世界的百年華人移民史，遂得到一層意想不到的歷史意義，成為另一種思維的窗口。

麻煩也從這個缺口開始——誰都曉得，好萊塢的大美國式淺薄上百年如一日，陳查禮的神探原型落在他們手中盡情發揮，所自然結合和呈現的，一定是彼時美國社會對華人的傲慢和鄙視，影片拍出來，與其講是古老中國的睿智神探，毋寧更讓人和源於「黃禍」恐懼的邪惡傅滿州小說和電影混淆一起，怎麼看都是「辱華」影片。

侮辱，從這裡看有兩種不同來源，一是確確實實心懷歹意，這是傅滿州的小說和影片；另一是源於無心、輕忽和不理解，這是陳查禮電影，兩者我們多少要分辨一下，其間的差別還是挺大的，挺富意義的。

即便回到畢格斯的陳查禮小說，儘管我們曉得他用心光明磊落，努力要創造出一個有著不一樣深奧東方智慧的華人神探，甚至善意的對抗彼時美國社會的粗鄙認知，但我們仍在閱讀過程中不免有不舒適之感。然而理解其間的差異，我們的不舒適便有機會積極起來，正面起來，成為思維開始的驅動力量。

最近看史恩·康納萊演的電影《將計就計》，裡頭的電子密碼赫然是一句孔子的話，叫「不要用大炮轟蚊子」，我愣了好久，才想到是孔子當年高興子游治績、弦歌之聲處處的莞爾之語：「殺雞焉用牛刀」。

因此，就讓畢格斯筆下的陳查禮講些我們找不到出處的中國智慧格言吧，做為一個讀者，在這上頭太炫學太計較，我們不僅會錯過為數僅六部的陳查禮小說，也辜負了畢格斯的苦工和善意，在那樣的時代、那樣的現實社會空氣、那樣程度的中國理解寫出如此的小說，我們理應回報以善意不是嗎？

更專業的壞小說閱讀

至於陳查禮探案的真正成就如何呢？老實說，中上左右，這自有推理小說世界的專業評價，不可感情用事給予溢美或加分，這種專業的堅持和嚴正，其實是台灣社會要緩緩學習並硬著心腸建立的。

但我以為台灣的推理小說閱讀走到今天，我們也理應擁有這一組為數才六本的陳查禮探案小說才是，這同時也是緩緩建構一個專業能耐推理閱讀所必要的，也就是我們一開始所標示問題的直接答覆——專業性的推理書架上，應該有陳查禮探案的當然位置。

理由很簡單，乍聽起來似乎也有點弔詭：業餘的閱讀，可以而且通常所讀的總是最好的小說，以享樂為主；而專業的閱讀，卻需要讀更多中等的小說，甚至是劣等的小說，以理解為主。這是業餘和專業最無可避免的分野。

如此分野其實是我個人長時期而且歷歷分明的真感受——在小說（不止推理小說）的閱讀世界中，我自認是一名不太壞的業餘愛好者；而在此同時，由於生命偶然機緣的關係，我個人周遭一直有著多位台灣現階段最專業、也成就最可觀的小說家和評論者研究者，我很快察覺到，最好的小說我讀的絲毫不比他們少，而更愉快的是，我不必像他們一樣，得咬著牙沉住氣讀些並不那麼好的小說，我帥多了，翻個兩頁，這本不行，就刷一聲往地板另一頭扔過去，沒事閒談起小說來我也肯定比他們帥多了，這有什麼疑問呢？罵人永遠比艱辛支吾的砂中淘金要姿勢漂亮、要瀟灑不是嗎？

但帥的短期利多總得在長期的扎實堆纍付出代價的——長期，你就無可遁逃的見識到這種專業性閱讀的力量了，我理解的，永遠只是一個個不相關聯的點，串不起線構不成面，我所知道的，只是一個個散落的孤島，而不是一個廣大完整的小說之海，我的線索是中斷的，知識是破碎的，從而就連最好小說的閱讀都相對的單薄起來了，只因為最好的小說通常並不真的是天外飛來的，相反的，它更經常是一連串之前的叩問、探險乃至於失敗所最終成就的美好結果，而失敗，永遠比成功留下更多思維的線索和理解的證據，成功太完整也太看起來理所當然了，所有的隙縫和其他的可能性都被漂漂亮亮補起來了，彷彿一體成型，我們絕不容易單單由此渾然結果去回溯它的思維過程，重建它艱難跋涉過的長路，找出它最原初的疑問，並提著心看它每一步的英勇抉擇和睿智處理，我們在終端處欣賞讚歎，是個置身風浪局外的愉快觀眾，而不像同行的專業者那樣重疊起閱讀者和書寫者兩者的思維，心領神會，並找出接下來的啟示。這不是因為他們一定比我們聰明，而是一定比我們專業，這條路他們和書寫者一樣走過，並看過一路上的殘破和失敗，因此知道而且記憶深刻發生了什麼事情。

對我個人而言，這是很惆悵也惱人的發現，我竟然不是輸在好的小說讀不夠，而是輸在沒那麼好的、以及壞的小說讀得不如人這上頭。

由此，我們回頭到生活中其他領域再查看，最好的電影我們看了，最好的音樂我們聽了，最尖端的科學新知、經濟學原理乃至於哲學主張我們大致也不陌生，甚至偷懶看球時，我們也沒少過麥可・喬丹、阿格西、山普拉斯、「老虎」・伍茲、邦斯、麥魁爾、索沙、小葛瑞菲等等，但我們仍只是這諸多領域的業餘者，也恰恰因為這樣才說明我們只是個業餘者。

補滿知識的縫隙

最好的東西永遠有限，從構成圖形來看，它們永遠只是金字塔形的最尖頂，用往下愈平凡愈不好的廣大基底撐起來。

我們的學習，因一代代智慧累積、從前代巨人的肩膀看世界的省力緣故，通常圖形是和歷史的如此建構圖形倒置，我們往往從最好、最尖端處開始，這沒不好，這是我們做為後來者的優勢，但我們得心知肚明我們省略了什麼，我們得記得提醒自己回頭去補滿一部分必要的基礎。

這其實就是專業化的建構，大家都說是台灣現階段最必要的東西。

回頭五十年（乃至於一百年、一百五十年的清末民初），台灣一直是追趕學習的新社會，一樣是走倒置的學習過程，時至今天，成果不差，在尖頂處我們大致能和世界的最進步發展接上，甚至同步，所有最好的智識成果，我們也都引進來了伸手可及，也能和外頭世界的當下侃侃對話，而我們卻也時時感受到台灣諸多領域的脆弱單薄，可見問題不出在好東西上——順著上頭的思維，我們應該可以說，台灣是一個好的業餘者社會，還不是個真正專業性的社會。

什麼時候我們最感覺到台灣社會的單薄脆弱呢？當然是災難來臨時、困阨來臨時、必要的抉擇來臨時，這類的考驗時光，我們往往發現我們並不是沒有主張，而是一堆主張都擺在那裡，我們無能分辨無法抉擇，是內閣制還是總統制？該徵稅還是減稅？基本經濟政策走向該往左還右？……

最好的主張，並不是唯一的真理；最好的主張，也並不彼此調和、融結成單一的完美整體，相反的，它們往往以複數的形式並存而且彼此抗衡，每一個都有它不同的思考基礎、歷史建構過程的特殊理由，以及最重要的，歷史實踐的真實成敗經驗而各自暴露出各自的侷限和代價，這種分辨，便不是業餘者的美好欣賞所能做到的，這是專業判斷的事，辛苦而且痛苦。

如果我們召喚專業，就應該充分意識到，我們愉悅學習欣賞的時日已到達一個該轉變的階段點上了，如今一個相對乏味辛苦工作得跟著開始——你得開始讀沒那麼好的小說，看沒有你心儀大明星的球賽，不在選舉辯論中快樂的二選一並姿勢很帥的罵東罵西，你得確實的、緩慢的、耐下心去補滿知識的必要縫隙，專業的必要素養和知識以及其尊嚴，是在不完美之處、失敗之處一點一滴打造起來。

不錯的開始

最好的東西永遠有限，最好那一級、令你愉悅歎服的推理小說也永遠有限，在台灣，就連推理閱讀也多少到達專業業餘的分界點上，我們也得為我們自己做一個小小抉擇，瀟灑的純享樂？或是既然都走到這裡了，何妨進一步讓自己像個更專業更深沉的讀者？

這個小小抉擇，倒不見得一定要從陳查禮探案開始，但此時此刻出版的陳查禮六書，亦不失於一個好的閱讀偶然機緣，也是一個朝向專業推理讀者的好橋樑，它們在金字塔頂稍下那一層，對台灣的「華文讀者」尤其另有一番獨有的意義和思維線索，這其實也是我們選擇這六本書翻譯出版的真實理由。

是個不錯的另階級開始。

目次

【第一章】柯納型天氣

明諾薇．溫特司禮出身於波士頓，家世良好，雖然老早過了浪漫逐夢的年齡，但美麗的事物依然打動著她，即使那是太平洋島上一種帶著野性的美。當她緩緩在海邊漫步時，不禁感到什麼東西輕輕觸動了胸臆，有時在波士頓的音樂廳裡她也會有此領悟，當最喜愛的管絃樂曲進入嶄新而又意想不到的妙處時，感覺就是那樣。

時間就快到吃晚飯的時刻，她最喜歡這時候的威基基海灘，熱帶夜幕將迅速降下來。高大的椰子樹投下來的影子越來越長，越來越深，落日餘暉灑在鑽石岬頭，連從珊瑚礁處奔撲而至的浪潮也染上金色的光影。海水猶如愛人的手輕觸著，一些晚來的泳客仍眷戀著不願離開，零零星星點綴在波浪之間。離海岸最近的一排浮筏，一位膚色棕黑的女郎乍然出現在跳板上。啊，多麼美好的身材！就連年過五十的明諾薇，也不禁微微的感到一絲妒意——年輕，年輕就像一枝勁直的箭，充滿自信的飛行著。那個曼妙的身影像一枝箭直立起來，躍入海中，一次完美的跳水，乾淨俐落。

明諾薇看了一眼走在身邊的艾摩斯．溫特司禮，美景當前他卻視若無睹，他就是這樣的人。艾摩斯出生在島上，對美國本土的了解只有一個舊金山，然而他帶有新英格蘭式的思想觀念卻是無庸置疑的。身穿白帆布衣服，觀念卻是新英格蘭式的。

「你該回去了，艾摩斯。」明諾薇說：「晚餐在等著你呢！謝謝你送我。」

「就送妳到圍籬邊吧，」艾摩斯說：「不管妳何時對丹恩以及他那些玩意兒厭煩了，儘管回來找我們吧，我們隨時歡迎妳。」

「你對我太好了，」她明快的回答道：「但是我真的必須回家去了，葛瑞絲很擔心我呢。當然啦，她沒辦法理解，而我做的也太過分了點，這我承認。我原本只來檀香山住六個禮拜的，結果卻在這幾個島玩來玩去，一待就是十個月。」

「有那麼久嗎？」

她點點頭。「我也不知道為什麼，我每天都很鄭重的發誓說，明天，明天就要收拾行李……」

「而所謂的明天卻始終沒有來到，」艾摩斯說：「因為妳被熱帶地方迷惑住了，跟某些人一樣。」

「我想你的意思是說人往往太軟弱了，」明諾薇說：「嗯，我從來沒有軟弱過，不信你去問貝肯大街的人。」

艾摩斯無力的笑了笑。「這倒是溫氏家族的傳統，」他說：「表面上像清教徒，卻又始終渴望奔向慵懶的地帶。」

「我知道，」明諾薇回答道，視線轉向充滿異國風情的海岸線。「這就是我們這個家族為什麼會有那麼多人要離開賽倫港，到外面去打天下。留在原地的人總覺得，那些出去闖盪的人是去看那些溫氏家族所不應該看的東西，但是話說回來，他們內心是嫉妒的——也許那正是他們感到嫉妒的原因。」她點點頭。「有一點點吉普賽人的性格。你父親便是因此來到這裡落腳，當一個捕鯨人，使你在離老家這麼遠的地方出生。艾摩斯，我想你並不屬於這裡，你應該住在米爾敦或羅斯貝里，每天帶著一個綠色小包包，在波士頓的公司行號裡上班。」

「我的確經常這樣想，」艾摩斯承認道。「但是誰曉得呢？也許我可以有一番出息的……」

他們來到鐵絲網圍籬邊，在這個友善的海濱地帶，圍籬顯得有點突兀。這道藩籬一直延伸到海灘。一道波浪湧上來，輕拍最後一根柱子之後退回到海裡。

明諾薇露出笑容。「好了，來到你和丹恩之間的楚河漢界了，」她說：「我要趁著海浪退回去的時候繞過那根柱子。好在你們沒有辦法讓那根柱子隨著潮水移來移去。」

「我想妳的行李可以在丹恩為妳準備的房裡找到，」艾摩斯對她說：「請記得我剛才說的。」他忽然不說了，圍籬那端的花園裡出現一位全身白色打扮的男子，個子不高，正快速的朝他們走來。艾摩斯．溫特司禮整個身體僵直起來，原本呆滯的眼神突然出現憤怒的火花。「我走了！」他說道，旋即轉身。

明諾薇不禁大聲嚷道：「艾摩斯！」艾摩斯繼續往回走，她跟上去。「艾摩斯，你別那麼意氣用事好不好！你知道你已經有多久沒有跟丹恩講過話了嗎？」

艾摩斯在一株角豆樹下停下來。「三十一年，」他說道：「從三十一年前的八月十日到現在。」

「那也夠久了，」明諾薇說：「好了，你現在就轉過頭來，到你們那個愚蠢的圍籬旁邊，把你的手伸向他。」

「我不要，」艾摩斯說：「明諾薇，我想妳並不了解丹恩這個人，以及他這個人的生活方式。他一而再、再而三的把我們所有人的臉都丟光了……」

「怎麼會？丹恩在這裡是個大人物，」明諾薇反駁道：「他那麼受人尊敬……」

「而且非常有錢，」艾摩斯尖酸的補充道：「而我卻是個窮光蛋。沒錯，在這個世界上通常那種方式才吃香，可是別忘了我們都要到另外一個世界去，我知道丹恩會在那裡得到他應有的報應。」

明諾薇也算是見過風浪的人，但艾摩斯瘦削的臉上那恨毒的表情不禁使她膽寒。眼看多說無益，她於是說：「那，艾摩斯，再見了。我希望哪一天我能夠邀請你到東岸來……」但是艾摩斯彷彿沒有聽見似的，快步向那一大片白色的沙灘走去。

當明諾薇回過頭來時，丹恩·溫特司禮正站在圍籬後面，將滿臉的笑容迎向她。「哈囉，小姐，」他喊道：「到鐵絲網這邊來，再次享受人生吧。我這裡竭誠的歡迎妳。」

「丹恩，你近來好吧？」明諾薇掌握波浪退去的間隙繞到丹恩那裡，丹恩把她的一雙手接在手裡。

「見到妳真是太好了，」丹恩說道，眼神看起來一點也不假。沒錯，這傢伙對女人真的有一手。「這一陣子住在這棟老房子裡還真有點寂寞呢，我看必須有一位年輕女郎的光臨，才會把氣氛弄得明朗一點。」

明諾薇露出不以為然的樣子。「我想我是在波士頓那種又冷又濕的地方待太久了，」她說道：「恐怕早就沒有腦筋說你那樣的風涼話了。」

「別去管波士頓吧，」丹恩帶勁的說：「我們在夏威夷的人都很年輕，妳看看我就好了。」

明諾薇半信半疑的打量起丹恩來。她知道丹恩已經六十三歲了，卻只有兩側太陽穴卷曲的白髮透露出年齡來，那張經年累月在波里尼西亞艷陽下曬成古銅色的臉，連一絲皺紋也沒有。厚厚的胸膛，堅實的肌肉，他在美國本土說不定會被當作是四十歲的人。

「我看到我那了不起的哥哥送妳到疆界上來，」在穿越花園時，丹恩說：「我想，妳一定很願意將他的愛送達給我吧？」

「我本來想說服他回過頭來，讓你們握手言和。」明諾薇說。

丹恩大笑起來。「可憐的艾摩斯，他那麼恨我，妳也別阻止他吧，」他說道：「現在那已經變成他生命的全部了。他每天晚上都會站在那棵角豆樹下，一面抽菸一面注視著我這棟房子。妳知道他在指望些什麼嗎？他在指望上帝總有一天會因為我的罪將我擊倒。嗯，說真格的，他非常有耐性的守候哩。」

明諾薇沒有回答。丹恩的房子很大，房間很多，眩麗到幾乎令人無法消受的地步。她停下腳步，再一次陶醉於眼前的美景之中，鳳凰木就像一支支巨大的紅傘，高大的榕樹挺起燦爛的金身，在地上投下深紫色的陰影，還有她最喜愛的黃槿，樹齡彷彿和天地同長久，整棵樹開滿了黃色的花。可愛甚於一切的是九重葛，把所有攀藤觸及的東西都埋入磚紅色的絢麗之中。明諾薇想到每年波士頓大眾公園裡的春色總教她那些朋友迷醉不已，要是她們看到她眼前這幅圖畫，真不知會做何感想。她們說不定會大吃一驚吧，因為這些九重葛開得太慘烈了，反而失去了一種貴氣。無疑的，這種火紅的背景滿能襯托堂兄丹恩這個人。

他們來到房子的側門，由這扇門可以直接進到客廳。明諾薇看向右方，從掩映的枝葉中可以看見面對著嘉利亞路的高大鐵門和柵欄。丹恩打開門，讓她進去。這房子的客廳也像夏威夷諸島的同類宅邸一樣，三面是牆壁，另一面則是大面積的紗門。走過光潔的地板，進到寬大的玄關，前門有一位看不出年紀的女人，正緩緩從座椅上站起來。女人的身材相當高大，豐胸，屬於消逝中的高貴族群。

「妳好啊，卡麥桂，我又來了。」明諾薇笑道。

「非常歡迎妳來。」女人只是一位僕人，但說話的口氣很有女主人的味道。

「明諾薇，妳前次住的房間還為妳保留著哩，」丹恩說道：「那裡有妳的行李，還有今早輪船靠岸帶來的郵件，我沒有多此一舉的送去艾摩斯那裡。等妳準備好，我們就開飯。」

「我很快就好。」明諾薇回答，隨即飛快的上樓。

丹恩踩回客廳，坐在特地在香港訂製的籐椅上，滿意的四顧著自己的財產。管家走進來，手上端著放有雞尾酒的托盤。

「兩杯是吧，哈庫？」丹恩笑道：「樓上那位女士是從波士頓來的。」

「是，是！」哈庫低低應了一下，無聲無息的退出去。

沒過多久明諾薇笑著走進來，手上拿著一封信。

「丹恩，這實在太荒唐了。」她說道。

「怎麼回事？」

「我大概跟你講過，家裡頭的人在擔心我，因為我老是捨不得離開檀香山。這下可好，他們派一個警察來找我啦。」

「警察？」丹恩那濃密的眉毛揚了揚。

「是的，差不多是那樣。當然啦，表面上可沒有這樣表示。葛瑞絲信上寫說，銀行那邊要放約翰昆西六個禮拜的假，而他決定要來這裡一趟。葛瑞絲說：『親愛的，這樣妳就有伴好一起回家了。』你說葛瑞絲是不是很狡猾？」

「妳說的是約翰昆西．溫特司禮，葛瑞絲的兒子？」

明諾薇點點頭。「你從來沒見過他吧，丹恩？唔，再過不久你就可以見到他了，而且他想必不會喜歡你的作風。」

「為什麼？」丹恩勃然道。

「因為他很正派，人是個好人，可是，嗳，就是太正派了。這趟旅程很夠他受的，當他途經阿爾巴尼（美國紐約州的首府）時，就會開始起反感，然後想到此後的漫漫旅程一樣會令他受不了，卻又必須要忍受。」

「喔，這我就不懂了，他不也是溫特司禮家族的一分子嗎？」

「他是沒錯，但是他血液裡頭絲毫沒有吉普賽人的流浪性格，而是徹頭徹尾的清教徒。」

「真可憐。」丹恩走到放托盤的地方，拿起琥珀色的雞尾酒。「我猜他會去舊金山找羅傑，你不妨寫信給他，要他來到檀香山的期間把這裡當作自己的家。」

「算你有這個心，丹恩。」

「不算什麼。我喜歡年輕人，就算清教徒也好。既然妳馬上就要被抓回文明地區，我敬妳這杯雞尾酒吧。」

「唔，」他的客人說道：「我想我要表現得像我弟弟所謂的哈佛人那樣，什麼都不在乎。」

「那是什麼意思？」丹恩問道。

「就算心裡頭介意，也要裝作滿不在乎。」明諾薇眼睛閃爍著，舉起了酒杯。

丹恩眉開眼笑。「妳真是開朗乾脆的人。」他說，陪著明諾薇穿過前廳。

「在外做客，」明諾薇回答道：「我很留意不要流露出波士頓人的那一套，因為這恐怕會很不受歡迎。」

「對極了。」

「更何況，我馬上就要回波士頓了，到時不是今天去看這個畫展，就是明天去聽那場演講，一步一步把自己變成老太太。」

她想，自己現在可不是在波士頓，而是坐在飯廳裡的豪華餐桌前，面前擺著一大片木瓜，冰得恰到好處，黃澄澄的十分誘人。透過紗門外茂密的枝葉，太平洋的波濤無休無止的低吟著。這頓晚餐該算是極好的，她知道，島上的牛肉也許乾癟多筋，不過水果和生菜可以彌補美中不足。

「你希望芭巴拉趕快回來嗎？」她問道。

丹恩整張臉亮了起來，好像旭日東昇下的海灘。「是啊，芭巴拉畢業了，最近幾天隨時都會回來。要是她和妳那位正經八百的姪子搭上同一條船的話，那就太妙了。」

「至少對約翰昆西來說是那樣，」明諾薇回答說：「芭巴拉到東岸來找我們時，我們都覺得她好活潑，可愛極了。」

「妳說的一點都不錯，」丹恩很驕傲的表示同意，女兒是他的掌上明珠。「告訴妳，我真的很想念她。她不在的時候我實在寂寞死了。」

明諾薇機敏的看他一眼。「是啊，我聽到一些傳聞，」她說：「說你平常是怎麼個寂寞的。」

丹恩曬黑的臉龐竟然紅了。「是艾摩斯說的，對吧？」

「喔，不只是他，傳聞可多咧，丹恩。說真的，以你這樣的年紀……」

「我的年紀，這是什麼意思？我不是告訴過妳嗎，在夏威夷的每一個人都是年輕人。」他悶不吭聲的吃著東西，「妳是個爽朗的人，我這話絕不是說說而已。妳必須了解，在夏威夷島上，一個男人也許會表現得……表現得跟在貝克灣區有所不同。」（譯註：貝克灣區是波士頓的一區，在查理士河南岸，貝肯大街是其主要街道。）

「說到那個，」明諾薇笑道：「所有在貝克灣區的男人都不能夠信賴。丹恩，我也不是要指責你，可是，看在芭巴拉的分上，你何不挑一個能夠娶進門的女人好好交往呢？」

「我可能會娶這個女人，假如我們講的是同一個人的話。」

「我指的那個女人，」明諾薇回答道：「相當出名，人稱威基基寡婦。」

「這地方是閒言閒語的溫床。艾琳・康普頓其實很值得尊敬。」

「我記得她以前是個歌舞女郎。」

「並不正確。她是個演員，多半演一些小角色，在嫁給康普頓上尉之前。」

「而她會變成寡婦，還是自找的。」

「妳這話是什麼意思？」他怫然道，灰色的眼睛噴出火花。

「據我所知，她丈夫駕駛飛機，結果在鑽石岬墜毀了，是她害她丈夫走上絕路的。」

「胡扯，統統都是胡扯！」丹恩大叫道。「對不起，明諾薇，可是妳實在不應該相信妳在海灘上聽到的每一句話。」他沈默了片刻。「如果我告訴妳說，我打算娶這個女人，妳會有什麼反應？」

「恐怕我的觀念相當陳腐，」她委婉的回答說：「而且我還要提醒你一句老話：天下再沒有比老傻瓜更容易騙的了。」丹恩並沒有回答。「對不起，丹恩，論親等我是你堂妹，對很多事情並沒有插嘴的權利。這件事其實與我無關，我本來不該過問，可是我很關心你呀，而且，想到芭巴拉……」

丹恩低下頭去。「妳的意思我懂，」他說：「為了芭巴拉。好啦，妳也不必太緊張，我並沒有向艾琳提到結婚的事哩。還不到那個時候。」

明諾薇露出笑容。「你知道嗎，我這麼些年下來，」她說道：「開始覺得很多古老的格言純粹是無稽之談，尤其是我剛才提到的那句。」丹恩注視著她，眼神恢復了友善。「這是我吃過最好的酪梨，」她又說：「但是告訴我，丹恩，芒果真的可以吃嗎？依我看，那東西似乎更像是春藥。」

晚餐結束時，艾琳．康普頓的話題已被拋諸腦後，丹恩又重新成為和藹可親的人。他們在客廳外面的涼台上喝咖啡。涼台十分寬敞，三面用紗門圍著，深深的伸入那片白沙灘，外頭的暮色使威基基多彩的顏色變得晦暗起來。

「連一點風也沒有。」明諾薇說。

「貿易風停下來了，」丹恩回答道。他指的是從比較涼爽的東北方向夏威夷島吹拂的季風，除了極少數情形下，貿易風才會停止吹拂，帶來短暫不安。「恐怕一連串的柯納型天氣就要來了。」

「但願不會。」明諾薇說。

「這種鬼天氣每天都在侵蝕我的生命，」丹恩說道，他深深陷坐椅中。「明諾薇，我那些所謂年輕的鬼話，統統都是在胡扯。」

她溫和的笑了起來。「就連年輕人也覺得柯納型天氣很受不了，」她安慰道：「我還記得以前在這裡的時候，當時是一八八幾年，我才十九歲，但是那些令人很不舒服的風到今天都還記得。」

「我很懷念那時候的妳，明諾薇。」

「是啊，你那時候跑到南太平洋去了。」

「但是我回來後聽說了妳的事，妳滿頭金髮，身材高眺，十分可愛，原本他們擔心妳很拘謹，但妳一點也不會。他們說，哇，好棒的身材！不過妳現在身材也沒走樣。」

明諾薇臉紅起來，但依然微笑著。「你小聲點，丹恩，我們波士頓那邊可沒人談這些哩。」

「一八八〇年代，」他歎了口氣：「那時候的夏威夷才是真正的夏威夷，還未受到文明的侵害，島上笙歌處處，老夏威夷王卡拉卡華還坐在那張黃金打造的寶座上。」

「我還記得他，」明諾薇說：「還有王宮裡的大型派對。每天下午他都跟那些聲名狼藉的朋友坐在王宮的陽臺上，夏威夷皇家樂團就在他腳底下演奏，他還高傲的把王室金幣向他們灑過去呢。那時的夏威夷可真是個多彩多姿而又單純的樂土哩，丹恩。」

「但現在卻被破壞了，」丹恩抱怨說：「出現太多從美國本土模仿來的東西。太多他媽的什麼鬼機械文明——汽車、留聲機、收音機——真去他的！但是，明諾薇，在最深最深的底層，仍然有泉水在黑暗之中流動著。」

她點點頭，兩人撫今追昔的靜靜坐了一會，不久丹恩扭亮身旁的小檯燈。「我看一下晚報好嗎？希望妳別介意。」

「噢，你看吧！」明諾薇說。

她很樂意交談暫時停下來，因為她最喜歡威基基的此時此刻。熱帶的暮色如此短暫，溫柔誘人的夜又來得如此的快。這片海水地毯，白天是蘋果綠，日落時轉為殷紅和金黃，現在卻變成暗紫色了。鑽石岬上那隻黃色的眼睛正在眨著，彷彿暗示這座死火山的地層下依然冒著火。三英哩外，港區的燈火開始閃動起來。外海的沙洲那邊，日本舢舨的燈籠間歇的照耀著。再過去的一處港外泊碇處，一艘飽經風雨的老舊雙桅帆船朦朧可見，正緩緩駛向港灣的入口。那裡也始終有一、兩艘船，不是從東方載來滿滿的香料、茶葉或象牙，就是載了一大票商人往東方出發。港灣裡停泊著各式各樣的船，有嶄新的定期輪，輕快便捷的不定期貨輪，來自墨爾本和西雅圖，紐約和橫濱，大溪地和里約，以及五洲七海大大小小的港口。因為這裡是檀香山，太平洋上的樞紐。有人說，就像複雜的縱橫字謎遊戲，一時之間所有的路徑都在這裡交會。明諾薇不禁歎了一口氣。

丹恩突如其來的舉動引起她的注意，她轉過頭去，只見丹恩把報紙攤在腿上，直視著前方。還說什麼人在夏威夷永遠年輕的鬼話呢！現在可不妙了，他那張臉瞬間老了下來。

「怎麼啦，丹恩……」明諾薇問。

「噢，我──我，在想一件事情，明諾薇，」他緩緩的說：「妳再告訴我妳那位姪子的事好嗎？」

明諾薇驀然一驚，但沒有形之於色。「你是說約翰昆西？」她說道：「他只是波士頓常見的年輕人，平凡無奇，從生到死，生活歷程已經被父母親計畫得好好的，到目前為止他也照著這條路走，不可免的預備學校，哈佛大學，正派的社交俱樂部，家族經營的銀行，甚至連他母親幫他挑的女孩子，他也二話不說的跟對方訂婚。有好幾次我還希望他能夠跳脫這種生活圈子，譬如說戰爭，可是沒有，打完仗回來他又乖乖的服從這種老舊的生活軌道。」

「那麼說來，他這個人很守規矩，信任得過？」

明諾薇笑起來。「丹恩，直布羅陀巨石跟那孩子比起來，可能就顯得有點搖晃了。」

「人很拘謹，我說得對吧？」

「應該說『拘謹』是他所發明的，我只能這樣告訴你。我很喜歡他，但他有時會有點不太在乎，話又說回來，現在說這個恐怕太遲了，他馬上就要三十歲了。」

丹恩站了起來，神態像是做了重大決定似的。進客廳的門上懸著一道竹簾，竹簾後面出現燈光。「哈庫！」丹恩叫道。那位日本管家迅速走來。

「哈庫，你去叫司機，快點！準備好那輛大車子！我必須趁泰勒總統號還沒有出航到舊金山之前趕到碼頭去。快點快點！」

管家走回客廳，丹恩也跟著進去。明諾薇有點詫異，稍坐片刻後站起來，掀開竹簾。「丹恩，你要去搭船嗎？」她問道。

丹恩正坐在書桌前，振筆疾書。「噢，不是，只是寫一封信，我必須趕著讓那艘船送過去。」

一股壓抑的興奮之情環繞著丹恩。明諾薇跨過門檻走入客廳，不一時，哈庫又來到客廳，儘管大門口已傳來汽車的引擎聲，他還是不厭其煩的報告了一聲。丹恩從他手中接過帽子。「明諾薇，妳在家裡請不要拘束，我馬上就回來。」他匆匆說了一聲就走了。

想必是生意場上的事吧。偌大的客廳空無一人，明諾薇漫無目標的晃來晃去，最後在丹恩與艾摩斯的父親傑德迪雅·溫特司禮的畫像前停下來。這位老人是她的伯父，老人死後，丹恩請人根據照片畫下這幅畫像，據說是出自一位風景畫名家的手筆！噢，這幅畫的確有點風景畫的味道，明諾薇想。不過即使是風景畫家畫的，這來到檀香山當一名捕鯨者的新英格蘭人，經由畫像表現出的力量和性格倒是假不了的。明諾薇只見過老人一次，在一八八〇年代，他那時又老又窮，因失去財富而悲傷不已；在那之前不久，他因為捕鯨船隊在北極附近發生船難破產了。

不過，丹恩又把整個家業興復過來，明諾薇回憶著。不但恢復了他父親所失去的，而且賺得更多。至於他所使用的方法，謠言很多；可那些留在波士頓發展的人，他們所使用的手段還不是一樣眾說紛紜。不管丹恩的過去如何，他終歸是很有魅力的男人。明諾薇在那架大鋼琴面前坐下，彈起老而熟悉的曲子——〈藍色的多瑙河〉，整個思緒回到了一八八〇年代。

坐在奔馳於卡拉卡華大道的車上，丹恩．溫特司禮也在回想著一八八〇年代。但眼前的事對他更加重要，到達碼頭時他下車奔跑起來，微喘的穿越一座昏暗的貨棧，直往泰勒總統號的扶梯。時間不容耽擱，船馬上就要開航了。這是一艘從東方來的船，在此過境，離開時並不會有什麼典禮，只有往來於美國本土和檀香山的定期輪才有那一套。話雖如此，岸邊「阿囉哈」的呼喊依然是真心誠意且聲嘶力竭，大部分的旅客都被戴上花圈，扶梯底下的群眾之間發生一陣小小的混亂。

丹恩排開迎面而來的阻難逆勢而上，踏上甲板時看到一位老朋友，船上的二副赫普渥斯。

「老赫，我正要找你呢，」丹恩大聲說道。

「喔，你近來好嗎，大老闆？」赫普渥斯說：「旅客名單裡好像沒有你的名字。」

「噢，我不是來搭船的，可不可以請你幫個忙？」

「樂意效勞，溫特司禮。」

丹恩把一封信塞進他手裡。「你認識我舊金山的堂弟羅傑吧，請把這封信交給他，一上岸就盡快交給他，記住，要交給他本人。這封信我送出得太晚了。不過我也較喜歡用這種方式傳遞信件。你如果幫我的忙，我會非常感激。」

「用不著那麼客氣，以前你那麼照顧，能幫你的忙是我的榮幸！噢，我看你必須回到岸上了。請等一下，走這邊……」他攙著丹恩的手臂，很禮貌的送丹恩走回扶梯。丹恩的雙腳剛踏上碼頭，身後的扶梯便收起來。

丹恩在原地站了好一會兒，每次看到大船離港，島上的人都會激動莫名，他也感染到這種情緒。隨後他轉過身，緩緩穿過陰暗的貨棧，忽然他看見前方有一個瘦長的身影，認出是女傭卡麥桂的孫子狄克．高拉，於是加快腳步，走到那個小伙子身邊。

「嗨，狄克。」他打招呼道。

「嗨！」小伙子棕色的臉龐悶悶不樂，不太友善。

「你好一陣子沒來看我了，」丹恩說：「最近好嗎？」

「嗯，」高拉回答道：「好啊，怎會不好？」他們走到街上，高拉馬上轉方向離去。「再見。」他低聲說道。

丹恩站了一會，若有所失的看著高拉離去的背影，隨後坐上自己的車。「現在用不著開快了。」他交代司機說。

回到自家的客廳時，明諾薇正在看書。她抬頭望了一眼。「丹恩，你趕上了嗎？」

「剛好趕上。」丹恩說道。

「那好極了，」她說著站起來。「我要拿書上樓去了，祝你好夢。」

他等明諾薇走到門邊，方才開口：「呃，明諾薇，妳用不著寫信告訴妳那侄子來這裡住的事了。」

「哦，為什麼？」她問道，有點沒聽懂。

「呃，因為我寫信邀請他了。晚安。」

「噢，晚安。」她回答道，隨即離開。

偌大的客廳只留下他一個人，丹恩坐立不安的在光亮的地板上來來回回的走著。沒多久，他又走到外面涼台，看到傍晚時候看的報紙放在那裡，於是拿回客廳，想把它讀完，但卻似乎被什麼事情困擾著，兩眼不時從焦距偏離，最後總算發出一聲喟歎，將航運版一角撕下來，撕成碎片。

他復又站起來跺來跺去，本想對著海灘大吼一聲，但樓上房間的寧靜——波士頓雖有寬容的雅量，卻保持沈寂——讓他不得不作罷。

他又回到涼台，那裡放了一張便床，還搭有蚊帳，他通常喜歡睡在那裡，而且更衣室就在旁邊。但現在就寢未免太早了點，他步出門外，朝海灘走去。果然沒錯，柯納型天氣要來了，靠不住的風吹上丹恩的臉頰，這樣的「鬼風」會把浪潮颳得連天高，使夏威夷這個世外桃源失色。今晚沒有月亮，原本看似和藹可親的星星也模糊不清起來。黑色的海水翻滾著，好像是在威嚇。他佇立觀看那漆黑的一片，前面那邊是四方往來的輻輳點，如果你給他們時間的話……只要你給他們時間的話……

他轉過身，眼睛移向鐵絲網外的那棵角豆樹，看到那裡劃亮了一根火柴。是他哥哥艾摩斯。一陣手足之情，忽然湧上，他想要走過去談個話兒，談談很久很久以前，他們兄弟倆在這海灘上玩耍的事。沒有用的，他心知肚明，不禁歎了一口氣，這時他背後涼台上的紗門忽然「砰」的一聲——那扇門沒有鎖，因為這個島上很少有人裝上門鎖。

整個人覺得累了，他坐在黑暗中思考，臉看向客廳入口處的竹簾，竹簾後面出現一條人影，動也不動的大約有一秒鐘，然後消失了。他胸口一緊——人影又出現了。「誰在那裡？」他叫道。

竹簾後伸出一隻巨大棕黑的手臂，隨後出現一張和善的臉孔。

「我切了一盤水果給你，放在桌上，」卡麥桂說：「現在我要去睡了。」

「噢，好的，妳去睡吧。晚安。」

女人退下後，丹恩對自己生起氣來：你究竟是怎麼搞的？從小到大不是一路從無可名狀的恐懼不安中掙扎過來的嗎？現在又有什麼好神經緊張，心情不寧的呢？

「人老囉，」他自言自語道。「噢，不對，不是這樣，是柯納型天氣的緣故。對的，沒錯！等到貿易風又開始吹的時候，我就會恢復正常。」

貿易風何時會重新颳起呢？他猶豫起來。置身在這八方交會的輻輳點上，誰也無法確定。

【第二章】高帽子

在奧克蘭搭上渡輪時，約翰昆西整個人感到十分疲倦無力，因為他已經旅途勞頓了六天多，一直睡在火車的臥鋪裡——是有在芝加哥停下來過，但那不過是換了一班火車而已——他實在受夠了。所謂的飽覽美國——也就是他正在做的事，可真是令人消受不了啊！總覺得他呆看著那一望無際的平原有一個世紀那麼久，偌大的地表點綴著毫無美感的房子，那些居民想也知道從來沒聽過什麼叫做交響樂演奏會。

走在他前頭的是一位挑夫，正扛著他的兩件行李，一件是高爾夫球球桿，另一件是裝帽子的盒子。那傢伙的一隻手沒有了，想必斷了，折損在某次不大不小的邊境鬥毆當中，只好裝上一隻鐵鉤來取代。嗯，對一名挑夫的生計而言，一隻鐵鉤有多少價值，可就不是任何人所能質疑的了。但話又說回來，這看起來有多麼奇怪呀！多麼西部！

約翰昆西指著前頭甲板欄杆旁的角落，挑夫將東西卸下。年輕人把小費小心塞進挑夫完好的手中，慷慨的賞賜得到一個奇特的脫帽禮——挑夫的手鉤縮入細緻的裝飾中，滿頭大汗的脫下斗笠，驚訝的想弄清楚自己遇上了什麼好運。

離開貝肯大街已經有三千英哩遠了，前面卻還有兩千英哩的路程在等著他！脾氣一向很好的他不禁尖酸的質問起自己，幹嘛要答應展開這趟荒謬的旅程，前往一個異教徒的國度？現在可是六月底了，波士頓正進入最引人入勝的社交旺季，在朗格伍德打網球，漫長的夜在查理士河上獨自泛舟，周末假期跟艾嘉莎・派克在馬格諾里打高爾夫球……再說如果真要旅行的話，去巴黎多好？他已經兩年沒去巴黎，當他母親要他走這一趟荒謬的行程時，他寧可匆匆到巴黎去轉一圈。

這整件事只能用荒謬二字來形容。竟然要他跑到五千英哩外，為的只是給明諾薇姑媽一個溫和的暗示，要她回歸貝肯大街紫色窗玻璃內，過那寧靜正常的生活。性格倔強的姑媽會接受這個暗示嗎？門都沒有。明諾薇姑媽一向任性得很，有一次居然還說她愛幹什麼，就幹什麼，約翰昆西想起來依然覺得挺訝異的。

他希望自己還待在家裡。他希望自己只是穿越波士頓公園，到位於國家街的事務所裡，籌備發行一支新的股票。他還稱不上是家族企業的核心要員，溫特司禮家族只有軀幹佝僂、童山濯濯的人才享有那樣的虛銜，不過他全部的心力都放在工作上。他滿腔熱誠的推出股票的發行計畫，像劇作家等候初次演出般的期待著上市的結果。到底那些第一抵押債券會一炮而紅，還是一敗塗地？

渡輪響起刺耳的氣笛聲，把約翰昆西喚回此刻在地圖上連自己也無法置信的所在。渡輪開始移動，他彷彿察覺有一位年輕的異性走來坐在他的身邊。渡輪緩緩離開停泊處，駛進港灣，約翰昆西忽然坐直，留意起周遭的狀況，美女就在附近，不管他在哪裡遇到都不會無動於衷。

而他現在就遇到美女了。早晨的空氣乾冷而明淨。出現在他眼前的正是疲憊的航海者所夢寐以求的港灣。經過了山羊島，他隱約聽到號角的回音，塔瑪巴斯山在藍天之下昂首挺拔，抬頭看去，整個舊金山快活的盤踞在數個山頭上。

渡輪破浪前進，約翰昆西依然正襟危坐。四周出現高高低低的輪船桅竿和煙囪，這裡就是充滿浪漫氣氛的海岸了，當他還在學校唸書的時候，就對這裡的故事非常著迷，一個年輕沈默的溫氏家族成員，身上的吉普賽流浪性格不知哪裡去了。現在他聽得出安特衛普號的汽笛聲了，那是從東方駛來的大型輪船，船上有五根桅竿，令人想起那些依稀被人遺忘的故事。許許多多的船，有從通商港埠來的，也有從南太平洋中盛產椰子的島嶼來的，構成一幅多彩多姿的圖畫，有若舞臺上的背景——但是真實多了。

忽然間約翰昆西站了起來，他那原本鎮靜的灰眼睛出現困惑的神色。「我……我真不明白！」他喃喃說道。

連他也被自己的聲音嚇到了，他不是有意那麼大聲講話的。為了不使剛才的舉止顯得太過愚蠢，他四下看了看，希望跟哪個人講講話，好裝個樣子。沒有這樣的人，只除了身旁那位年輕的小姐，當然不方便與她搭訕。

約翰昆西低頭看著她，可能是西班牙裔之類的吧，一頭烏黑的頭髮，明亮的黑眼睛帶著欲蓋彌彰的笑意，細緻的鵝蛋臉曬得有點黝黑。約翰昆西又向港口的方向看了一眼——美女多半集中在船上，他這艘渡輪就有一位。唉，坐船比起搭火車要好多了。

女孩仰頭看著約翰昆西，一位身材高大、肩膀寬厚的年輕人，有著一張娃娃臉。她立刻下定決心，給一點點善意的回應應該不會誤解吧。

「嗯，你說什麼？」她開口道。

「噢，我……我很抱歉，」他口吃道：「我不是存心的，剛才無意間脫口而出，我說我真不明白。」

「你不明白什麼？」

「有件事好奇怪，」他坐下來，向港區那邊比了比，說：「這裡我曾經來過。」

女孩有些不明所以。「是有很多人來過這裡！」她搭腔道。

「可是，妳知道嗎，我是說，我從來沒有到過這裡。」

她稍稍坐開了些。「也有很多人沒到過這裡！」她依樣畫個葫蘆。

約翰昆西深呼吸一口氣，他到底在胡說些什麼呀？他有股衝動想要很紳士風度的脫帽致個意，然後轉身走開，讓整件事就此打住。但是不行，溫氏家族的規矩是要堅持到底的。

「我是從波士頓來的。」他說道。

「喔！」女孩明白了，那說明了一切。

「而且我想要說明清楚的是，當然我沒有理由要妳聽我講這些……」

「沒有關係，」她笑道：「請繼續說。」

「就在幾天之前，我還沒有到過紐約以西的地方，從小到大都不曾，妳了解嗎？我到過新英格蘭一些地方，去過幾次歐洲，但是西部這裡……」

「我懂，這裡不太對你的胃口。」

「話不能那麼說，」約翰昆西小心而禮貌的辯解：「雖然有這樣的情形存在——奉命到人生地不熟的地方讓人感到絕望。可是呢，家裡的人要我走這一趟，懂嗎？所以我坐了一班又一班火車，請容我這麼說，真是坐得有點煩。好啦，結果我來到這個港口，四下一看，卻產生一種古怪的感覺，覺得自己似乎來過這裡。」

女孩露出了心有戚戚焉的表情。「你這種經驗別人也有過，」她告訴約翰昆西。「這樣的人都不是泛泛之輩。你長途旅行了那麼久，現在終於回到家了。」她伸出修長的手，說：「歡迎來到屬於你的城市。」

約翰昆西一本正經的同她握了個手，委婉的更正道：「噢，不是的，波士頓才是我的城市，我當然屬於那個地方。不過這裡……這裡讓我覺得似曾相識。」他往北看，月谷之外有矮小的山丘環繞著，然後他再把視線拉回舊金山，「嗯，我好像知道從前是怎麼來這裡的，妳聽了很驚訝吧？」

「說不定你的祖先以前也……」

「沒錯，我祖父年輕的時候來過這裡，之後又回去了，不過他的兄弟留在這裡。我是要到檀香山找一位堂叔。」

「哦，你要去檀香山？」

「明天早上的船，妳去過檀香山嗎？」

「去過。」女孩的黑眼睛嚴肅起來。「看到了嗎？那裡是門戶的關鍵，前往東方就從那裡開始──我說的是真的東方。還有那裡，叫做電報山，」她用手指著，波士頓的女孩是不會用手指東指西的，可是她實在太可愛了，約翰昆西並不計較。「以及俄羅斯山，還有貴族山的費爾蒙大飯店。」

「在這地方過日子想必要山上山下的跑，」他輕巧的試問：「妳能不能介紹一下檀香山，在我想像中，那裡有點蠻荒？」

女孩笑了起來。「我還是讓你自己去發現那裡有多蠻荒吧，」她說道。「那裡絕大部分的大戶人家都是從你最親愛的新英格蘭搬過去的，我爸爸說他們是『曬過太陽的清教徒』。我爸爸真的很聰明。」她用一種奇特的童音補充道，語帶機伶又有點挑釁。

「的確是那樣，」約翰昆西起勁的說。渡輪駛近航運大廈，其他乘客紛湧過來。「妳的行李要不要人幫忙拿？啊，我光拿自己的就騰不出手了，不知道有沒有挑夫……」

「不用麻煩，」她回答道：「我自己來就可以了。」她眼睛瞪著約翰昆西的帽盒。「我看，你這裡面裝著一頂絲絨禮帽是吧？」她問道。

「是啊！」約翰昆西應道。

她大笑起來，樂不可支。約翰昆西被笑得有點不太自在。「噢，對不起，」她嚷道：「可是……在夏威夷哪有人戴絲絨禮帽啊！」

約翰昆西僵立住了。這女孩居然在嘲笑一個溫氏家族的人！他登時激起滿腔男子氣慨，心頭湧上一股不顧一切的衝動，一彎腰就把帽盒拾起來，二話不說的往欄杆外扔出去。帽盒在海裡隨波起伏，四周的人爭相推擁來看，不想錯過任何人發神經的鏡頭。

「解決掉了。」約翰昆西平靜的說。

「啊！」女孩驚呼道：「你不該那麼做的。」

他是不應該那麼做。那盒子是耶誕節他親愛的母親送的禮物，相當貴的，他還戴過那頂禮帽，沿貝肯大街在查理士河河邊徜徉，使他在那高貴的場景下更為出眾。

「有何不可呢？」約翰昆西反問道。「這玩意兒打我一離開家門就礙手礙腳的，更何況，我們這些東部客看起來有點古怪，不是嗎？在熱帶地方戴大禮帽！我真是搞不清楚狀況。」他拿起地上的行李。「這下用不著挑夫了，」他神情愉快的說：「喔，我沒頭沒腦講了那麼多話妳都沒有生氣，真是太謝謝妳了。」

「哪裡，你說的話很有意思，」女孩說道。「希望你人還在這裡就已經開始喜歡我們了，我們總是渴望人家喜歡的，你知道嗎，那種渴望可說是悲憫的。」

「噢，」約翰昆西笑道：「到目前為止我只碰到一位加州人，不過……」

「不過什麼？」

「不過到目前為止，感覺非常的好。」

「喔，謝謝你。」女孩舉足離去。

「欸，請等一下，」約翰昆西叫道：「我希望、我是說……希望我們……」

但是一大群旅客蜂擁在兩人之間，儘管那雙黑眼睛仍笑意盈盈的看著他，但女孩終究像那盒禮帽般離開了他的視線。

【第三章】俄羅斯山子夜時分

不久，約翰昆西在舊金山上岸，他穿越航運大廈沒幾步遠，一位服裝整齊的日本司機就在人群中一眼認出東部客，將他攔個正著。

司機說，羅傑・溫特司禮此刻正忙得不克分身，但有交待要約翰昆西到他家裡，梳洗打點過後和他一起到市區共進午餐。約翰昆西聽了之後，心裡一顆大石頭落下，滿心歡喜的隨著司機走到街上。在早晨陽光的照耀下，舊金山顯得閃閃發光。

「我一直以為這個城市到處都是霧哩！」約翰昆西說道。

日本人笑了笑。「霧有時候有，有時候沒有，現在一時半刻還不會起霧。請上車。」他打開車門。

他們在明亮的街道上飛馳，此地的生活似乎以一種歡娛的節奏流動著，人行道旁有人在賣花，好幾輛手推車滿載著姹紫嫣紅，百合的鮮潔，不勞畫筆著色。僕僕風塵的約翰昆西，每吸一口氣都是一股新鮮的能量，他又有了新的企圖，想要提出更新、更大型的股票上市案，彷彿毫不費勁就可以大撈一筆似的。

羅傑不像底下半島上的人們那樣嚮往市郊的生活，而是孤家寡人住在貴族山上。他的住家是一棟祖先留下來的房子，外表看起來沒什麼，內部的設備卻舒服得很。一位駝背的中國老頭帶約翰昆西到他的房間，他看了不禁心跳加快——有個真正的浴室，他終於可以好好洗個澡了。

下午一點造訪羅傑的事務所，他這位親戚是個土木工程師，生意十分興旺。羅傑還不到六十歲，身材不高，氣色甚佳。

「嗨，小伙子，」他開心的大聲說道：「在波士頓老家的人都還好嗎？」

「每一個人都很好，」約翰昆西說：「非常謝謝你！」

「用不著來這一套。很高興看到你，來，跟我來。」

羅傑帶約翰昆西去一個知名的紳士俱樂部用餐。吃燒烤的時候，羅傑指著好幾位著名的作家給約翰昆西看，不過年輕人聽了並不熱衷，因為他心儀的郎法羅、惠蒂爾和羅威爾並不在座。話雖如此，這裡倒是相當舒服的地方，服務親切，餐點十分精緻可口。

「怎樣？」羅傑問道：「你對舊金山有什麼觀感？」

「還不錯，我喜歡這裡。」約翰昆西簡略的說。

「哦，你這是真心的嗎？」羅傑笑道：「這裡對一個新英格蘭的人來說，應該算是很吸引人的地方吧。這地方有這地方發展的歷史，雖然短了點，但卻人氣匯集，十分興旺。我不騙你，舊金山的特色就是老於世故，精明幹練，講究精緻。比起美國其他城市，比如說洛杉磯……」

他一談起這個最感興趣的話題就滔滔不絕，講得有聲有色。

「那些作家，」最後他說：「老是把城市比喻成女人，像舊金山就是那種你不會向家鄉的親友多談的女人，那倒不是說這女人不正經，我不是那個意思——只不過她穿的絲襪比較窄一點，笑起來比較大聲一點而已——但人們很容易誤會。更何況，這樣的記憶太珍貴了，還是不要講出來的好。嗨！」

一位英俊的瘦高英國男子行經燒烤區，正要出去。「科普！科普！你等等啊！」羅傑快步追了過去，把那人拉了回來。「我一看到你就認出來了，」他說道：「距離上次見面已經四十年有了吧。」

英國男子就了座，臉上露出苦笑。「原來是老兄你呀，」他說道。「請別介意我這麼講，應該沒那麼久吧。」

「少抬槓了！」羅傑抗辯說道：「多少年有那麼重要嗎？這位是我親戚，叫做約翰昆西．溫特司禮，從波士頓來的。呃，你老兄現在是什麼來頭呢？」

「上校，在海軍總部任職。」

「真的？那這位就是亞瑟登堡．科普上校了，約翰昆西。」羅傑轉向英國人。「我們那時候在檀香山認識時，你還是個海軍軍校學生吧，我想。不到一年之前，我還跟丹恩講起你呢。」

上校的臉上掠過一陣嫌惡的表情。「噢，丹恩啊？我猜他現在還很活躍，在社會上混得不錯？」

「嗯，是啊。」羅傑回答。

「那不是很沒天理嗎？」科普說道：「壞人卻得到好報？」

氣氛登時沈默下來。約翰昆西很清楚英國人坦白的個性，但是對他下一站的東道主公然的表示敵意，還是令他心生不悅。再怎麼說，丹恩也是溫氏家族的一員。

「噢，呃……要不要來根香菸？」羅傑道。

「謝謝，抽我的好了，」科普說道，一邊從口袋裡取出一個銀質的菸盒。「我抽維珍妮種菸草，雖然這種菸在倫敦的畢卡第利大道價錢很貴。你不抽啊？那你呢，老弟——」他把菸盒遞向約翰昆西，約翰昆西有點不自然的拒絕了。

上校無動於衷的點著了菸。「很抱歉，我剛才用那樣的話說你那位堂兄，」他說：「不過事實你也知道……」

「別提了！」羅傑誠懇的說。「你來舊金山有何貴幹？」

「我要到夏威夷去，」上校解釋道：「搭今天下午三點的澳洲郵輪，海軍總部交辦的差事。到檀香山後再轉往范寧群島，那裡是我們的屬地。」他用一種宗主國的語調補充道。

「看來那裡會成為你們軍艦的補給站。」羅傑笑道。

「老兄，我的任務當然是祕密性的。」科普上校忽然看著約翰昆西，「對了，我認識一位從波士頓來的小姐，人非常可愛，她想必是你的親戚吧。」

「一位小姐？」約翰昆西疑惑道。

「她叫做明諾薇・溫特司禮。」

「什麼，」約翰昆西吃了一驚：「你是指我姑媽明諾薇？」

上校笑了笑。「在我們那個時候，她才不是誰的姑媽，」他說。「她一點也沒有姑媽的味道。不過我講的是一八八〇年代的檀香山，我們搭乘老式木造的信任號到那裡，那艘船真是可憐，打從薩摩亞開始就一路搖搖晃晃的，你姑媽還到港口來迎接呢！那時候王宮裡經常辦舞會，許多人在海邊游泳。噢，說著說著我又回到年輕的時候了。」

「明諾薇人現在在檀香山。」羅傑告訴他。

「噢，真的？」

「是的，她現在住在丹恩那裡。」

「丹恩那裡。」上校沈默了一會兒。「那她丈夫……」

「明諾薇一直沒有結婚。」羅傑解釋道。

「真是不可思議！」上校說道，仰頭向鑲板天花板吐了一口菸圈。「你們波士頓的男士實在太不爭氣了。我自己時間有限，但卻很想去看看她。」他站起來。「今天還真是有點運氣，居然又和你重逢了，老兄。時間緊迫，我要趕著去搭船了，不用講你也明白，是吧？」他向兩人點了個頭，轉身離去。

「真是好人一個，」羅傑看著科普上校離去的身影，「心直口快，渾身上下英國人的調調，是個很了不起的傢伙。」

「他談論丹恩堂叔的那些話，」約翰昆西坦承道：「我聽了很不是味道。」

羅傑笑了起來。「丹恩不太受人尊重，」他說：「這點你最好要習慣著點。你知道嗎，他爬到很高的位置，一路上把別人踩在腳下。對了，他要你在舊金山的時候替他辦一件事。」

「要我替他辦一件事？」約翰昆西驚訝道。

「沒錯，你應該覺得很榮幸才對，受到丹恩信任的人並不多。不過，這件事得等到入夜之後再去做。」

「等到入夜再做？」從波士頓來的年輕人相當不解。

「對的，在這之前我帶你到市區裡走走吧。」

「你——很忙吧，我不想耽誤你。」

羅傑將手搭在約翰昆西肩上。「老弟，沒有一個西部人會忙到沒時間帶一個東部來的人參觀自己的城市，這樣的機會我已經盼望了好幾個禮拜了。再說，你既然堅持要搭明天早上十點的船去夏威夷，我們就應該痛痛快快玩一頓才對。」

說到在舊金山玩，羅傑的確很有一手。他花了一整個下午開車載約翰昆西在市區和四周郊區暢遊，傍晚六點時回到家裡，催小伙子趕快換好衣服，前往他顯然期盼很久的地方吃大餐。

約翰昆西的行李放在房間裡，換好晚宴服時，想到既有羅傑作伴，不禁對舊金山的夜生活產生很大的期待。等他下樓時，羅傑穿得品味出眾正等著他，兩人在漸濃的暮色中輕快的出發。

來到一家外表不很起眼的餐廳，進去就座之後，羅傑解釋道：「這就是我要你來見識一下的小地方，飯後我帶你去歌倫比亞劇院看歌舞秀。」

羅傑對這家餐廳寄以厚望，不意收效卻超出自己的預期。約翰昆西開始對整個世界燃起了好感，特別是位居美國西部門戶的這個城市。他再也不覺得自己是個外來客了，不管怎麼說，他都不能算是外來客，在港口初次感受到的那種感覺又回來了。這地方他曾經來過，他正踏在一塊熟悉的土地上。在那個已遺忘的快樂年代，這座城市各條街道的生活細節他都很了解。這似乎有點奇怪，但卻千真萬確。他告訴羅傑這個想法。

羅傑笑了起來。「你到底是咱們家族的一員，」他說：「他們本來還告訴我說，你這個人是倖存的清教徒呢。你剛才講的那種感覺，我老爸一直就有，他每到一個新的地方都會有這種感覺。這終究是前輩子遺留下來的吧。」

「哪有這回事！」約翰昆西說。

「那很難講。你血管裡頭流的總是溫氏家族的血液，」說著他傾身向前，「怎樣，搬到舊金山來住吧？」

「嗄——什麼？」約翰昆西吃了一驚。

「我闖盪了那麼多年，一直是在單打獨鬥。我的事務所有不少財務上的事情，你來這裡，我把它們全部委託給你，讓你大顯身手。」

「噢，這不成的，謝謝你的好意，」約翰昆西堅定的說：「我離不開東部那個地方，更何況，我是不可能說動艾嘉莎到這裡來的。」

「誰是艾嘉莎？」

「艾嘉莎．派克，我的未婚妻。我們認識了這麼些年，了解彼此的想法。非常感謝你的好意，」他補充道：「我想我還是待在屬於我的地方比較好。」

羅傑露出失望的表情。「大概是吧，」他憧悟道：「叫做那種名字的女孩子，我也認為不可能隨著你到這裡來。話說回來，不管自己的男人要到哪裡，她都願意跟去，只有這種女人才值得擁有吧——不過既然如此，那就算了。」他注視著約翰昆西好一會兒。「看來我是錯看你了。」

約翰昆西陡的感到有點不滿。「你這話什麼意思？」他問道。

「在以前，」羅傑說：「溫特氏家族的人都會採取主動，絕不會聽從女人的意思的。他們會在某一個晴朗的早晨起來之後就走出家門，頭也不回的到江湖上闖盪，過的生活是——唔，不過你算是新的一代，這些你並不了解。」

「何以見得？」約翰昆西質問道。

「因為你顯然認為按照既有的模式過日子就已經很好了，你並不明白什麼叫做悸動。這種情形你有過嗎？你曾經因為某個愚蠢的原因忘記上床睡覺嗎——好比說，你正青春年少，而南半球的某個角落，浪花正拍打在月光照耀的沙灘上？你會不會一本正經的撒謊，為的只是要保護一個不值得保護的女人？你會去愛一個做壞事的女人嗎？」

「當然不會。」約翰昆西固執的說。

「你會不會跑到一個陌生的城鎮，在民風粗暴的曲巷街區中闖出一片天地來？或者跟某艘船的船長幹過架——那種老式的，拳頭像會飛的火腿般不斷的揮過來？可不可能當你被人追殺，逃到死巷子裡，於是反過來手無寸鐵的傾力一搏？你有沒有可能——」

「你所描述的那些角色，」約翰昆西打岔道：「並不怎麼值得景仰。」

「也許吧，」羅傑同意。「只不過這些是我過去的故事，老弟。」他感慨的看著約翰昆西，「沒錯，我一定是錯看你了，畢竟你骨子裡是個清教徒。」

約翰昆西沈默無言。這老傢伙眼睛裡有一種奇異的光芒——是在暗地裡嘲笑他嗎？似乎是的，他不禁生氣起來。

兩人去看了一場詼諧有趣的輕鬆歌舞秀，十一點離開戲院時，原先的悶氣已經消散無蹤，彼此又成了好朋友。坐上車後，羅傑吩咐司機開車到俄羅斯山的某個地址。

「我們去丹恩在舊金山的房子，」他解釋說：「他每年會來這裡待兩個月，所以弄了個住宅。他老兄比我有錢多了。」

丹恩在舊金山有房子？「喔，」約翰昆西說道：「這就是你提到他要我幫他辦的事？」

羅傑點點頭。「沒錯。」他點亮座位上方的小燈，又從口袋裡拿出一封信來。「你看一下，這是前兩天泰勒總統號的大副送來的。」

約翰昆西從信封內抽出一張信紙，信似乎是倉促間寫的，字跡相當潦草。

「親愛的羅傑，」他唸道。「我要請你們幫一個大忙——我指的是你，以及那位從波士頓趕來夏威夷，途中會在你那裡落腳的小伙子，據說他這個人還滿謹慎的。首先請你代我向他問候，並告訴他來到夏威夷時千萬不要客氣，一定要把我這裡當做自己的家，我很歡迎他的到來。

「至於要請你們幫的忙是，你手上有我在俄羅斯山那棟房子的鑰匙，帶著到那裡去——最好是在夜裡，管家不在的時候。進去之後不要開燈，不過餐具室裡面有蠟燭。頂樓儲藏室裡放著一個褐色的舊式大行李箱，我忘了有沒有上鎖，有的話，把它撬開，最底層有一個桃金孃木做的舊盒子，邊緣鑲上銅皮，上面有三個字母——T．M．B。

「用個東西把盒子裝了帶走，那玩意兒大概是雙手合抱那麼大，不過你們應該料理得來。你叫約翰昆西把它藏在行李裡面，等輪船走過一半的路程時，選一個深夜悄悄的從甲板上扔到大海裡。請告訴他這件事必須做得神不知鬼不覺，就這樣。不過當你拿到那東西時，請拍給我一封海底電報，另外當東西丟進海裡時，也請他拍一封無線電報給我。到那個時候我才能放心睡我的覺。

「絕不要跟任何人提起這件事，羅傑，連一個字都不可以。事情的輕重你想必很清楚，有時候我們必須花一點工夫，才能把從前發生的事徹底埋葬掉。

你的堂兄丹恩」

約翰昆西慎重的把信交還羅傑，羅傑小心撕成碎片，灑出車窗外面。「呃，我——」約翰昆西開口想要說點什麼，卻又無從說起。

「事情很簡單，」羅傑笑道：「假如我們能幫助可憐的丹恩安心入睡，那就該放手去做，是吧？」

「我——我想是吧！」約翰昆西同意。

上了俄羅斯山，車子駛入一條蕭瑟的林蔭道，從兩旁氣派的宅邸之間疾馳而過。羅傑俯身向前，「在轉角停下來。」他吩咐司機。「等一下我們再用走的回來。」他向約翰昆西解釋道。「車子還是不要在房子前面停下來比較好，以免引起注意。」

約翰昆西仍然不置一辭。兩人在轉角處下車，沿著林蔭道往回走，來到一座石材建築的大房子前面，羅傑停下腳步，小心翼翼的前後左右看了看，然後快步跑上台階。「快上來！」他輕聲喚道。

約翰昆西跟著上去。羅傑將前門打開，兩人進入黑暗的玄關。往前看去是個很大的大廳，一樣很暗，朦朧之中可以察知一座很大的樓梯。四下分布著一件一件的家具，上面罩著白布，像鬼魂似一動也不動的挺立著。羅傑取出一盒火柴。

「我本想帶手電筒來的，」他說道：「但卻偏偏忘了。你在這裡等一下，我到餐具室找蠟燭。」

他消失在黑暗之間。約翰昆西小心翼翼的走了幾步，本想在一張椅子坐下，但又覺得像是坐在鬼魂的大腿上——他改變主意，站在大廳中央等著。四周一點聲音也沒有，一片死寂。黑暗把羅傑整個人吞噬掉了，連一個呃也不打。

好像經過一輩子似的，羅傑拿著兩支點亮的蠟燭回來。一人一支，他說道。約翰昆西接過蠟燭，高高拿起，顫動的黃色燭光下，腳底下的影子格外清晰，這玩意兒的確不無小補。

羅傑在前面帶路，先上大樓梯，接著是一道比較窄的樓梯。到了三樓的走廊，他停在另一個樓梯口，空氣相當滯悶。

「我們到了，」羅傑說道：「這裡上去就是頂樓的儲藏室。媽呀，我幹這種事真是太老了點！得拿鑿子對付那個鎖，我知道工具放在哪裡——等我一下，一分鐘就好。你可以先上去，找看看那個大旅行箱在哪裡。」

「好……好吧！」約翰昆西答應道。

羅傑走後，他遲疑了一下。深更半夜待在無人的房子裡，想到就心裡發毛。啊，別庸人自擾了吧！你不是已經長大成人了嗎？他笑了起來，朝狹窄的梯子爬上去。儲藏室只完工一半，他把蠟燭舉得高高的，燭影在褐色的椽木之間顫動著。

他登上最上面一級樓梯，停下來，整個儲藏室充滿著幽暗的氣息。樓板居然吱吱作響，真是奇怪，又沒有人在那裡走動。又有聲音響了，就在他的背後。

他正要轉身，驀然後面伸出一隻手來，打落他手上的蠟燭。蠟燭在樓板上滾了滾，滅了。

太可惡了！「幹什麼啊！」約翰昆西大叫道：「你——你是誰？」

遠處的窗戶透過來一點點月光，突然之間，一條朦朧的人影出現在微弱的光線和約翰昆西中間，是個男的。潛意識告訴他最好要趕快提防，然而，他是來自於一個總有時間準備的地方，而這裡卻不容他有時間反應，黑暗中一個拳頭揮過來，打中他的臉頰。於是乎，從波士頓來的約翰昆西．溫特司禮被打倒了，倒臥在舊金山一棟住宅閣樓的雜物堆裡。他聽到東西碰撞的聲響，接著是一雙大腳踩在樓梯上的聲音，之後，只剩下他一個人。

約翰昆西爬起來，憤怒到極點，拍打著晚宴服上的灰塵，這套晚宴服還是裁縫師得意的作品呢。羅傑來了。「那個人是誰？」他屏住呼吸問道。「剛才有人從後面的樓梯下到廚房，那個人是誰？」

「我怎麼知道他是誰？」約翰昆西惱怒的反問道：「他又沒有自我介紹！」臉頰火辣辣的，他拿手帕摀住挨了拳頭的地方，藉著羅傑手上的燭光，發現手帕上面沾染了殷紅的血。「他手上戴著戒指，」他恨恨的說：「這個天殺的混蛋！」

「他打了你，是嗎？」羅傑問道。

「那還錯得了嗎！」

「啊，你看！」羅傑叫了起來，用手指著，「那個行李箱的鎖被敲壞了！」他走上前去察看。「裡面的盒子也不見了，糟了，丹恩這下完了！」

約翰昆西還在拍打身上的灰塵，丹恩那個老傢伙的災難帶給他極度的疼痛，那個痛卻與他臉上火辣辣的感覺無關。丹恩那個老小子可真有一套，想必是他叫了個陌生人三更半夜跑來這間到處都是灰塵的閣樓裡，朝自己的臉上結結實實的來了那麼一拳。但是，這到底是為了什麼？

羅傑還在繼續著他的蒐檢。「沒有用了，」他說道：「那盒子不見了，就是這麼回事。走吧，我們下樓去看看，你的蠟燭在地板上。」

約翰昆西拾起蠟燭，借羅傑手上的燭火點著了它。他倆悶不吭聲的下樓，廚房的後門依然打開著。「他從那裡跑了，」羅傑說：「啊，你看——」他指著一個被打破的玻璃窗，「他從那裡偷跑進來。」

「要不要報警？」約翰昆西問道。

羅傑注視著他，解釋道：「報警？那怎麼可以？你的判斷到哪裡去了，小老弟？這種事不能把警察扯進來。明天我會去找塊玻璃把這窗戶補好，走吧，我們該回家了，這一趟白來了。」

約翰昆西的不滿又被他話語中的責備意味挑起了。兩人把熄滅的蠟燭放在大廳的桌上，回到馬路上。

「嗯，我得拍個電報給丹恩，」走到轉角處的時候，羅傑說：「這件事恐怕會使他十分懊惱，連帶影響到他對你的好感。」

「沒有他的盛情招待，」約翰昆西說：「我自己一樣過得去。」

「剛才你要是能攔住那個人，等我趕到——」

「欸，」約翰昆西說：「我是在毫無預警的情形下被摺倒的。我怎麼知道到那樓頂上是要跟一個重量級拳王打架？他在黑暗中出現在我面前，我一點準備也沒有——」

「我並沒有怪你啦，老弟。」羅傑插嘴說。

「我知道我錯在哪裡，」約翰昆西接著說：「出發到這裡來之前，我應該先到健身房接受嚴格的訓練才對。不過你放心好啦，下一次再有人像那樣出現在我面前，他就會知道他老兄找錯了目標。我每天早中晚都會鍛鍊身體，學打拳擊，從現在起一直到回到家門為止，我會隨時提高警覺。」

羅傑大笑起來。「不過你這張英俊的臉卻破相了，」他說道：「這裡有一家藥局，我們還是停下來好了，叫店裡的人幫你包紮一下。」

藥局裡一位熱心的伙計用碘酒、棉花、紗布料理了約翰昆西的傷口，讓他帶著打鬥後的光榮標記回到車上。返回貴族山的路上兩人都沒什麼交談。

才剛走進羅傑家的大門，突然一件灰色長袍在他們面前轉了一圈。「芭巴拉！」羅傑嚷道：「妳怎麼突然跑來了？」

「嗨，老叔，」女孩叫了一聲，上前親吻他。「我專程從柏陵坎搭車過來，到你這裡住上一夜。明天早上就要搭泰勒總統號回去。這位就是約翰昆西吧？」

「他是你堂哥，」羅傑笑道：「妳也應該親他一下，他今天晚上很倒楣。」

女孩立刻轉身面向約翰昆西，這回他一樣毫無準備，換另一個臉頰挨上一記，不過這一記並不令人反感。「你就當這是歡迎好了，」芭巴拉笑道。她是位苗條的金髮女郎，那麼嬌小的身軀居然能散發出如此的旺盛精力，約翰昆西從來不曾見過。「我聽說你要到夏威夷去？」她說。

「是在明天，」約翰昆西回答，「跟妳搭同一艘船。」

「那太棒了！」她嚷道，「你是什麼時候來的？」

「他是今天早上到的。」羅傑告訴她。

「可是今天晚上卻碰到倒楣的事？」她說。「你看我來得多巧呀。你要帶我們去哪裡玩呢，羅傑？」

約翰昆西瞪大了眼睛。帶他們去玩？現在？

「我得上樓去了。」他搶先說道。

「為什麼？現在才剛過十二點，」芭巴拉說：「好些地方還在營業，你也會跳舞嘛，是不是？讓我帶你見識一下舊金山，老羅傑人最好了，我們讓他來付帳。」

「這樣的話，那我、我……」約翰昆西囁嚅道，他臉上挨揍的部分還在抽搐，此刻最盼望的是樓上臥房裡的床。美國西岸這裡到底是個怎樣的地方啊！

「來吧！」女孩哼起輕快的小調，渾身幹勁十足，興奮、快活得不得了。約翰昆西拿起外出的帽子。

羅傑的司機為了檢查引擎，還在屋子前耽擱著，看到三人走下階梯，一副「不會吧」的表情。但是他無所遁逃了，只好鑽回車內駕駛座。

「上哪裡呢，芭巴拉？」羅傑問道：「泰特的店嗎？」

「不要泰特的店，」她回答，「我才剛從他那裡出來。」

「什麼！我以為妳是從柏陵坎一路搭車來的。」

「沒錯呀！我出發的時候是下午五點，坐車坐了好幾個鐘頭。我們這位波士頓來的帥哥吃吃看雜碎好嗎？」

老天爺，約翰昆西想，普天之下還有他更不想吃的東西嗎？可芭巴拉卻不由分說的把他帶到了四周都是中國人的地方。

他和中國人從來沒有交集，墨西哥人也一樣，可墨西哥餐館卻相當吸引他身旁這位女孩。想到這裡，他也就不怎麼嚮往義大利餐館，甚至法國餐館了。儘管如此，他還是要掙扎著和國際的異文化打交道，用胃腸的消化能力和好幾盤稀奇古怪的食物相對抗，然後擁著身輕如燕的芭巴拉跳舞跳了好幾千英哩之遙。在一家名叫彼德飛訊的店吃過炒蛋之後，這小妞終於同意回去就寢。

約翰昆西踉踉蹌蹌進入羅傑家大門，客廳裡的大鐘正好敲了三下，芭巴拉依然興致昂揚、精力充沛。約翰昆西趕緊偷偷打個呵欠。

「何必那麼早就回家嘛，太奇怪了吧，」她嚷道。「不過，到了船上，我們還可以跳一兩次舞吧。對了，有一個問題我一直想要問，你臉上受的傷是怎麼一回事？」

「噢，呃，我……」約翰昆西正要開口，卻看到芭巴拉後面的羅傑猛搖頭。「嗯，這個是嗎？」他輕輕觸摸著傷口。「我在美國西岸的經驗從這裡開始。晚安，今天晚上我很盡興。」他終於如願以償的上樓去了。

在房間裡，他在窗前佇足了好一會兒，注視山下街道上車水馬龍的光影，真是個不得了的城市。他感到有點飄飄然。在車上和芭巴拉近身依偎的那種軟玉溫香的感覺，令人非常心曠神怡，真的。這裡的女孩子竟然如此動人，不一樣就是不一樣呀！

更遠的那邊，港區的燈火照耀著。他想到另外一位女孩子，那雙動人的眼睛。只因為受到她的嘲笑，他那個心愛的帽盒現在竟在黑暗的海水中載浮載沈。他又打了一個呵欠。還是謹慎一點的好，他不能那麼輕易就受到影響，結果會變成怎樣誰也不曉得。

【第四章】提姆的朋友

這又是舊金山另一個不會起霧的早上，羅傑和他兩位貴客又坐進轎車裡，對約翰昆西而言，他們似乎是幾分鐘前才離開那輛車而已。對司機而言也似乎如此，一副沒睡飽的他開著車子向碼頭邊疾馳。

「噢，對了，小老弟，」羅傑說：「上船之前你應該把錢拿去兌換一下。」

約翰昆西回過神來，「喔，你說得對。」

羅傑露出微笑。「你知道你該換的是什麼錢嗎？」他問道。

「唔？」約翰昆西張著口，停了下來。「咦，我一直以為——」

「你別聽羅傑老叔胡說八道啦，」芭巴拉笑道：「他是唬你的。」她看起來充滿活力，花枝招展，凌晨三點才睡似乎對她毫無影響。「咱們這個國家，一千人裡面大約只有一個人曉得夏威夷是美國的一部分，我們夏威夷的人對這一點很懊惱。老叔想把你納入那九百九十九人之中，好挑起你我之間的矛盾。」

「差一點就讓我得逞了。」羅傑咯咯笑道。

「門都沒有，」芭巴拉說：「他人可精得很，才不會像那個國會議員，居然還致函給美國駐夏威夷的領事。」

「真的有國會議員幹這種事嗎？」約翰昆西笑了。

「就是有，發生那樣的事之後，我們都心灰意冷了。唔，還有一個參議員，他去參加一個宴會，上台致詞時居然說『等我回到自己的國家──』什麼的，結果台下聽眾有人大聲喊道說：『這裡就是你的國家，你這個大混球！』那句話是粗魯了點，但卻完全道出了我們的心聲。噢，我們可能太激動了吧，約翰昆西？」

「這一點都不能怪你們，」約翰昆西說道：「到時候我講話會很小心的。」

港口到了，司機把車停在碼頭邊，下車取出他們的行李，羅傑和約翰昆西接了過去，一行人穿越貨棧，向扶梯走去。

「老叔，你可以回事務所去了。」芭巴拉說。

「那不急，」羅傑答道：「我當然要陪你們一起登上船去。」

甲板上一片凌亂，數名年輕女孩快步跑到芭巴拉面前，乍看之下都是年輕漂亮的加州女孩。看到她們只是來為芭巴拉送行，約翰昆西不免有一點點失落。一位穿著一身雪白的高大男子分開群眾走了過來。

「嗨！」他向芭巴拉喚道。

「嗨，何瑞，」芭巴拉應道。「這是我叔叔羅傑，你認識吧？約翰昆西，這位是我的老朋友何瑞．堅尼森。」

何瑞長得相當英俊，臉上皮膚曬得黝黑，一頭金色的捲髮，灰色的眼睛露出欣喜而又嘲諷的意味。總而言之，他是那種會讓女性多看上兩眼，然後深深記在心底的男人。約翰昆西自覺在芭芭拉的眾女伴眼中，登時遜色了不少。

堅尼森穩穩握住約翰昆西的手。「你也跟我們搭同一艘船嗎，溫特司禮先生？」他詢問道，「那太好了。有了咱們兩個，這位年輕的小姐應該不會感到乏味了。」

船上發出「來賓請回岸上」的廣播，群眾益形混亂。一位個頭矮小的老女人在中國女傭的陪伴下，沿著甲板邊走過來，兩人步履輕快，大家紛紛讓步。

「嗨，真是太巧了，」羅傑嚷道：「梅諾太太，抱歉打擾一下，我跟妳介紹我的侄子，他是從波士頓來的。」他介紹了約翰昆西。「我就把他交給您老了。我想全夏威夷都找不到像您那麼好的嚮導，既是老師又可以是朋友。」

梅諾太太上下打量著約翰昆西，黑眼睛眨了眨。「又一個溫氏家族的人是吧，嗯？」她說道：「夏威夷現在已經被這家族的人弄得一團亂了，不過呢，越亂越熱鬧。小伙子，你姑媽我認識。」

「小老弟，你最好跟老太太多親近親近。」羅傑囑咐道。

梅諾太太搖搖頭。「我可是老骨頭了，」她明言，「那些年輕的小伙子早就不來跟我親近了，他們喜歡找年輕一點的。不過呢，我會替你留意他的，我的眼睛還很好。就這樣吧，羅傑，改天到我那兒走走。」說完她逕自走了。

「真是個了不起的老太太，」羅傑望著她的背影微笑著，「你一定會喜歡她的，她家上下幾代都是傳教士，講出來的話在那邊就是法律。」

「這個堅尼森是什麼人？」約翰昆西問道。

「他嘛？」羅傑看向堅尼森那裡，他被群芳圍繞著。「嗯，他是丹恩的律師，在檀香山算是有頭有臉的人吧，我想。標準的小白臉一個，對不對？」有一名船員來了，把依依不捨的群眾朝扶梯處趕。「小老弟，我得走了。祝你一路順風。等你要回波士頓時，別忘了來我這裡住幾天，好讓我說服你留在舊金山。」

約翰昆西大笑，「非常謝謝你的好意。」

「那不算什麼。」羅傑熱切的同他握手。「到那邊別忘了小心謹慎，治安方面如果能夠再好一點的話，夏威夷就差不多是天堂了。再見囉，小伙子，再見。」

羅傑走開了去，約翰昆西看著他熱情吻別芭巴拉，和那幾位年輕女孩一起加入魚貫上岸的人群，緩緩移動。

約翰昆西走到欄杆旁邊，四周響起百千句叮嚀、允諾和珍重。岸上的人拋擲著五彩碎紙，如此的歡鬧氣氛對他而言真是陌生。長長的彩帶不計其數的糾纏著，五顏六色繽紛瑰麗，每一條都只有最後一小段連在岸上。扶梯收了起來，泰勒總統號笨拙的駛離碼頭。最上面一層甲板演奏著夏威夷「阿囉哈」，最最美妙、最最憂鬱的驪歌。約翰昆西的喉嚨不禁升起一種哽咽的感覺，連他自己都嚇了一跳。

脆弱、歡愉的彩帶一條接一條綳斷了，約翰昆西身旁伸出一隻乾瘦的手，仍不斷的向著岸邊揮舞手帕。他轉頭看到梅諾太太，臉上老淚縱橫。

「我真是個蠢老太婆，」她解嘲道：「連這次離開舊金山都已經是第一百二十八次了，不騙你，我有記日記的，每一次我都是這樣傻傻的哭了起來。為什麼哭呢？我也不知道。」

船已經離開岸邊，芭巴拉一個人走了過來，堅尼森尾隨著她。年輕女孩的雙眼是潮溼的。

「我們夏威夷人都很容易動感情，」老太太說，她伸手攬住芭巴拉苗條的腰。「像這個女孩就是。平常大家各自過著自己的生活，根本沒想到離別——那太讓人傷心了。」說完她和芭巴拉一起走下甲板。

堅尼森停下腳步，眼睛看起來乾乾的。「你是第一次從這裡出海嗎？」他問道。

「噢，是啊。」約翰昆西回答。

「希望你會喜歡我們夏威夷人，」堅尼森說。「當然啦，我們那裡跟麻薩諸塞州並不一樣，不過我們一定會盡可能使你感覺像住在自己家裡，我們向來如此接待外來訪客的。」

「我相信一定不虛此行。」約翰昆西嘴巴上這麼講，心裡頭卻有些落寞，這裡已經離貝肯大街三千英哩遠了——而且差距還在擴大！碼頭上有個人看起來好像羅傑，他朝那人揮了揮手，動身去找自己的艙房。

有兩名傳教士跟他合住一間客艙。高個子那一位有著蠟黃的臉孔，是個神情憂鬱的老人，名叫俄頓，在異國服務了大半輩子。另一位則是紅光滿面的小伙子，尚未經歷過江湖風浪。因為只有兩張床鋪，約翰昆西乃提議抽籤，但這麼溫和的方式竟然惹起神職人員的不快，說那帶有賭博的性質。

「床鋪讓你們年輕人睡好了，」俄頓說道：「我睡臥榻就可以，反正我一向睡得不怎麼好。」話中帶著寧可自我犧牲的調調。

約翰昆西禮貌的加以婉拒。經過進一步的討論之後，決定上鋪由他來睡，老人睡下鋪，小伙子睡臥榻。俄頓牧師對此並不滿意，長期以來他一直扮演著吃苦受難的角色，眼看到那個角色被人家搶去，心裡頭很不痛快。

太平洋擺出一副極不友善的態度，把偌大的船體當作浮木般的撲打來撲打去。約翰昆西決定省下午餐，一整個下午都待在床上看書。到了傍晚覺得好些了，乃在兩位神職人員注目且稍稍不以為然的眼神下，小心翼翼穿戴起來，到餐廳吃飯。

沾了溫特司禮這個姓氏的光，他被邀請和船長同桌用餐。氣定神閒、目光炯炯的梅諾夫人坐在船長的右側，芭巴拉坐在船長的左側，挨著她坐的則是堅尼森。夏威夷居然也有名門望族，的確是件古怪的事，不過約翰昆西心裡雖這麼想，卻還是理所當然的找到自己的座位。

梅諾夫人心情愉快的談起她多次在這條航線往來所發生的事，忽然她轉頭看著芭巴拉。「親愛的，」她問道：「妳為什麼沒有搭乘學生船呢？」

「因為那艘船客滿了。」芭巴拉解釋道。

「妳胡說，」老太太心直口快的說：「妳當然搭得上那艘船。不過呢——」她眼中藏話的看著堅尼森：「我猜搭這條船有搭這條船的魅力。」

女孩微微受窘，未置一辭。

「什麼是學生船？」約翰昆西問道。

「夏威夷有很多孩子到美國本土唸書，」老太太解釋道：「每年六月這個時候他們返鄉，人數剛好湊得上一艘船，我們就稱那艘船叫學生船。今年的學生船是馬索尼號，今天中午將離開舊金山。」

「我有好多朋友搭那艘船，」芭巴拉說：「真希望我們可以比那艘船早一步抵達夏威夷。船長，你看有沒有可能？」

「唔，要看情況。」船長謹慎答道。

「那艘船預定抵達的時間是星期二早上，」芭巴拉繼續說：「如果我們可以在星期一晚上就上岸，不是很棒嗎?好不好嘛，船長，幫我一個忙。」

「妳那樣的看著我，」船長笑道：「我只能說我盡力試試看。跟妳一樣，我也很渴望在星期一把船開進港，那我就可以早一步啟程到東方去。」

「那就這麼說定囉。」芭巴拉高興的說。

「是說定我們會努力看看啦，」他說道。「當然啦，假如我加速的話，船總會有機會在日落之後抵達檀香山外海，然後被迫等上一夜，於第二天早上進港。那樣的話，妳可就不好受了。」

「我寧願冒這個險，」芭巴拉笑道：「假如我可以在星期一晚上忽然出現在我老爸面前，他豈不高興死了？」

「是喔，乖女孩，」船長殷勤的說：「忽然見到妳出現在面前，任何人都會很快樂的。」

船長這番話非常正確，約翰昆西玩味著。直到目前為止，他和異性之間很少有什麼浪漫的事情發生，女孩子，他向來只把她們當作打網球、高爾夫球或橋牌時的對手。至於芭巴拉則另當別論，她那雙藍眼睛有一種令人心動的光芒，一言一動都令人神往，對於這樣的女孩，他約翰昆西既非草木，豈能無動於衷？

令他感到高興的是，吃完飯後，芭巴拉來到他的身邊。兩人登上甲板，佇立在欄杆旁邊。夜暮低沈，月色昏黯，約翰昆西覺得太平洋大概是他見過顏色最黑、最為兇險的海洋。想到這裡，他不禁心情抑鬱的看著那一片漆黑。

「在想家嗎？」芭巴拉問道。約翰昆西一隻手搭在欄杆上，她也把自己的一隻手搭在他手上。

約翰昆西點了點頭。「實在是很有趣，我也出國好幾次了，卻從來沒有像這次這樣的感覺，今天早上當船要離港時，我幾乎要哭了出來。」

「也許不那麼有趣吧，」芭巴拉委婉的說。「你現在來到的是另一個天地，不是波士頓，也不是其他任何古老的文明區域，統治這地方的並不是人的理性，而是每一個人的本能。很多你喜歡的人會做下最野蠻、最不可理喻的事情，因為他們內在的心靈正在沈睡，心臟卻在快速的跳動。這點請你一定要牢牢記住，約翰昆西。」

她的聲音聽起來有點怪異，帶著一種言猶未盡的感覺。驀然，穿戴得一身白的何瑞·堅尼森來到他們身邊。

「芭巴拉，妳想逛一逛嗎？」他問道。

芭巴拉頓了一下沒有回答，隨後點頭。「好啊！」她說道，走了兩步又別過頭說：「別洩氣喔，約翰昆西。」

約翰昆西有點捨不得的看著她離去，也許她陪伴他在此佇立，是要化解他的寂寞吧。然而這時候她卻依偎在堅尼森的身旁，漫步在昏暗的甲板上。

不久之後，他來到一間吸菸室，裡面空無一人，不過其中一張桌上卻放著一份《波士頓記事報》。約翰昆西高興極了，他鄉遇故知似的一個箭步上前。

出刊日期是十天前，但沒有關係，他立刻翻到財經版，當天的證券交易行情，有如親密好友般的出現在面前。他那家銀行的廣告登在該版上半頁的角落，宣布一家名叫柏克夏棉花廠的上市公司將要發行優先股。他熱心的讀著，卻有一種置身事外的奇異感覺。他已經走了，遠離了那個世界，來到這個海水深黑的大洋，正要前往被印在風景畫冊的海島。那幾個海島呢，不久之前，棕色皮膚的原住民種族發生了戰鬥，由一身也是棕色皮膚的國王領導統治。那個地方和他的家鄉似乎沒有絲毫關聯，開船時五彩繽紛的彩帶碎紙也只是一種象徵，而他現在正漂流在海上，究竟是怎樣的一個港口在召喚著他呢？

他放下了報紙，卻見俄頓牧師走進吸菸室來。

「我把報紙遺忘在這裡了，」老人解釋道：「喔，這份報紙你要看嗎？」

「謝謝你，我已經看過了。」約翰昆西說。

老人伸出瘦骨嶙峋的手拿起報紙。「只要一有機會，我就會買一份《波士頓記事報》來看，」老人說：「看這份報紙會把我的思緒帶回老家。你知道嗎，我是在賽倫港出生的，那已經是七十多年前的事了。」

約翰昆西驚訝的望著老人。「你已經在這裡生活那麼久了？」他問道。

「五十幾年了，人一直在外地。」老人回答說：「我是最初幾個去過南太洋的人。最早到的人要把火把插在那裡的土地上——恐怕不算什麼明亮的火把吧。後來我移居到中國。」約翰昆西流露出新的興趣看著他。「噢，對了，」老人繼續說：「我認識過一個人，也姓溫特司禮，他全名是丹恩．溫特司禮。」

「真的？」約翰昆西說：「他是我堂叔，我就是去檀香山拜訪他。」

「哦？我聽說他回夏威夷，而且發達了。我只見過他一次面——在一八八幾年的時候，地點在吉伯特群島的一個孤島上。那是他生命中的一個轉捩點吧，我絕不會忘記的。」約翰昆西正等著聆聽下去，老牧師卻走開了。「我要找個地方好好看一下這份報紙，」他笑道：「這份報紙有關教會的新聞報導得很好。」

約翰昆西只好站起來，漫無目標的走出吸菸室。欄杆外面怒濤洶湧，一副可怕的景象。幾個昏暗的人影也和他一樣，漫無目標的閒晃。不經意間，一名船上的工作人員從身邊匆匆走過。甲板上，自己客艙的門打開著，他走到門邊，在門外的一張臥椅中坐下。

他看到不遠處，他的客艙服務生正在所分配的房間進進出出的忙著，更換毛巾、灌滿熱水瓶，將一應事務料理就緒，完成就寢前最後一項工作。

「晚安。」服務生進入約翰昆西的艙房時打著招呼。不久他又出來，站在門口，艙房內的燈在他背後亮著。他是一位身材矮小的人，戴著金邊眼鏡，灰白的頭髮往後梳成散亂狀。

「一切都好吧，溫特司禮先生？」他問道。

「喔，是的，鮑克，」約翰昆西微笑道：「一切都還好。」

「那很好。」鮑克關掉艙房裡的燈，走到甲板上來，「先生，我想我應該多給你一點特別的服務才對。我在旅客名單中看到你的本籍地，剛好我也是個老波士頓。」

「真的嗎？」約翰昆西熱誠的說，看來太平洋也可算是波士頓的郊區。

「噢，我不是指我出生在那裡，」鮑克繼續說：「我在那裡一家報社工作了十年，我大學一畢業就在那裡工作。」

約翰昆西在昏暗中看著對方，「你唸的是哈佛嗎？」

「是都柏林，」服務生道。「噢，是的，」他有點尷尬的淺笑著，「你現在也許想不起來，是都柏林大學啦，我是一九〇一年那一屆的，畢業之後，就在波士頓的《蓋茲報》工作了十年，採訪啦、編輯啦，也當過一陣子主編。也許我在波士頓碰到過你也說不定——譬如說，在亞當斯大廈的酒吧裡，某一次夜間橄欖球賽開賽之前。」

「很有可能喔，」約翰昆西同意道：「在那樣的情況，一個人會碰到許許多多的人。」

「可不是嘛，」鮑克靠在欄杆上，心中充滿回憶。「那可真是美好的時光啊，先生。在那時候，一個跑新聞的人如果沒本事大吃大喝，準會被一大堆新聞同業罵到臭頭。《蓋茲報》大部分內容都是在一個叫做亞契旅館的地方編的，完稿後再送去城市版主編那裡，他有專用的辦公桌，上頭總是亂亂的，但總是個人專用的位子。假如我們跑到精彩的新聞，他說不定會請我們喝雞尾酒。」

約翰昆西聽著大笑起來。

「那真是快樂的日子，」都柏林的畢業生歎了一口氣，繼續說道：「波士頓每一位酒保我都很熟，熟到可以向他們借錢。你知道那個地方嗎？在崔蒙特戲院後頭那條巷子裡面——」

「提姆的店。」約翰昆西想起大學時代發生的事，說道。

「哈，就是那裡沒錯，你也有印象。不知道提姆後來怎麼樣了。噢，還有波爾斯敦的那個地方——不過他們現在想必都不在了。在舊金山我碰到一個老朋友，他告訴我說，假如現在回到畢恩頓，結果卻只見到一面面鏡子上掛著一張張蜘蛛網，一定會傷心死了。真是去他的，就跟我那個職業一樣。後來那些報社一家一家搞合併，把兩份報紙最吸引人的專欄容納在同一份裡，一大堆好人被下放去跑馬路消息。那一票人都很不錯，大家一想起從前的日子無不相對唏嘘，也說不定有人淪落到做我現在這樣的工作。」他沈默了片刻。「嗯，先生，有什麼需要我服務的嗎？看在我們都光顧過提姆那家店的份上。」

「身為提姆的朋友，」約翰昆西微笑道，「我不會跟你客氣的。」

鮑克帶著憂傷的情緒走下甲板，留下約翰昆西孤獨的坐著。一對情侶走了過去，肩挨著肩低聲交談著，他認出是堅尼森和他的堂妹。「有了咱們兩個，這位年輕的小姐應該不會感到乏味了！」堅尼森這話言猶在耳。嗯，約翰昆西想道，在這件事上他要出力的部分肯定不很大。

接下來的日子證明約翰昆西的想法並沒有錯，他很少有機會單獨和芭巴拉在一起，即使在一起，堅尼森也似乎陰魂不散的在附近晃來晃去，甚至毫不遲疑加進來，成為三人行。起初約翰昆西對此十分懊惱，慢慢的也就覺得無所謂了。

也沒有別的事情值得計較。海面變得十分平靜，連帶撫平了約翰昆西的心情。太平洋彷彿一面特大號的玻璃，隨著時間之流一點一滴變藍。什麼事情都不曾發生，都不可能發生，他們彷彿漂流在這樣的天地裡，靜靜的白晝過完後，接著而來的是星月燦爛的長夜。走個一小段路，談個三五句話，這就是人生。

偶爾，約翰昆西也跟梅諾夫人在甲板上聊天，老夫人熟知多年來的夏威夷風土人情，有好多耐人尋味的故事好講——那些跟夏威夷王以及傳教士有關的故事。約翰昆西十分喜歡這位老太太，雖然她在夏威夷過了多彩多姿的大半輩子，思想觀念卻還是新英格蘭人式的。

鮑克也是非常好的夥伴。這位服務生滿腹才學，甚至在擁有大學學位的人當中也很難找到這樣的人，不管任何話題，他都能滔滔不絕講出十分精闢的大道理。約翰昆西的大旅行箱裝了不少精裝書，都是他很久以前便打算下工夫好好讀的，然而真正讀了這些書的人是鮑克，而非約翰昆西。

這樣一天一天過去，海水由淺藍漸漸變為湛藍，空氣變得更加濃烈而溫暖。腳底下船體的機件引擎規律的振動著，很努力在為芭巴拉的期待效勞，希望早一天趕到夏威夷。船長對航程表示樂觀，他預測星期一午後船就可以靠岸了。不料星期日晚上卻突然刮起一陣暴風雨，強風大雨襲擊著這艘船，直到黎明方才休歇。星期一中午，當船長穿著夜裡頭在艦橋指揮的制服出現在午餐桌上時，他搖了搖頭。

「芭巴拉小姐，我們的願望要落空了，」他說道：「我恐怕今天午夜之前，我們到不了檀香山。」

芭巴拉皺起眉頭。「可是我們這艘船每分每秒都在走啊，」她提醒道。「我不懂為什麼——假如我們先拍出無線電報的話……」

「沒有用的，」船長告訴她。「港口負責檢疫的官員白天才上班，所以我只能把船駛入進港的水道，等到法定日出時間，也就是六點左右才能夠上岸。明天早上我們會趕在馬索尼號之前進港的，我盡最大的努力也只能做到這樣。」

「嗯，不管怎麼說，你還是個大好人，」芭巴拉微笑道。「刮起那樣的暴風並不是你的錯，嗯，今晚這個惜別夜我們就辦個化妝舞會，好好跳個舞吧。」她轉頭面向堅尼森，「我帶了我在學校扮演瑪麗·安東尼的那件服裝，你覺得怎樣，何瑞？」

「那太好了！」堅尼森回答道。「我們可以找炫一點的衣服來穿，走吧！」

芭巴拉興沖沖的跑去散播這個消息。這一天吃過晚飯後，她戴上金黃色假髮，一派法國宮廷式的打扮出現，渾身來電的準備跳舞。堅尼森則是即興的裝扮成海盜的模樣，十分突出。大多數乘客亦換上奇裝異服，樂於在航行於太平洋的輪船上參加這種化妝舞會，並興致盎然的投入。

約翰昆西僅是淺淺的涉入這場歡樂之中，他還是困頓在新英格蘭人的拘謹作風，十一點稍過他就悄悄溜進沙龍，發現梅諾夫人正孤伶伶坐在那裡。

「嗨，」她打招呼道：「你是來跟我作伴的嗎？我剛剛對自己發誓，除非看到鑽石岬的燈光，否則絕不上床睡覺。」

「我來陪妳。」約翰昆西笑道。

「但是你應該去跳跳舞呀，小伙子。你怎麼沒有換上舞會的服裝？」

「是的，」約翰昆西坦承道，停了停，想為自己辯解一下。「呃——在那麼多陌生人面前，我還是別出洋相的好。」

「我懂你的意思，」老太太表示理解。「有這樣的顧慮也挺好的，不過你這種人相當少見，特別是這條航線上。」

芭巴拉滿臉通紅的走進來，全身充滿活力。「何瑞去幫我拿飲料了，」她氣喘吁吁的說，在梅諾夫人身邊坐下。「老奶奶，我一直在找妳呢，妳知道嗎，打從我小時候到現在，妳都沒有幫我看過手相呢。」她對約翰昆西說：「她真的很厲害，可以告訴你許多過往未來。」

梅諾夫人一個勁兒的搖頭。「我已經不看人手相，」她說：「洗手不幹了。年紀越大，我越是了解偷窺未來有多愚蠢，我只要活在今天就夠了，現在我所關心的只是如此。」

「噢，拜託一下嘛，好不好？」女孩噘著嘴。

老夫人執起芭巴拉纖細的手，仔細看著她的掌紋好一陣子。約翰昆西彷彿看到老太太臉上掠過一陣不祥的陰影，復又搖起頭來。

「有一句拉丁文叫做 Carpe diem，」她開口道：「我侄子把它翻譯成『及時行樂』。妳今晚就快樂的跳舞吧，別去管布幕後頭發生什麼事。乖女孩，我老太婆講的話不值得妳那麼在意。」

何瑞・堅尼森在門口出現。「噢，原來妳在這裡，」他說道：「我卻拿著飲料在吸菸室等呢。」

「我就來了。」芭巴拉答道，跑了過去。老夫人凝視著她的背影。

「可憐的芭巴拉，」老夫人喃喃的說：「她母親一輩子也沒有她那麼快樂……」

「妳好像在她的手掌裡看到了什麼……」約翰昆西說道。

「算了吧，」老太太厲聲道：「我們要是看到太多前頭所要發生的事，麻煩可要跟著來了。嗯，我們現在到甲板上吧，看樣子快十二點了。」

她引著約翰昆西來到右舷的欄杆旁邊。一盞孤獨的燈，好像星星一樣，在遠處亮著。終於，陸地終於出現了。「那裡是鑽石岬嗎？」約翰昆西問道。

「不是，」她說道。「那是馬開普角的燈塔。我們必須繞過科克岬才看得到檀香山。」她佇立著，一隻細瘦的手搭在欄杆上。「那裡是歐胡島，」她輕輕的說。「家就快到了。小伙子，這裡太美好了，真的太美好了，我經常這麼覺得。希望你會喜歡這個地方。」

「我一定會的。」約翰昆西殷勤的回答。

「我們在這裡坐一下吧，」他們找到甲板上的椅子。「真的，這裡真的太美好了，」老太太接著說：「不過夏威夷也有各式各樣的人，跟世界每個角落一樣，有老實本分的人，也有市井敗類。這裡的人來自世界各地，通常是因為在自己老家已沒有立足之地了。我們為他們提供一個天堂，有些人就改過向善作為報答，其他人卻荒唐下去。我時常想，要在天堂循規蹈矩也得有相當大的精力，在夏威夷也一樣。」

俄頓牧師高大乾瘦的身影來到他們面前，向他們鞠了個躬。「晚安，夫人。妳已經快到家了。」

「是啊，」老太太答道：「我心裡頭很高興。」

老人轉向約翰昆西。「小伙子，到了早上你就可以見到丹恩．溫特司禮了。」

「我正期待著。」約翰昆西答道。

「你不妨問他記不記得一八八幾年的時候，在亞平島上有個叫法蘭克．俄頓的牧師。」

「好啊，」約翰昆西應答：「可是您還沒有跟我進一步談到這件事呢。」

「嗯，我是沒有。」傳教士在一張椅子坐下，「我不怎麼喜歡揭露別人過往的祕密，」他說：「不過呢，我也知道全檀香山的人都很明白丹恩．溫特司禮早年做了哪些事。」他的目光看向梅諾夫人。

「丹恩並不是什麼聖人，」老太太說：「這點我們都很清楚。」

老人翹起二郎腿。「講老實話，我還滿得意同他見過一面的往事。」他接下去說：「我以為他會改弦易轍，向好的方向走，也許是受到我那微不足道的規勸所致。」

「哦？」老太太說道，顯然有所懷疑。

約翰昆西不太喜歡話題出現如此的轉折。溫氏家族的人遭到非議，他並不願意見到。但是在他的不安之下，俄頓牧師仍然講了下去。

「就像我講過的，那是一八八〇年代的事，」老傳教士說：「整個吉伯特群島就只有亞平島有一個佈教所，而我就在那裡。有一天早上，一艘雙桅帆船在靠近陸地的珊瑚礁下了錨，放下一艘小船划向岸來。我和當地土著到海灘迎接船上的人，結果看到跟我相同膚色的人。

「上岸的一組船員看來並非善類，為首的是一位瀟灑英俊的白人青年。即使他們還在中途，尚未划到沙灘，我也看到小舟上放著一個松木做的長方形箱子。

「白人青年自我介紹說，他姓溫特司禮，是『須羅少女號』這艘帆船的大副。當他提到那艘船的名字時，我自然立刻明白。我知道那艘船的歷史，也知道船上做的可恥買賣。他匆促的說該船船長前一天死了，他們要把遺體葬在岸上，因為船長的遺言如此。」

「結果呢，」俄頓牧師直直看著遠處歐胡島的海岸線。「在我的注視之下，四個馬來人將那個粗糙的箱子搬上岸來。『想來這裡面躺的是湯姆．布瑞德。』我這麼說，年輕的溫特司禮點點頭，回答說：『沒錯，他在裡頭。』我於是明白自己正看著南太平洋著名要角湯姆·布瑞德的最後一幕。他是個泯滅人性的壞蛋，作姦犯科的海盜、投機分子，惡名昭彰的『須羅少女號』船長，一個喪盡天良的奴隸販子。」

「奴隸販子？」約翰昆西質疑道。

老傳教士露出微笑。「喔，對了，你是從波士頓來的。小伙子，奴隸販子通常是一艘船的船長，專門供應奴隸給農場。這種勾當現在完全被禁止了，可是當時是一八八〇年代啊！這麼可怕的買賣，上帝只會予以詛咒。有時候他們供應的是出於自願的勞工，但多半情況是，那些人在刀尖或槍口的威脅下不由自主。那是一種非常血腥、野蠻的勾當。

「那天溫特司禮帶著手下上岸之後，就在一棵椰子樹下挖掘墳墓。我跟過去，為死者祈禱。溫特司禮大笑起來，他說，那有什麼用。但是，在那個晴朗早晨的椰子樹下，我還是將那個作惡多端者的靈魂託付給了上帝。之後，溫特司禮同意到我的住處共進午餐。他告訴我，除了留在帆船上那個新來的手下之外，上岸的這條小船中只有他一個是白人。

「吃午餐的時候，我告訴他一番話。他那時候還很年輕——我發現這甚至是他頭一次航海。我告訴他說：『這樣的買賣不適合你。』這樣剖析了好一段時間，他才同意我講的話。他說，那艘帆船的艙蓋底下關了兩百個黑奴，他必須把他們送去金斯靡群島一個農場，幹完這樁買賣他就洗手不幹。他允諾說：『到時候我會返航到澳洲的雪梨，把船賣掉。然後我就洗手不幹，回檀香山住。』」

俄頓牧師緩緩站了起來。「後來我得知他真的信守承諾，」他總結道：「的確，丹恩・溫特司禮回家去了，南太平洋再也看不到他的行蹤。他聽我的勸做出那個決定，我至今仍覺得有點得意。做那件事我並沒有得到什麼好處，並不是每個地方的神職人員都能發達起來——像夏威夷的某些人一樣。」老人看了梅諾夫人一眼。「不過這樣我就很滿意了，因為我那天在亞平島碰到的幾個人之中，有一個改邪歸正了。嗯，平常這時候我早就就寢了，對不起，我必須向你們說聲晚安。」

老人告辭離去。約翰昆西呆坐著，心中的驚悸翻騰不已。溫氏家族居然有人去販賣奴隸！那真是太了不起了。他真希望自己人還在貝肯大街。

「到最後還輕輕的挖苦我一下，」老太太神情不悅的自言自語。「什麼像夏威夷的某些人一樣。其實他也沒什麼好得意的，我看吶，如果說丹恩・溫特司禮會放棄販賣奴隸的話，那也是因為他發現更有賺頭的買賣。」忽然她站了起來。「噢，終於——」她說道。

約翰昆西起身站在她身邊，很遠的地方有個黃色光點在眨呀眨的。有好一陣子老太太一句話也沒說。

「嗯，那就是了，」她終於開口了，聲音很輕：「我又再度看到鑽石岬了。晚安，小伙子。」

「晚安！」約翰昆西應道。

他一個人佇立在欄杆旁，泰勒總統號的航行速度變慢了。月亮從雲朵後面露出臉來，再度在天上緩緩的挪移著。一股不祥的死寂向這熱而無風的深藍色世界壓迫而來，他感到心中有一種怪異的不安。

他走下甲板，想要透一口氣。不料才剛上了階梯，就在僻靜處撞見了芭巴拉和堅尼森，不禁大吃一驚，愣在原處。他堂妹正鑽在那個男人懷裡，兩人身上的奇裝異服使整個場面看起來格外怪異。他們沒看到約翰昆西，因為他們此時此刻的世界裡只有彼此，唇對著唇，激情擁吻……

約翰昆西落荒而逃。老天！他也曾經親吻過一、兩個女孩，但情形哪會像那個樣子。

他走到自己客艙外的欄杆邊。嗯，那又怎樣？芭巴拉又不是他什麼人，沒錯，是他堂妹，但是她似乎屬於另一個族群。他有察覺到芭巴拉在和堅尼森相戀，實在沒什麼好驚訝的。但為什麼他會感到挫折，在內心深處覺得痛苦呢？畢竟，他已經跟艾嘉莎‧派克訂婚了啊。

他抓住欄杆，努力想在眼前浮現出艾嘉莎那張高雅的臉，然而卻只有模糊、朦朧的影子。整個波士頓在他的記憶中模糊起來。他的血管裡也流著溫氏家族那種亡命者的血液嗎？會讓人從事販賣奴隸的勾當、在熱帶夜裡狂熱窒息般擁吻的，就是這種血液在作祟嗎？老天吶——他實在應該待在家裡，那個屬於他的地方才對的。

服務生鮑克走了過來。「噢，我們快要到了，」他說道：「我們再不久就要下錨，等天亮時領航員及醫生準備好才入港。聽說最近這一帶都受到柯納天候的影響，不過我猜壞天氣已經到了尾聲。我們暫時還有月亮可看，黎明前又會吹起貿易風了，希望老天爺保佑。」

約翰昆西並未搭腔。「先生，那些書我全還給你了，」服務生繼續說道：「只除了亞當斯寫的那本《革命的新英格蘭》，這本書非常有意思，我打算在今天夜裡讀完，以便在你上岸前還給你。」

「噢，沒有關係，」約翰昆西說，他指著遠方港口內的微弱燈光，「那裡就是檀香山吧，我想。」

「是啊，離這裡好幾英哩遠呢，先生，那是個死氣沉沉的城市，每天一到晚上九點路上就看不到人。告訴你一個小祕密，別去碰歐克里郝。」

「什麼？」約翰昆西問道。

「歐克里郝，島上賣的一種飲料。」

「那是用什麼做的？」

「那可是天大的祕密，你問那是用什麼做的？」鮑克說道。「光聞那個氣味就不討人喜歡。你只消灌上幾口，馬上會暴跳如雷。可是呢，噢，老天爺，等躺下來可就不好玩了！別去碰它吧，先生。我可是個過來人哩。」

「我不會去碰的。」約翰昆西允諾道。

鮑克走了。約翰昆西仍佇立在欄杆旁，心情更加躁動不安起來。月亮又躲在雲背後，在一片悶熱昏暗中，船身緩緩的前進著，他隔著漆黑的海水眺望那塊等候著他的陌生土地。

丹恩・溫特司禮也在那地方的某個角落等候著他。丹恩・溫特司禮，跟波士頓溫氏家族有血緣關係的人，曾經一度幹過奴隸買賣。他頭一次希望自己在舊金山的那個黑暗閣樓裡先發制人，拿到那個堅硬的木盒子，趁著黑夜扔進海裡。假如他率先揮上一拳的話，加諸在溫特司禮這個光榮姓氏上的新醜聞、新污點，說不定會因此而得以避免呢？

當約翰昆西返頭走進艙房時，業已下定了決心。在到達這次旅行的目的地後，他會短暫停留一陣子，也許歇息個一兩天透透氣吧，然後他就要再度啟程回波士頓，不管明諾薇姑媽願不願意，都將與他同行。

【第六章】竹簾子後面

假如當時約翰昆西能夠見到他姑媽明諾薇的話，他就未必有把握能說動姑媽同意自己的計畫了。如果他見到他那位一向沉著莊重的姑媽所見到的場面的話，那他肯定會大吃一驚。

當晚，在檀香山的某個角落，明諾薇女士正坐在某戶人家庭院的草蓆上，在她的頭頂上懸掛著好幾盞印有朱紅色中國字的燈籠，淡淡的發出黃色的光。她的脖子戴著用野薑花纏著念珠藤編成的花圈，優客李林和鋼吉他柔美、催人睡意的旋律在深夜的空氣中飄送著，在她面前種有幾棵椰子樹的空地上，好幾名本地的少男少女正在跳舞，舞姿之妙，即便她回到貝肯大街也無法描述清楚。

明諾薇感到內心十分恬靜，非常的喜悅。她此生追求的一個願望已經實現了，此刻她正置身在夏威夷歡樂盛大的野宴之中。很少有白人能獲准參與這親密的慶典，但她在檀香山的幾位朋友受到邀請，便邀她一同前去參加。起初她覺得必須拒絕，因為丹恩正期待星期一下午芭巴拉和約翰昆西的到來，結果到了星期一晚上，丹恩得知泰勒總統號要到第二天才會靠岸。她趕快拿起電話，告訴朋友她決定參加。

這個決定令她非常滿意，她這輩子吃過最獨特的晚宴就羅列在面前的一方草蓆上，丹恩曾經說她是個開朗乾脆的人，依今天晚上的奇遇看來，丹恩的話果然正確。面對那些紮成一捲一捲的褐色怪異食物，她毫不疑慮，每一樣都嚐了嚐，不管那是盛裝在瓢子裡的芋泥、用椰奶燉煮的雞肉、烏賊、明蝦、鱟魚、海藻，甚至是生魚。她今天晚上彷彿是在做夢！

盛宴之後，舞蹈登場。月光灑落在草地上，照出花邊圖案，哀婉動人的音樂更加悅耳，初見陌生人總會害羞的本地年輕人，此刻也不再靦腆了。明諾薇閉上眼睛，背靠著一棵大棕櫚樹的樹幹。在夏威夷的音樂裡，就連情歌也帶著一種無可救藥的憂鬱，沒有任何協奏曲能像這種旋律如此打動著她。一道帷幕升了起來，她彷彿看到這幾個島嶼的過去，當白人尚未到來，此地曾經有過的原始與淳樸。

在一陣悠長、扣人心弦的尾奏之後，音樂戛然而止，舞者搖曳的軀體立即靜止下來。明諾薇的朋友抓住這個時機，表示要離去了。眾人走進屋內，在窒悶的小客廳裡，向笑容滿面、皮膚棕黑的男女主人告辭。主人家新生兒的誕生促成這次的野宴，在眾人的環繞下，小寶貝眼睛張開了一下，向大家露出微笑。走出門外，他們的車正在狹窄的街道上等候。

車行穿越寂靜無人的市區，向威基基海灘駛去，行經司法大廈時，尖塔上的鐘敲響了午夜一點。明諾薇心想，打從那晚一個來訪團體在波士頓歌劇院獻演《小氣財神》以來，她從未在外面待到這麼晚。

丹恩家外面的大鐵門已經關上，明諾薇在路旁下車，向朋友道聲晚安，舉步走向前門。今晚她太興奮了，連走路都像年輕人似的邁開大步。月亮又躲在雲層之後，丹恩五彩繽紛的庭院籠罩在一片漆黑之中，這一整個晚上月亮都在跟快速移動的雲團玩著乍隱乍現的遊戲。奇異的香味不時鑽進她的鼻孔，耳朵聽到的全都是熱帶地區夜裡特有輕柔、有趣的聲響。她知道她真的該上床了，但卻又帶著遊蕩愉快的心情在前門走道上轉個彎，繞到房子的側邊，想對著浪潮看上最後一眼。

丹恩家客廳門外有一棵鳳凰木，她走到那棵樹下站著，在柯納型天氣的肆虐下，大風一連吹了將近兩個禮拜，但此刻她臉上所感受到的，應該是貿易風即將吹起的宜人氣息。依然一點睡意也沒有，她凝視著海岸和珊瑚礁之間那道晦暗漾著泡沫的白線，心思一下回到她所熟知的檀香山，卡拉卡華還在王位的那個年代，整個夏威夷群島純真、多彩多姿、尚未受到人為破壞。但現在夏威夷已經遭到破壞了，丹恩說，破壞在一個該死的機械文明的手裡。「但是，明諾薇，在最深最深的底層下，仍然還有泉水在黑暗之中流動著。」

雲開月出，帶給海水一陣銀白色的光華，但綿絮般的雲朵遮過去，光華又不見了。她輕輕嘆了一聲，也許是為了自己的青春以及那逝去的一八八〇年代。明諾薇推開通往客廳那道並未上鎖的門，再輕輕將門關上，以免吵醒丹恩。

她處於一片漆黑之中，但已熟知行進的路線，因此放心的踮著腳尖走過磨光的地板。離玄關還有一半的地方，她停了下來，心臟幾乎從胸口跳出來。不到五英呎外的地方有一隻手錶，錶面發出螢光。就當她吃驚的看著那隻錶時，錶移動了。

五十年來她一直在學習克制自我，這項努力終究沒有白費，很多女人遇到這個場面不外是尖叫並且昏厥，明諾薇則僅是心臟卜卜的跳。她直挺挺的站著，注視著發出螢光的錶面。手錶原本悄悄移動過，此刻又靜止下來。這隻錶正戴在一個人手上。原本這個人是要採取某種行動的，但現在卻改為以靜制動的策略。

好啦，明諾薇嚴酷的自問道，接下來她該怎麼辦？她應該尖叫道「誰在那裡」嗎？她是個勇敢的女人，但如此蠻幹顯然並不明智。她看到發出螢光的錶面離自己又靠近了些，說不定那個人會一拳揮過來，也說不定會用一雙強壯的手掐住她的脖子。

她試探性的走出一步，之後再一步。現在，那錶面應該會晃動了吧。但是錶面卻一動也不動，好像戴著那隻錶的手僵直在入侵者身上似的。

明諾薇忽然領悟了目前的情況，看來這個人已經忘記他手上戴著螢光手錶，自以為正隱藏在黑暗裡呢。他在等明諾薇穿過客廳，因此明諾薇只要不出聲，擺出一副毫無警覺的樣子，那就安全了。穿過竹簾子便是前廳，她只要一過去便可以把家人叫醒。

她是個非常有意志力的女人，這回她必須盡己所能不動聲色的走這段路。她抿緊雙唇，稍稍繞過那個威脅著她的光弧，一面走還一面側過頭緊盯著它。走了彷彿一個世紀之久才碰觸到竹簾子，她穿越過去，上了樓梯。她覺得自己再也不會去找一隻手錶或時鐘來看時間了，因為鐘錶似乎只會指在一點二十分的位置！

樓梯走到一半的時候，她想起自己原本有意點亮樓下玄關的電燈，但卻忘了。她並未折回頭，也沒有去找樓梯頂端牆壁上的開關，而是趕緊進入自己的房間，假裝像個普通女人似的關上門，之後她跌坐在一張椅子上，輕輕的發起抖來。

但是她並不是個普通女人，不到兩秒鐘她又站起來，打開房間的門。陡然升起的恐懼已經消失得無影無蹤，她感覺自己的心臟又以平常的速度清楚的搏動著。她現在必須要採取行動，採取冷靜而沉著的行動；她是個溫氏家族的人，並且已經做好準備。

傭人的房間在屋子的邊間，廚房的正上方，她立刻走過去，敲響第一個房間門。她敲了一聲，然後又一聲，終於那位日本管家的臉睡眼惺忪的伸了出來。

「哈庫，」明諾薇說道：「不知道誰在樓下客廳那裡，你趕快下樓看看。」

哈庫愣愣的看著她，似乎不明白她說什麼。

「我們得趕快下去，」明諾薇又說道。「快去快去！」

哈庫退回房裡，明諾薇很不耐煩的等著。她一向的理智跑哪裡去了，她為什麼不自己一個人裡裡外外查一遍?如果還在老家的話，她肯定會親自處理，但這裡似乎有股可怕的氣氛。月光從身旁的小窗戶傾瀉下來，在她腳邊照出明亮的方框。哈庫又出現了，身上穿著平常到海邊蹓躂的和服。

另一扇門忽的打開，把明諾薇嚇一跳。哇，自己到底是怎麼了!只不過是卡麥桂，她那大塊頭的身影站在晦暗的門口，彷彿一尊穿著土著服裝的雕像。

「有人在底下客廳裡，」明諾薇又解釋一遍。「我進來時候看到他。」

卡麥桂並未回答，但也加入他們。走到樓梯間，哈庫點亮樓梯上下的燈。正要下樓梯時，一行人稍稍停頓一下——明諾薇走到屬於她的位置，在前面領軍，然後踏下穩穩的一步，適切、勇決，不愧是來自東岸的波士頓人。跟在她身後的是遲鈍冷漠的小日本鬼子，身上穿著和服，神情昏昏欲睡；另一位則是穿著哈伯之母服裝的玻里尼西亞女人，那衣服帶有階級意味，有點怕人。

下樓梯之後明諾薇並未遲疑，一把推開了竹簾子，用她微微顫抖的手打開電燈開關，客廳一下子亮了起來。奇裝異服的夥伴跟在背後，掀得竹簾子嘩啦啦的響。她好奇的四下張望。

沒有外人在場，也沒有任何凌亂的痕跡，明諾薇忽然覺得自己在演一場鬧劇，既未看到活蹦亂跳的東西，耳朵也沒聽到。那個曾經移動了一下的發光錶面，會不會是想像之下的幻影？她度過一個熱鬧的夜晚，對了，她想起自己喝了一小杯歐克里郝，好個厲害的飲料！

卡麥桂和哈庫像小孩子似的質疑的看著她，她叫起他們，就是要他們傻傻的跑上跑下嗎？她的臉微微紅了一下。在這明晃晃的客廳裡，精緻的原木家具和好多盆青綠的羊齒植物聞風不動的擺著，顯然每一件東西都安然無恙，好得很。

「我……我說不定弄錯了，」她低聲的說：「我本來很肯定的，可是這裡並沒有任何異狀。近來溫特司禮先生睡得不太好，他現在要是睡著的話，我們就別吵醒他。」

她走向通往涼台的門，將簾幕掀開，屋外月光潑灑，涼台上大部分擺設都看得清輪廓，嗯，看來也都安然無恙。「丹恩，」明諾薇輕輕喚道：「丹恩，你還沒有睡嗎？」

沒有回答。明諾薇確定她是小題大作了。她的眼睛逐漸適應昏昧的環境，正要返回客廳時，卻發現一件相當令人吃驚的事。

丹恩涼台上的床鋪，不管白天黑夜，上頭都吊著白色的蚊帳，可現在蚊帳不見了。

「哈庫，你來一下，」明諾薇喚道：「請你把涼台這裡的燈打開。」

哈庫來了，他用手摸一下，罩著綠色燈罩的小燈亮了。那天晚上丹恩就是在這盞燈旁邊看晚報，結果突然變得相當煩擾，接著就匆匆跑去寄信給人在舊金山的羅傑。明諾薇佇立回想著那件事，然後又追憶起其他事，因為她很不願意面對角落那張床鋪。她察覺卡麥桂從身邊疾走而過，未幾便聽見一陣帶著驚悸哀痛的悲泣。

明諾薇走到床鋪那裡，只見蚊帳似乎在某種劇烈的掙扎中被扯落下來，亂糟糟的纏成一團，接著她看到丹恩。丹恩．溫特司禮整個人朝左側躺著，一隻土產無毒的小蜥蜴敏捷的從胸口爬上右肩，在他白色睡衣上留下一條殷紅的血跡。

【第七章】陳查禮來了

明諾薇俯下身，敏銳的雙眼搜尋丹恩的臉。死者面向牆壁，頭部半埋在枕頭裡。「丹恩！」她失聲叫道，伸手去摸丹恩的臉，夜晚的空氣悶熱，但她卻輕輕的發抖，立即把手抽回來。鎮定！現在她千萬要鎮定才行。

明諾薇快步穿越客廳來到玄關，樓梯下的小房間放著電話，她手指又發起抖來，不聽使喚的撥起電話號碼。撥好號碼，聽到那頭終於有人回答。

「喂，艾摩斯，是你嗎？我是明諾薇，請你盡快到丹恩這裡來。」

那頭傳來很不樂意的推拖，明諾薇尖聲打斷他的遲疑。

「我拜託你好不好，艾摩斯，把你們兄弟失和的蠢事擱一邊去吧，你弟弟死了你知不知道？」

「死了？」艾摩斯遲鈍的應道。

「他被人殺死了，艾摩斯，你現在可以過來嗎？」

那頭陷入一陣長長的沉默。明諾薇想道，那個死硬派的清教徒不知在想著什麼。

「我就過來，」一個奇怪的聲音終於說道，之後，才又是她認得的艾摩斯的聲音：「對了，必須報警！我先報案，報案之後我立刻趕過去。」

回到玄關，明諾薇發現正門關得緊緊的，艾摩斯會由這個門進來，她於是過去把門打開。噢，對了，她認得門上精緻的鎖，但鑰匙不知多久之前就丟了。真是的，丹恩的房子那麼大，她竟不記得看過一支鑰匙。在這些民風淳樸的島上，人們早已忘記門鎖是做什麼用的。

她又回到客廳。要不要叫醫生呢？噢，不用，現在叫太遲了，她知道得很清楚。那警察那邊——他們會不會帶醫生來，跟辦案有關的那種醫生？突然她對警方發起愁來，在檀香山待那麼久，她從未想過跟警方有關的事。在這個天涯海角的地方——有警察嗎？她想不起曾經看見過警察。噢，對了，砲台街和國王街交叉口那裡有個相當英俊的夏威夷人，皮膚黑黑的，經常站在崗位上指揮交通。忽然她聽到涼台上有搬動椅子的聲音，於是走到門邊。

「這裡任何一件東西都不能動，」她說道：「就維持原來的樣子。你們最好上樓去換衣服，兩個都去。」

兩個受到驚嚇的僕人走進客廳，站在那裡注視著她。他們似乎覺得這麼可怕的事應該討論討論。但是她能說什麼呢？身為溫氏家族的人，即使碰到這種兇殺案的場面，面對下人也得保持有教養的超然態度。明諾薇對他們很和善，她很同情他們的傷痛，但是她仍覺得沒什麼好討論的。

「等你們換好衣服之後，」她吩咐道：「不要走遠，會有事情需要你們幫忙。」

兩人走開了去，哈庫仍穿著那件怪怪的和服，卡麥桂叨叨唸著心中的悲痛，教明諾薇聽了背脊直打哆。他們留下她一個人——和丹恩在一起——儘管她一直以為無論任何場面都能應付，然而她還是遲疑著不到涼台去。

她坐在客廳一張大椅子上，回顧著各種象徵財富和地位的擺飾，現在丹恩統統都拋下了。可憐的丹恩！雖然有那麼多不利於他的傳聞，明諾薇還是十分喜歡她這位堂兄。

據說很多人的一生都可以寫成一本有趣的書，通常沒什麼道理。至於說到丹恩，他的事卻是真實的。他的一生該是多麼了不得的一本書啊！要是出版的話，又該有多快就被禁掉，千秋萬世無法在波士頓大眾圖書館的書架上出現！因為丹恩的生活內容太豐富了，他有自己信守的準則，為自己而戰時絕不慈悲手軟，而終於能出人頭地，走出自己的路來。他們說，丹恩老是在禁地裡戲耍，但是，他的笑容那麼友善，說話又那麼風趣——直到近兩個禮拜之前，一直是如此。

打從送信給羅傑那晚開始，他整個人似乎變了。他臉上第一次出現皺紋，灰眼珠老是流露出憂慮疲憊的樣子。上個禮拜三，當他收到羅傑的電報時，情緒又是多麼的激動啊。明諾薇想，那電報不知什麼內容，為了那幾個打上去的字，他竟然生那麼大的氣，還發瘋似的在房間裡轉來轉去。

她想到最後看見丹恩時的樣子——她覺得丹恩似乎相當可憐。當消息傳來，泰勒總統號必須明天早上才能靠岸，而芭巴拉……

明諾薇停了下來，這是她第一次想到芭巴拉，那個快樂活潑的女孩至今還沒有遇到任何悲哀的事——可到了早上她就要回家來了。淚水湧進雙眼，她朦朧之中看到客廳和玄關間的竹簾子被人掀開，臉龐瘦削蒼白的艾摩斯現身了。

艾摩斯拘謹的走進客廳，因為他正踩在他發誓這輩子再也不要踏進的土地上。他在明諾薇面前停住。

「怎麼回事？」他說：「這到底是怎麼回事？」

明諾薇向涼台那裡示意，艾摩斯於是走過去看。經過一段相當久的時間，他又回到客廳。他雙肩無力的下垂著，眼睛漾著淚水呆呆的望著。

「心臟被刺了一刀，」他低聲喃喃說道。牆上掛著他父親的畫像，他站著看了一會。「罪惡的代價就是死亡。」他又說了一句，好像是對老傑迪亞．溫特司禮說的。

「是的，艾摩斯，」明諾薇強烈說道：「早知道我們都該聽你的話才對。可是有句話你應該也聽過——人死後蓋棺論定。更何況，我們可沒什麼閒工夫來談大道理了。現在丹恩死了，我只能說我很難過。」

「難過！」艾摩斯淒涼的重複說道。「那我怎麼辦？他是我弟弟，小時候還是我教他在外面海灘上學走路的……」

「我知道。」明諾薇注視著他。「我在想，嗯，丹恩死了，他是被人殺的，可是他也是我們溫氏家族的一分子。現在我們該怎麼辦？」

「我已經向警方報案了。」艾摩斯說。

「那他們怎麼還沒來？要是在波士頓的話，這個時候——噢，我曉得這裡不是波士頓。你說他是被刀子殺死的，陽台那裡有沒有兇器的痕跡？」

「我四處看過了，沒有任何發現。」

「那桌子上放的馬來亞短刃呢？丹恩一向用它來拆信。」

「我沒有看到，」艾摩斯說：「這房子對我來說很陌生，明諾薇。」

「是這樣沒錯！」明諾薇起身要往涼台走，她恢復原先精明幹練的樣子。就在這時，屋子正門響起嘈雜的敲門聲，隨後聲音進到玄關，哈庫引著三個人走進客廳。儘管來的都是警察，卻都穿著便服，其中一位高而瘦，貌似船長模樣的北方佬領先踏出一步。

「我是刑事組組長哈利，」他說：「你就是艾摩斯．溫特司禮先生吧！」

「是的。」艾摩斯答道，他介紹明諾薇給三個人認識，哈利組長滿不在乎的點個頭，好像是說：這碼子事是男人在管的，他不喜歡女人介入。

「你說，丹恩．溫特司禮被殺了是吧，」他轉向艾摩斯，「那真是不幸。人在哪裡？」

艾摩斯指著涼台。「醫生，跟我來吧，」哈利說道，他穿過簾幕，另兩人中塊頭比較小的跟在後頭。

他們出去後，第三名男子進到客廳裡來，明諾薇一見到這個人，不禁微微吃了一驚。在這幾個溫暖的島嶼男人一向比較瘦，但這裡卻出現令人驚奇的意外，他真的很胖，走起路來卻有點優雅，像是女人，雙頰像嬰兒般胖嘟嘟的，膚色有如羊脂，頭髮剪得很短，深褐色的眼珠子不斷睨著。這名男子經過明諾薇時鞠了個躬，如此大禮在現代社會上已經很少見了，隨後他朝哈利的方向走去。

「艾摩斯！」明諾薇嚷道。「那個人……為什麼他……」

「噢，他是陳查禮，」艾摩斯解釋道。「幸虧他們把他帶來了，他是檀島警方最棒的偵探。」

「可是——他是個中國人啊！」

「是啊。」

明諾薇陷坐在椅子裡。噢，是的，離美國本土那麼遠的這裡畢竟也有警察。

過不多時哈利精神奕奕的回到客廳。「聽我這裡，」他開口道：「法醫告訴我說，溫特司禮先生才剛死去沒多久，我現在並不需要你們作證，不過假如你們可以告訴我這件事是什麼時候發生的。」

「我可以相當明確的告訴你，」明諾薇鎮定的說：「事情是發生在一點二十分之前不久，大概一點十五分的時候。」

哈利注視著她。「妳確定？」

「我能夠確定，那個時間我是從兇手戴的手錶上看到的。」

「什麼！你看到他了！」

「我可沒那麼說。我是說我看到了他的手錶。」

哈利皺起眉頭。「妳講的我稍後再弄清楚，」他說道：「現在我得通令搜查這附近一帶，電話在哪裡？」

明諾薇指著電話機的位置，然後聽他很認真的跟警局裡一個名叫湯姆的人通著話。看來湯姆的工作就是調集所有的人馬搜查檀香山，尤其是威基基這一帶，盤查任何一個可疑分子；他手上還握有近一個禮拜在檀香山靠岸的所有船舶的旅客名單，正等著組長回去研究。

哈利回到客廳，不偏不倚站在明諾薇面前。「好啦，」他開口道：「妳沒有看到兇手本人，卻看到兇手戴的手錶。嗯，我這個人很相信事情得處理得井井有條才行。我想妳並非本地人，而是從波士頓來的，對吧？」

「沒錯！」明諾薇微感不耐的說。

「就住在這屋子裡？」

「正是。」

「這屋子除了妳和溫特司禮先生之外，還有別的人嗎？」

明諾薇的眼睛眨了一下。「還有兩個僕人，」她說道：「另外我想提醒你的是，我跟丹恩．溫特司禮是堂兄妹。」

「噢，原來如此——我剛剛的話沒有惡意。死者有個女兒，是不是？」

「他女兒芭芭拉正從學校回家，搭的船早上就會靠岸。」

「原來如此。就妳和死者在這屋裡，那妳將會是重要的人證。」

「至少這對我是全新的經驗。」她說。

「恐怕也是。好吧，回到前面——」明諾薇瞪著哈利，她這一招曾嚇唬過劍橋地鐵裡的警衛，哈利並未與她四目相交。「妳知道我並沒多餘的工夫講客套話，溫特司禮女士。請講一下昨晚在這屋子發生的事。」

「我只在這裡待到晚上八點三十分，」她說道：「之後就跟幾個朋友去參加晚宴。在此之前，溫特司禮先生一如往常吃過晚飯，然後我們在涼台聊了一下子。」

「那時候他會不會心事重重的樣子？」

「嗯，他似乎有點心煩意亂——」

「停，等一下！」組長拿出一本記事簿來。「我想把這件事記下來。妳說他有點心煩意亂，是吧？這種情形有多久了？」

「有兩個禮拜了。我想想看——就在兩星期前的晚上，或者前一晚，那時他跟我坐在外面涼台，他正在看晚報，晚報裡的某件事好像使他十分困擾，他就起身跑去寫了封信給他舊金山的堂弟羅傑，並立刻拿去給泰勒總統號上的朋友，請那位朋友送去。從那時候起，他整個人就變得悶悶不樂，坐立難安。」

「請講下去，這也許很重要。」

「上禮拜三早上他收到羅傑的電報，使他十分震怒。」

「電報？上面寫些什麼？」

「那封電報不是寫給我的。」明諾薇傲然道。

「嗯，就這樣吧，我們會查出來的。那，昨天晚上，他有沒有比往常更坐立難安？」

「有的。不過那也可能是他本來希望女兒搭的船下午就能夠到，結果卻得知要到今天早上方能上岸。」

「原來是這樣。妳說妳八點半之前只待在這裡？」

「我可沒那麼講，」明諾薇冷然的說：「我說的是我在這裡只待到八點半。」

「那還不是一樣。」

「嗯，有一點點不同。」

「我可不是在跟妳談論文法，」哈利揚聲說道：「在妳離開之前，可有什麼不尋常的事情發生？」

「沒有。等等，溫特司禮先生吃晚飯的時候，有人打電話找他，談話內容傳進我耳朵裡。」

「真有妳的！」明諾薇又瞪他一眼。「麻煩妳講一下他們談些什麼？」

「我聽到溫特司禮先生說：『哈囉，伊根吶，什麼，你不過來了？不行，你必須要來，我要見你。我很堅持。十一點過來，我想要見你。』這就是那通電話的重點。」

「他有沒有顯得很興奮的樣子？」

「他講話的語調比平常提高了些。」

「喔，我曉得了。」組長注視著手上的筆記本，「那個人想必是吉姆·伊根，他在海灘再過去那裡開了一家破舊的沙洲棕櫚旅社。」他轉向艾摩斯說：「伊根是你老弟的朋友嗎？」

「這我不知道！」艾摩斯說。

「你知道吧，艾摩斯跟他弟弟一向沒來往的，」明諾薇解釋道，「他們之間曾經反目成仇。至於我，我從未聽過丹恩提到伊根，而我昨晚還在這裡的時候，伊根確實沒有來到這裡。」

哈利點點頭。「好，妳是八點半離開的。請妳告訴我們妳去了哪裡，什麼時候回來，以及所有跟那隻手錶有關的事。」

明諾薇很快的描述了她參加的晚宴，如何回到丹恩家的客廳，在黑暗中經歷的險境，還有那等候她從旁走過的螢光錶面。

「但願妳看到的比這還多，」哈利抱怨道，「手上戴錶的人太多了。」

「戴那種錶的人可能不那麼多。」明諾薇說。

「哦，錶上有特殊的記號嗎？」

「沒錯，上頭的數字都會發螢光，很明顯的從錶面上突出來——只有一個例外，兩點鐘的那個2字看起來暗暗的，很有可能磨損了。」

哈利頗為讚許的看著她。「嗯，妳的確有兩把刷子。」

「那是我從小養成的習慣，」明諾薇答道，「經年累月的習慣就不容易改了。」

哈利笑了笑，請她繼續講下去。明諾薇於是交代她怎樣叫醒兩個佣人，怎樣在涼台發現這件可怕的事。

「但是向警方報案的卻是艾摩斯先生！」哈利說道。

「是的，我立刻打電話給他，他說那他要趕快報案。」

哈利轉向艾摩斯。「艾摩斯先生，從你家到這邊要多久？」他問道。

「用不著十分鐘。」艾摩斯說。

「包括換好衣服，走到這裡都算在內？」

艾摩斯遲疑了一下。「呃，我並不需要換衣服，我當時尚未就寢。」

哈利對他產生新的興趣。「已經半夜一點半了，而你尚未上床？」

「我……我睡得一向不怎麼好，」艾摩斯說，「經常三更半夜還沒去睡。」

「原來如此。你和你弟弟關係似乎不怎麼好是嘛？以前起過爭執？」

「也不算什麼特別的爭執。我不喜歡他的生活方式，所以分道揚鑣。」

「之後彼此再也不講話，是嘛？」

「是的，情形正是如此。」艾摩斯坦承道。

「喔。」組長注視起艾摩斯來，明諾薇也同樣望著他。啊！明諾薇忽然想到，警方尚未到達之前，艾摩斯在涼台上待了好久。

「明諾薇女士，那兩位隨妳一同下樓的僕佣，」哈利說：「我現在想見他們一下，至於其他的早上再查。」

哈庫和卡麥桂來了，兩人都有些恐懼，眼睛睜得大大的。哈庫九點就去睡了，直到明諾薇敲房門時才起來，因此沒什麼好說的，他發誓說。不過卡麥桂卻有一些情節可以提供。

「我拿水果進來客廳這裡，」她指著桌上那個籃子，「外面涼台那裡，丹恩先生正在跟一男一女講話，喔，丹恩先生生很大的氣。」

「當時是幾點？」哈利問道。

「十點吧，我想。」

「除了你主人的聲音之外，另外兩人妳聽得出是誰嗎？」

明諾薇感覺女佣遲疑了大約一秒鐘。「嗯，我聽不出來。」

「妳還注意到其他事嗎？」

「是的，大約十一點鐘左右，我在樓上靠近窗戶的地方坐著。又聽到有人在涼台上講話，是丹恩先生跟另一個男人，不過這次講話的時候並沒有那麼生氣。」

「是十一點的時候，對嗎？妳認不認識吉姆·伊根先生？」

「我見過。」

「當時跟你們主人講話的是不是他?」

「我不敢肯定。」

「好吧,你們兩個可以離開了。」哈利轉身面對明諾薇和艾摩斯,「我們去看看老陳發現了些什麼。」隨即帶頭走向涼台。

那位肥胖的中國人正蹲在一張桌子旁邊,樣子看起來有點怪異,當他們來到時,他特地站起來。

「老陳,你找到刀子了嗎?」組長問道。

陳查禮搖頭,「命案現場附近並沒有刀子。」

「那張桌子上面,」明諾薇說:「有一把用來拆閱信件的馬來亞短刃——」

中國人點點頭,從桌上拿起那把短刃。「短刃原封不動放在這裡,沒被動過,」他說:「兇手隨身帶著傢伙。」

「有沒有發現指紋?」哈利問道。

「經過我搜索發現,想找到指紋是不可能的,」陳查禮答道。他伸出掌厚多肉的手,掌心有一個小珍珠鈕扣。「這是從小山羊皮手套上掉下來的,」他解釋道:「犯罪者多半會弄這樣的老把戲，不留下任何指紋。」

「你就只發現這些嗎？」他的上司問。

「我努力搜索過了，並沒有什麼發現，」陳查禮說道：「不過，這個我或許該提一下。」他從桌上拿起一本皮質封面的記事本，「這上面寫了一些名字，都是來過這裡受到招待的人。我猜這應該是一本來賓名錄，你會發現裡頭最前面幾頁有一張被撕掉了。我在現場發現這本冊子時，它是打開著的。」

哈利組長瘦長的手接過那冊子。「好吧，老陳，」他說道：「這問題就交給你。」那雙三角眼欣然的眨了一下。「真是有趣極了！」陳查禮低聲說道。

哈利把記事本塞進衣服口袋。「我替你問到一些案情，等一下我們再來討論討論。」他站立一會，四下看了涼台一番。「我必須說我們的線索似乎少得可憐，一個從手套上掉下來的鈕扣，被撕掉一頁的來賓記事本，另外則是一隻有夜間螢光顯示的手錶，而錶面上2那個數字有點缺損。」陳查禮的小眼睛睜大起來。「到目前為止線索並不夠多，老陳。」

「也許還會出現另外的線索吧，」陳查禮說。「誰又說得準呢？」

「咱們現在走吧！」哈利說道，他轉向明諾薇和艾摩斯。「我想你們也需要稍作休息了，明天我們再來打攪。」

明諾薇面向陳查禮。「你們一定要抓到兇手。」她斷然說道。

陳查禮有些疲倦的看著她。「事情既來之，則安之。」他回答道，提高的音調聽起來有點像在唱歌。

「我明白，這是你們孔夫子的論調，」她不悅的說：「但這是一種敷衍了事的態度，我非常不以為然。」

陳查禮臉上浮出一絲隱晦的微笑。「請別擔心，」他說道。「成事在天，謀事在人。我向妳保證，這件案子我們不會打馬虎眼的。」他走近前道：「請恕我這麼說，我在妳眼睛裡發現小小的敵意，妳要是不介意的話，請妳將它拿掉。互助合作對我們而言是很重要的。祝你們晚安，我們明天見。」說完他深深一鞠躬，跟在哈利背後走了。

明諾薇無力的轉向艾摩斯。「嗯，這整個案子——」

「妳用不著擔心老陳，」艾摩斯說：「他抓犯人抓出了名。妳現在回房裡睡吧，我留在這裡，通知幾個該通知的人。」

「好吧，我去躺一會兒，」明諾薇說：「早上我要到碼頭一趟，可憐的芭巴拉！還有約翰昆西也要來。」她露出一絲苦笑，「我恐怕約翰昆西對這件事很不能接受。」

她從臥房的窗戶向外看，天色已漸漸破曉，瀟灑的椰子樹和黃槿樹籠罩在一片灰色的霧靄之中。她換上日式和服，躺進蚊帳底下。她睡沒多久，又爬起來走到窗戶旁邊。天色亮了，霧靄業已消散，一個花花綠綠的世界綻現在她疲憊的雙眼之前。

新鮮的景象使她清醒過來，貿易風又吹起了——可憐的丹恩，他多麼盼望這種季風的再度光臨啊。她看見夜晚對黃槿樹上的花施了魔法，那麼多黃花紛紛轉成深紅，今天早晨過去，它們就會一片一片飄落滿地了。不遠處，一棵角豆樹上聚著一群八哥，七嘴八舌的為新一天的來到吵個不休。附近的小木屋裡走出一夥泳客，興致勃勃的衝入波浪之中。

房門響起輕微的敲門聲，卡麥桂走進來，把一個小東西交到她手上。

明諾薇低頭看著，是一枚老式的胸針，造形相當奇特，用瑪瑙塑出一棵樹的形狀，樹葉由翡翠構成，結的果子是紅寶石，許多碎鑽遍布其中。

「這是什麼，卡麥桂？」她問道。

「丹恩先生保有這東西好多年了，一個月前他送給住在海邊過去那裡的女人。」

明諾薇的眼睛半瞇起來。「送給那個叫威基基寡婦的女人？」

「是的，就是她。」

「那怎麼會出現在妳手上呢，卡麥桂？」

「這是警察還沒來到之前，我在涼台地上撿的。」

「妳做得很好。」明諾薇點點頭，「不要把這件事說出去，我會好好處理。」

「噢，是的。」女人走出門去。

明諾薇直挺挺坐著，低頭注視這個造形奇特的首飾。這東西的歷史起碼要追溯到一八八〇年代。

這幢房子的上空響起飛機盤旋飛翔的轟隆聲，明諾薇再次走到窗戶旁。一位年輕的飛行軍官愛上海邊一位可愛的少女，每天一大清早執行空中任務時，都會帶來這些聲音向女孩示愛。年輕人的舉動並不為不明究理的旁觀者所欣賞，但明諾薇卻很感動的看著他沿海濱呼嘯而過，慢慢飛遠，一直到港口上空消失不見。

年輕與愛，生命的開始。然而在涼台的床榻上，卻是丹恩與生命的終結。

【第八章】大船入港的日子

港口外的水道入口處，泰勒總統號宛如鑽石岬動也不動的停在那裡。約翰昆西站在艙房外靠近欄杆的地方，頭一遭注視著檀香山。他絲毫沒有曾經來過這裡的感覺，這是個陌生之地。好幾英哩外的碼頭和倉庫看得相當清楚，那裡是水陸的交界，再過去是高高低低的大樓矗立在翠綠的草坪上。城市背後有群山拱繞，水晶藍的山峰突入天藍色的穹蒼。

檢疫中心軋軋軋軋的駛出一艘小船，趾高氣揚的開到大輪船身邊，一名身穿卡其制服的醫生身手矯捷的緣便梯跑上來，就在約翰昆西不遠處上了甲板。怎麼這傢伙精力充沛，而他自己卻毫無氣力呢。空氣潮溼而沈悶，船體行進時的微風已然消逝，在舊金山時大量湧入他體內的氣力現在已成春夢一場，他乏力的倚著欄杆，雙眼直直瞪著前方明亮的熱帶風情畫——卻視而不見。

他眼前出現的反而是波士頓那間安靜、設備完善的辦公室，打字小姐這時候正很優雅的敲著鍵盤，股價指示器也正忙著列製新交易日的各項行情。再過幾個鐘頭——美東美西時差明顯不同——股市交易就會結束，他認識的那班人將會紛紛跑去開自己的車，直接奔往距離最近的鄉村俱樂部，打一場高爾夫球，再恬適的吃一頓精美的晚餐，最後在書本的陪伴下享受一個美好的夜晚。他要的是這樣隨意適性的過下去，不被橫加干擾，沒有意外波折的生活，用不著面對松木盒子、閣樓中的黑暗遭遇、無端撞見男女親熱的場面，以及曾經販賣過奴隸的堂叔。突然約翰昆西想到，他今天必須見到丹恩·溫特司禮，把自己挨揍的部位還有一點腫的情形說出來。嗯，就這樣吧！他下定決心的站直起來，這件事越快交代完畢越好。

何瑞·堅尼森沿著甲板走來，滿面春風，神采奕奕，從頭到腳穿戴得一身雪白。

「嗨，老兄，我們現在已經來到天堂樂園的入口了！」他高聲說道。

「你真的這樣想嗎？」約翰昆西說。

「那當然，」堅尼森回答道。「這世界唯一能稱做天堂的地方，就是這幾個島。馬克・吐溫的話你記得嗎——」

「你去過波士頓嗎？」約翰昆西打岔道。

「去過一次，」堅尼森簡略的應道。「你看，市區後面那是潘趣盃山——再過去是坦特拉斯。改天我帶你到那山頂上去，那裡視野太棒了。你看到那幢最高的建築物嗎？那就是凡派登信託公司，我的事務所在最頂樓。回到家只有一個缺點——我又必須上班了。」

「我真不懂，居然有人能在這種氣候下工作。」約翰昆西說。

「噢，呃，那對我們不算什麼，你們本土的人生活步調真讓人受不了。本土總會有那麼些個野心家跑來這裡，想要推著我們往前跑。」他大笑道。「結果那些老兄後來都氣得翹辮子，而我們總是很慵懶的把那些人埋了。你要到底下吃個早餐嗎？」

約翰昆西陪他一起到餐廳。梅諾夫人和芭巴拉都在座，老太太雙頰泛紅，眼睛發亮，芭巴拉也一樣，開心得很。是回家的興奮之情使她十分快樂，還是她的快樂完全肇端於戀情呢？約翰昆西看到她以笑臉迎著堅尼森，真希望自己被矇在鼓裡。

「你可要準備好接受驚喜喲，約翰昆西，」芭巴拉說道。「在夏威夷上岸可跟全世界任何一個地方都不一樣呢。當然啦，我們這條船是遠洋輪，並不會受到麥森號那種專程往返的船那麼熱鬧的歡迎，不過今天早上有好多人等著迎接馬索尼號，所以我們可以從他們那裡偷到一些『阿囉哈』。」

「一些什麼？」約翰昆西問道。

「阿囉哈——意思是愛的歡迎，你脖子上會戴滿花圈，約翰昆西，這只是為了表示你終於來了，檀香山的人真是太高興了。」

約翰昆西轉向梅諾夫人，說：「我想這場面對您來說，已經不新鮮了吧？」

「歡迎你來，小伙子，這種新鮮感是歷久彌新的唷，」她說道。「我往返這裡一百二十八次了，可是每一次都像是從學校回家那樣的興奮。」她說著嘆起氣來。「已經是一百二十八次了，我戴過的那麼多花圈，如今卻不知哪裡去了。今天岸上並沒有等著迎接我的人，他們不在這碼頭上。」

「那個就別去提了吧，」芭巴拉頗有微詞，「今天早上只能有快樂的想法，因為這是大船入港的日子呀。」

每個人似乎都不餓，早餐只象徵性的用了一點。約翰昆西回到自己客艙，發現鮑克正為他打包行李。

「我猜你都準備好了，先生。」服務生道：「那本書我昨晚看完，已經放進行李箱了。再不久我們都要上甲板去，祝你一切順利。還有，請別忘了別去碰歐克里郝。」

「我會牢記的，」約翰昆西笑道：「對了，這個請你收下。」

鮑克看了一眼他給的小費，收了起來。「真是太感謝你了，先生，」他由衷的說：「那多少可以彌補到中國之後那兩位傳教士所將施捨的——假如我夠幸運的話。但話說回來，你既然是提姆的朋友，讓你給我這個總是有點不好意思。」

「噢，你可別那麼說，這是你應該得到的報酬。」約翰昆西說著，跟在鮑克背後登上甲板。

「啊，那就是檀香山了！」鮑克指著道，在欄杆邊停下來。「南太平洋被這衣領束縛住了，像開著福特汽車一樣快速。玻里尼西亞還保有寧謐的隱私，而其他地方似乎受惠於白人的文明哩。今晚八點我們就要走了，真是謝天謝地！」

「看來這個天堂樂園並不吸引你。」約翰昆西問道。

「是的，其他這種顏色鮮亮、走起路來會把腳折騰個半死的地方我也不喜歡，我對這些地方已經厭倦了，先生。」他走近了些。「我想在一個鄉下地方買下一份報紙經營看看，一直混到餓死為止，你看那下場有多麼快樂啊！嗯，也許用不了多久我就可以搞出一點名堂來。」

「但願如此。」約翰昆西說道。

「我也希望如此，」鮑克說：「祝你在檀香山過得愉快。還有要提醒你的是——可別一直逗留下去喔。」

「我不會的！」約翰昆西篤定的說。

「那就這麼說定囉，這裡是那種，你也知道，帶有危險性的地方，每一天的節目表都排滿樂子，你首先就會忘記把行李箱擺哪裡去了。再見了，先生。」

提姆的朋友揮一揮手，走下甲板不見了。在一片混亂中，約翰昆西排進醫生進行檢疫的隊伍裡，然後經過一陣相當仔細的盤查之後，入境處的官員終於承認波士頓也許是美國的一部分，留給約翰昆西一大堆古里古怪的想法。

泰勒總統號緩緩駛向岸邊，興奮的旅客在甲板上雀躍不已，不時舉起手上的望遠鏡朝陸地望著。約翰昆西發現儘管現在時間還很早，他們即將停靠的碼頭卻早已人群如織，芭巴拉走來站在他身邊。

「可憐的老爸，我不在他身邊，他已經獨自掙扎了九個月，今天早上對他來說一定很重要。」她說道。「你會喜歡我爸爸的，約翰昆西。」

「我想我一定會的。」他懇切的說。

「我爸爸是世界上——」堅尼森加入他們。「何瑞，我想叫服務生把我的行李送上岸。」

「我已經交代好了，」堅尼森說：「小費我也給了。」

「謝謝你，」女孩回答，「我太過興奮，居然忘了。」

她渴望的俯身探過欄杆，向碼頭張望，眼睛灼灼發亮。「我怎麼沒看到我爸爸？」她說道。他們已經近到可以聽到岸上那些喜鬧迎迓的嘈雜聲，偌大的船體小心翼翼的靠過去。

「那裡，那是明諾薇姑媽！」約翰昆西忽然大叫道，在人群之中感染到回家的氣氛的確令人欣喜。「她身邊那個是妳爸爸嗎？」他指著明諾薇身邊那個高瘦單薄的男人。

「我沒有看到——在哪裡——」芭巴拉開始搜尋，「啊，那個人，怎麼，那是艾摩斯伯伯呢！」

「哦，那就是艾摩斯？」約翰昆西失去了興趣，但一旁的芭巴拉卻抓緊他的手臂，他轉頭看到芭巴拉眼中出現驚恐的神情。

「你想那是怎麼回事？」她大叫，「我看不到我老爸，到處都找不到他……」

「噢，他應該在人群之中……」

「不，不是——你不了解！怎麼會是艾摩斯伯伯！我——我好害怕！」

約翰昆西聽不懂那是什麼含意，也沒有工夫弄懂，堅尼森朝人群推擠過去，為芭巴拉弄出一條通路，約翰昆西緊隨在後。他們是第一批走下扶梯的人，明諾薇和艾摩斯在底下的出口處等著。

「啊，我親愛的，」明諾薇擁住芭巴拉，輕輕的親吻著她的臉，然後又轉向約翰昆西，「嗨，你也來了——」

這樣的歡迎似乎缺少了什麼，約翰昆西立刻察覺出來。

「我爸爸在哪裡？」芭巴拉大聲嚷道。

「上車後再解釋——」明諾薇說道。

「不行，現在就講！我現在就要知道！」

人潮向他們簇擁而來，高呼著迎迓之詞，夏威夷皇家樂團奏起愉快的樂章，四周一片歡樂之情。

「親愛的，妳爸爸死了。」明諾薇說。

約翰昆西看到芭巴拉纖瘦的身子輕輕搖晃起來，但是何瑞・堅尼森伸出強壯的手臂將她抱住。

她站立了好一會，依偎在堅尼森懷裡。「好了，我們回家去吧！」她說完動身向街邊走去，神情儼然是溫氏家族的人。

艾摩斯不知不覺消失在人群之中，不過堅尼森陪著他們走到汽車旁邊。「我陪妳一趟！」他對芭巴拉說，但芭巴拉似乎沒有聽見。四個人陸續上了轎車，不久，大船入港的歡樂吵嚷便被拋諸腦後。

車上無人講話，窗簾雖已拉下，還是有一道溫暖的陽光漏進來，照在約翰昆西的兩膝。他覺得腦筋有點空白，被堂叔的死訊嚇呆了。人一定是突然間死的——那也難怪，很多事情一向是這麼發生的。他看了一下身旁的芭巴拉，好蒼白的一張臉，他心情不禁沉重起來。

芭巴拉將冷冷的手放在他手上。「這樣的歡迎場面並不是我向你允諾的，約翰昆西。」她輕輕說道。

「啊，妳真是個體貼的人，那個我已經不放在心上了。」

沿途沒有人再講話，到達丹恩家之後，芭巴拉和明諾薇立刻上樓，堅尼森則是從屋子左邊側門出去，顯然他知道怎麼走。哈庫主動帶約翰昆西去看房間，他隨著哈庫上到二樓。

行李卸下之後，約翰昆西回到樓下，明諾薇正在客廳等他。隔著一道竹簾的涼台那邊傳來男人交談的聲音，叨叨絮絮，聽得不很清楚。

「嗯，姑姑，妳近來可好？」約翰昆西問道。

「好得很。」他的姑媽說道。

「我媽很擔心妳呢，她開始懷疑妳再也不回去了。」

「我也開始這麼想。」明諾薇回答。

他愕然望著明諾薇。「妳留給我的一些債券，價錢已經爬起來了，我不知道妳要我怎麼處理。」

「你說什麼，什麼債券？」明諾薇問道。

這樣漫不經心的對話很不合約翰昆西的胃口，他於是說：「現在總該有個人來到這裡，讓姑姑妳恢復原來的樣子。」

「是這樣嗎？」他的姑媽說。

樓上傳來一個聲音，提醒約翰昆西注意到眼前的狀況。「丹恩堂叔死得有點突然吧？」他問道。

「也很讓人吃驚。」

「嗯，我覺得我們現在待在這裡好像有點突兀。我們最好過幾天就啟程回家，船位我負責去訂——」

「你不用麻煩，」明諾薇說道：「在我看到做這件事的人被繩之以法之前，我哪裡也不去。」

「妳說什麼，誰做了什麼事？」約翰昆西問道。

「不知誰殺害了你堂叔丹恩。」明諾薇說。

約翰昆西張大了嘴巴，心中五味雜陳全反應到臉上來。「老天！」他倒吸一口氣。

「噢，你也用不著那麼吃驚，」他姑媽說：「溫氏家族還是會繼續存在下去的。」

「呃，」約翰昆西說：「仔細想想，也就沒什麼好驚訝的。我在船上聽過有關丹恩堂叔的事，感到十分奇怪──」

「用不著奇怪，你的口氣聽起就像艾摩斯，裡頭並沒有稱許，」明諾薇說：「你們不了解丹恩，可是我了解，而且我喜歡他。我要繼續待在這裡，看看能不能幫得上忙，把兇手找出來，而你也必須如此。」

「很抱歉，我不能夠。」

「你不要反對，我認為你應該積極參與調查工作。像這樣的小地方，連應該有的警力都不齊全，你去幫忙的話，他們會很歡迎的。」

「我去幫忙？我又不是偵探！妳怎麼會有這個想法，要我去跟警察打交道……」

「理由很簡單，我們要是不加以關切的話，這案子會傳出一些不愉快的醜聞。為了芭巴拉好，如果你去幫忙，說不定可以避免一些不必要的事情傳揚開來。」

「不，謝了，」約翰昆西說道：「我三天之內要回波士頓去，妳也一樣，請妳把行李準備好。」

明諾薇大笑起來，告訴他道：「你爸爸也曾經對我講過同樣的話，但最後總是徒勞無功。請你跟我到涼台來，我介紹幾位警察讓你認識認識。」

約翰昆西以默不作聲的輕蔑接受這項提議，以為這樣才算公平。可是正當他恣意的流露出輕蔑時，竹簾子忽的被分開，兩名警察走了進來，堅尼森也跟他們一道。

「早安，哈利組長，」明諾薇欣然說道：「我跟你介紹一下，這位是我侄子約翰昆西·溫特司禮，他剛從波士頓來到此地。」

「正好，我正迫切想要認識約翰昆西·溫特司禮先生。」組長回答道。

「噢，你好，真是幸會。」約翰昆西一顆心不禁沉了下去，這幫人只要一有可能便會把他拖下水的。

「而這位呢，約翰昆西，」明諾薇接著說：「是檀香山刑事組的探員陳查禮先生。」

約翰昆西本以為自己很鎮定的，可是——「呃，陳……陳先生！」他吃力的說。

「有幸能夠認識波士頓首善家族之一員，」陳查禮說道：「本人內心的喜悅，實非言語所能形容。」

輪到何瑞．堅尼森發言。「明諾薇女士，這件事真是令人震驚，」他說道：「可能妳也知道，我就是令堂兄的律師，也是他的好友，因此我若是對此事表現出高度的關切，還請妳不要見怪。」

「哪裡，我們很需要各種幫助。」

哈利組長從口袋中拿出一張紙，面向約翰昆西。

「年輕人，」他開口道：「我剛才說我迫切想要見你，因為昨晚明諾薇女士告訴我說，一星期前死者接到一封電報，看過之後非常的震怒。我剛好從電報公司那裡得到這份電報的副本，我唸給你聽一下：約翰昆西已搭乘泰勒總統號啟程，由於發生不幸的意外，致令他空手離開此地。　羅傑．溫特司禮」

「那又怎樣？」約翰昆西倨傲的說。

「請解釋一下，假如你肯的話。」

約翰昆西頑強不屈。「這件事非常隱私，是家族內部的事務。」他說道。

哈利組長逼視著他，答道：「你搞錯了，現在跟丹恩．溫特司禮先生有關的任何事都不再有隱私可言。請立刻告訴我這封電報什麼意思，我今天早上很忙。」

約翰昆西瞪了回去，一副對方並不了解他在跟誰講話的樣子：「我已經講過——」

「約翰昆西，你就照他的話講吧！」明諾薇忍不住說道。

噢，好吧，假如她希望家族的祕密曝光的話！約翰昆西很不情願的說起丹恩·溫特司禮的那封信，以及他在舊金山丹恩別墅的閣樓裡碰到的那件倒楣事。

「一個鑲銅皮的桃金孃木盒子，」組長重複說了一遍，「上面有T·M·B·三個英文字母，你記下來了嗎，老陳？」

「那本冊子裡也寫著這三個字母。」陳查禮說。

「你知道那盒子裡有什麼嗎？」哈利問道。

「我一無所知。」約翰昆西說道。

哈利轉向明諾薇，「妳也不知道？」明諾薇很肯定的說不知道。「好吧，」他接著說：「我們又知道了一件需要追查的事。剛才我們在陽光底下徹底搜索了現場一遍，很遺憾的，沒有找到什麼。不過呢，在那扇門外面的水泥路上——」他指著隔著客廳與花園的那扇門，「老陳發現一樣東西。」

陳查禮走上前，手掌有個白色物體。

「這是一根抽到一半的香菸，」他指出，「最近才被丟棄的，外表沒有受潮變形。香菸牌子叫科西嘉，製造地點是倫敦，習慣抽這種菸的是英國人。」

哈利再度面對明諾薇，說：「丹恩．溫特司禮抽香菸嗎？」

「丹恩不抽香菸。」她回答：「只抽雪茄和菸斗。」

「這房子除他之外，就是妳住這裡。」

「我並沒有抽菸的習慣，」明諾薇厲聲的說：「儘管從現在開始培養還不太晚。」

「那有沒有可能是佣人呢？」哈利追問道。

「有些佣人或許有抽香菸，但是不太可能抽那麼好的，我猜檀香山並沒有賣這種菸吧？」

「這裡是沒有賣，」組長說道：「但是老陳告訴我說，這種香菸會用罐子密封，用船載到世界各個英國人的屬地去賣。好啦，把它收起來吧，老陳。」那位中國人很細心的把這半根沒抽完的香菸收進隨身夾裡。「我現在要到那邊的海灘，找吉姆．伊根談一談。」組長又說道。

「我跟你們去吧，」堅尼森提議道：「我說不定可以提供一、兩個相關的線索。」

「好啊，一起來吧。」哈利表示歡迎。

「哈利組長，」明諾薇打岔道：「我希望我這個家族也有人跟你保持聯繫，以便盡可能幫得上忙。我侄子也想跟你一塊去——」

「很對不起，」約翰昆西冷冷的說：「妳完全弄錯了，我毫無意願參與警方的行動。」

「好吧，那是你的自由，」哈利轉向明諾薇，「總之，妳幫了很大的忙。大家都看得出來，妳是個心腸很好的人。」

「謝謝你。」明諾薇說道。

「絕不輸給任何男人，」他又加了一句。

「噢，你太言重了。祝你一切順利。」

三個男人從紗門走出去，置身在一整個花園的陽光之中。約翰昆西心裡頭明白姑媽這下被惹惱了。

「我到樓上去換一下衣服，」他不安的說，「等一下我們再好好談談。」

他走到玄關，卻在樓梯口停了下來。

樓上傳來哀慟欲絕的飲泣聲，是芭巴拉。可憐的芭巴拉，不到一個小時之前她還是那麼快樂的一個人。

約翰昆西感覺他整個頭發熱，太陽穴鼓動起來。竟然有人敢向溫氏家族的人下此毒手！竟然有人敢把他堂妹芭巴拉搞得如此痛不欲生！他握緊拳頭站了半晌，覺得自己也想動手殺人了。

行動——他必須有所行動！他旋風般的跑過客廳，留下一臉驚愕的明諾薇。丹恩家的車道上停著一輛汽車，那三個人已經坐進車裡去了。

「等一下！」約翰昆西叫道，「我跟你們一起去。」

「跳上來吧！」哈利組長說。

汽車順著車道緩緩滑了出去，駛上嘉利亞路滾燙的柏油路面。約翰昆西直挺挺的坐著，眼睛炯炯有神，身旁那位肥胖的中國人微微的笑著。

【第九章】沙洲棕櫚旅社

到了卡拉卡華大道口，哈利組長踩了油門一腳，車子來了個大角度右轉。由於是敞篷車，約翰昆西遂能夠將這次旅行終點站的陸上風光飽覽一番。他像一個小男孩似的在教堂椅子上坐得不耐煩，有關天堂的種種他已聽了太多，在他童稚的想像裡，天堂景物跟現在看到的或許有些相似吧。一個溫暖而相當無趣的鄉下地方，卻盡其所能的畫上最俗麗的顏色。

奶油般的白雲將遠處群山的頂峰裹了起來，山坡上長滿鮮綠的熱帶植物。浪潮拍擊海岸發出規則重複的聲調，聽起來彷彿近在咫尺，他不時向那蘋果綠的海水和一大片白得眩眼的沙灘瞧上一眼。「噢，威基基海灘！噢，多麼和平的景像——」姑媽明諾薇在上一封信裡說要無限期留在這裡，最後面就引述了這首詩。「若在咚咚的鼓聲中從天空往下看，就可以看到威基基海灘上許許多多天使的笑臉。」真是感情豐富，不過感情卻是夏威夷最主要的出口項目之一。一個人只要把這地方看一看，了解了解，然後就可以把它忘了。

約翰昆西並沒有戴帽子出門，太陽正毒辣辣的照在他棕褐色頭髮上。陳查禮看了他一眼。

「請容我冒昧打個岔，」他說：「你頭上什麼也不戴就出門，恐怕很不適合，尤其你又是一個馬里希尼（malihini）。」

「一個什麼？」

「馬里希尼，這字眼沒有什麼惡意，意思是外地人，新到這裡的訪客。」

「哦，」約翰昆西好奇的看著他。「那你是個馬里希尼嗎？」

「噢，才不是哩，」陳查禮笑道：「我是卡麥納（kamaaina），也就是老在地人。更深一步追溯過去的話，我在夏威夷已住了二十五年。」

車子開過一家大飯店，約翰昆西看到鑽石岬宛如突出的守護者，屹立在形態優美的海岸線盡頭。又向前駛了一小段路，組長把車停到路邊，四個人分別下車。馬路對面是一座籬笆老舊的花園，在它最風光的時候有可能是座伊甸園。

他們通過一扇門側只有上端一個轉軸在支撐的柵門，再向前走了一小段黃土路，一幢看起來搖搖欲墜的房子出現在眼前。他們斜角度的向著正門走去，約翰昆西看到屋子大部分的構築延伸到水面上，上下共有兩層，建築物左右兩側及背面都有雙層陽台。整幢建築看來頗有一點格調，無疑的，它過去一定有立足於此的價值。花葉茂盛的爬牆植物覆蓋住房子的外表，體貼且賣力的把醜陋的部分遮掩起來。

「總有一天，」陳查禮表情嚴肅的說：「支撐在房子底下的椽柱將崩塌下來，使得沙洲棕櫚旅社下沉，被海水咯咯的吞噬。」

當走得更靠近時，約翰昆西只覺得陳查禮的預言說不定隨時都會應驗。四人來到正門前面的破爛台階底下，卻見一名男子急匆匆的從旅社出來，身上穿的白色衣服舊得發黃，滿臉都是皺紋，眼睛有些疲倦，帶著幻滅的感覺。他這個人說不定就跟這旅社一樣，有著相當不平凡的過去。

「伊根先生！」哈利組長當即喚道。

「喔——好久不見，你好嗎？」那人回答道，口音使約翰昆西立刻想起亞瑟登堡．科普上校。

「我們想找你談幾句話。」哈利率直的說。

伊根臉上掠過一陣陰影。「我很抱歉，」他說：「我有重要的事情要辦，時間有點趕不上了，也許改天——」

「不行，就現在！」哈利打斷他的話，聲音彷彿火箭般射去，隨即走上台階。

「那不可能，」伊根說道，聲音並未提高。「不管怎樣，今天早上誰都不能阻止我去碼頭——」

哈利組長一把抓住伊根手臂。「你給我進屋裡去！」他命令道。

伊根漲紅了臉。「去你媽的，放開我！你憑什麼——」

「你給我站好，伊根，」哈利發怒道，「你也知道我為什麼來找你。」

「我不知道。」

哈利瞪著那個人的臉。「昨晚丹恩．溫特司禮被人殺了，」他說道。

吉姆．伊根脫下帽子，無奈的看著卡拉卡華大道。「今早的報紙我看到了，」他回答說。「他死了干我何事?」

「你是最後一個見到他活著的人，」哈利說：「好了，別再大呼小叫的，進屋裡去。」

伊根無助的向街邊看上最後一眼，一列電車呼嘯而過，向三英哩外的市區疾馳而去，隨後他低下頭，引著眾人進旅社去。

他們走進一間寬敞的大廳，裡頭的陳設很差，一名女性觀光客坐在桌旁寫明信片，一位神情猥瑣的日本職員懶洋洋的靠在櫃台後的椅背上，除此之外什麼人也沒有。「這裡來！」伊根說道，四人隨著他經過櫃台，進人一間私人的小辦公室。裡頭一片混亂，積滿灰塵的雜誌和報紙隨處可見，好幾本字跡湙滅的老舊帳薄攤放在地上。在牆上掛著一幅維多利亞女王畫像，還隨意貼了幾張從倫敦刊物剪下的圖片。堅尼森很小心的將一份報紙攤在窗台上，坐在那裡；伊根分別為哈利、陳查禮和約翰昆西抹了抹椅子，他自已則在一張附有可捲式頂蓋的舊書桌前落座。

「組長，假如你肯節省一些時間的話，」他提議說：「我或許還有一點時間可以——」他看了眼書桌上的時鐘。

「想都別想，」哈利斷然說道，他的態度跟造訪丹恩·溫特司禮那種上流家庭時判若兩人。「我們來談談正事，」他轉向陳查禮，「記事本準備好了嗎，老陳？」

「準備好了。」陳查禮答道，手中拿定鉛筆。

「很好，」哈利將座椅向書桌拉近了些。「我說伊根，我要你老老實實交代清楚。據我所知，你昨晚大約七點半跟丹恩·溫特司禮通過電話，想要取消跟他的會面，但我知道他不肯，還堅持要在十一點見你。你大約那個時候到他家，兩人發生嚴重爭吵，之後在凌晨一點二十五分，丹恩被人發現死了，而且是被殺死的。好啦，伊根，你給我交代個清楚。」

吉姆·伊根手指頭搔著他那理得很短的捲髮——他的頭髮原本近似稻草色，但現在大部分都變灰了。「你說的都是事實沒錯，」他說：「我——我可以抽根菸吧？」他拿出一個銀色的盒子，從中取出一支香菸，點火柴時手有點抖。「我的確跟丹恩·溫特司禮約好昨晚見面，」他接著說：「可是昨天白天的時候，我——我改變主意，結果我打電話去時，他卻堅持要見我，而且要我晚上十一點到他家，所以我就去了。」

「誰為你開門的？」哈利問道。

「我到的時候，他在花園裡等著我，然後一起進屋裡。」

哈利看了一眼伊根的菸。「你們是從側門直接進客廳的嗎？」他問道。

「不是，」伊根說：「是從房子前面的正門。丹恩帶我到他的涼台，然後我們便針對……針對那件我必須親自跑去處理的事情好好談了一下。大約半個小時之後，我就走了。當我離開時，丹恩人還好好的活著——也很有精神。事實上，他臉上還在笑哩。」

「你從哪個門離開的？」

「前面的正門，也就是我進去的同一個門。」

「原來如此，」哈利若有所思的看著他好一會兒。「之後你又跑回去他那裡了，會不會？」

「沒有，」伊根立刻說：「我直接回這裡，上床睡覺。」

「有誰看到你回來？」

「沒有人。我的職員十一點下班，旅社的門打開著，不過沒有人看店，來投宿的顧客並不很多。」

「你十一點半回到這裡，然後上床睡覺，」哈利說道：「可是卻沒有人看到你回來。你能不能告訴我，你和丹恩·溫特司禮很熟嗎？」

伊根搖搖頭。「我在檀香山住了二十三年，從來沒有跟他講過話，直到昨天早上才打電話給他。」

「嗯。」哈利靠向椅背，語氣溫和許多。「你年輕時應該遊歷過不少地方吧，我想？」

「我是到處跑過，」他承認道，「離開英國時，我才十八歲。」

「是在你家人要求之下。」組長笑著搭腔。

「你是什麼意思？」伊根佛然道。

「你去了哪裡？」

「澳洲。我在農場工作了一陣子，之後到墨爾本。」

「做些什麼？」哈利質問道。

「在……銀行裡面。」

「銀行，嗯？再然後——」

「南太平洋。我只是——到處走走罷了——我靜不下來。」

「在海濱流浪，遊手好閒？」

伊根臉紅了起來。「我或許有時窮困潦倒，可是天殺的——」

「等一下，」哈利打斷他的話，說：「我想知道的是，你四處漂泊的那些年，曾不曾跟丹恩·溫特司禮湊在一塊兒？」

「也——許有吧。」

「你那是什麼回答！有還是沒有？」

「噢，好吧，事實上有，」伊根坦承道，「我們只碰過一次面，在墨爾本，但那一次見面並沒有什麼大不了，以致丹恩忘得一乾二淨。」

「可是你卻沒忘，因此你昨天早上又拿起電話打給他，在彼此相隔了二十三年的沉默之後，為的是相當突然的事務。」

「沒錯。」

哈利靠上前去。「好了吧，伊根。我們已觸及問題的關鍵了，你找他是為了什麼事？」

小辦公室整個寧靜下來，眾人等待著伊根的回答。這位英國人很鎮定的注視著哈利的眼睛。「我不能告訴你。」他說。

哈利的臉孔一下紅了起來。「噢，你當然可以，快告訴我。」

「我不講。」伊根回答，語調絲毫沒有提高。

組長眼睛快要冒火的瞪著他。「看來你似乎不了解自己的處境。」

「我了解得很。」

「也許只有你跟我的話——」

「我無論如何都不會告訴你的，哈利。」

「也許你只肯告訴檢察官——」

「喂，到底要講幾遍你才了解？」伊根疲困已極的嚷道。「我絕不會把我和丹恩·溫特司禮的事告訴任何人，不管他是誰，你懂嗎！」說完他賭氣將抽到一半的菸往身旁的菸灰缸重重一按。

約翰昆西看到哈利朝陳查禮點了點頭，陳查禮伸出肥胖的手將菸蒂拿起來，圓胖的臉漾開得意的笑。他把菸蒂交給組長。

「是科西嘉牌的菸！」他興奮的嚷道。

「啊哈，可不是嗎，」哈利說：「你一向都抽這種菸？」

伊根疲倦的臉上掠過一陣驚異。「噢，不是。」他說道。

「這種菸在夏威夷沒有賣吧，我想？」

「嗯，我想這裡並沒有賣。」

哈利組長伸出手來。「伊根，你裝菸的盒子給我看一下。」英國人把菸盒交出，他打開來看。「嗯，」他說：「你倒是有不少嘛，是不是？」

「是的，它們是──給我的。」

「哦？誰給你的？」

伊根想了想，「我恐怕同樣不能告訴你。」

哈利的眼睛噴出火來。「我告訴你一點事實好了，」他說：「你昨晚打電話給丹恩．溫特司禮，進出他家都走前門，之後你再也沒有回去那裡。可是就在那個房子進出客廳的側門外面，我們卻發現這種牌子的菸蒂。好了，你現在可不可以告訴我，是誰給了你這種科西嘉牌的香菸？」

「不行，」伊根說道：「我不能告訴你。」

哈利將銀質菸盒放進自己的口袋，站了起來。「這真是太好了，」他說道：「我到這裡來的目的全泡湯了，地檢處檢察官將會找你去問話。」

「好吧，我會去找他，」伊根同意道：「在今天下午——」

哈利瞪著他。「你少自欺欺人了，快去拿你的帽子！」

伊根也站起來。「你給我聽好，」他嚷道：「我很不喜歡你這種態度。沒錯，有一些跟丹恩有關的事很不巧我不能講，可是你總不至於認為我殺了他吧，我幹嘛要——」

堅尼森當即從窗台旁站起來，走上前去。「哈利，」他說道：「有件事我認為應該要告訴你，兩、三年前我有一次和丹恩走在國王街的時候，遇到這位伊根先生，當時丹恩朝他點了點頭，私下告訴我說：『何瑞，我很怕那個人。』我等著聽下文，可是他沒有再提，而丹恩也不是那種你提個詞就會說的人。『何瑞，我很怕那個人。』他當時就說了這些，沒再進一步講下去。」

「那就夠了，」哈利冷冷的說：「伊根，你跟我走吧。」

伊根的眼睛冒出火花。「那當然啦，」他憤憤不平的嚷道。「我當然得跟你走，你們全都討厭我，全檀香山的人都討厭我，二十多年來我一直被人嗤之以鼻，被人瞧不起。因為我沒有錢，被人掃地出門，連我女兒都受人輕視，跟你們這些新英格蘭上流人物沒得比——你們這些曬過太陽的尖嘴清教徒。」

好熟悉的措辭呀，約翰昆西不覺坐直了起來。那是在——噢，對了，在奧克蘭的渡船上。

「那你倒不用擔心，」哈利說道：「我再給你最後一次機會，你要不要告訴我我想知道的事？」

「我才不！」伊根大聲嚷道。

「很好，那就走吧。」

「我這是被逮捕了嗎？」伊根問道。

「我可沒那麼說，」哈利說道，瞬間提高了警覺。「這件命案才剛著手調查，而你卻擁有不少我們很想知道的情報，我相信，你只要在警察局耗上幾個鐘頭，或許會回心轉意，願意一談。事實上，我對這一點相當有把握。我並沒有逮捕令，不過你要是肯在沒有逮捕令的情形下跟我走一趟的話，你所受的待遇會比較有尊嚴。」

伊根考慮了片刻。「看來你是對的，」他說道：「我有一點事要向我的管家交代一下，假如你不介意的話——」

哈利點點頭。「講快一點，老陳會陪著你去。」

伊根和陳查禮離開之後，組長、約翰昆西和堅尼森相偕走出辦公室，在大廳找椅子坐下。五分鐘過去了，十分鐘，十五分鐘——

堅尼森看了一下手錶。「喂，哈利，」他說道：「那傢伙把你耍了！」

哈利臉紅了，倏的站立起來，就在此時，伊根和陳查禮雙雙從大廳右側樓梯上出現，走了下來。哈利走到那位英國人面前。

「喂，伊根——你們幹什麼去了？拖延時間嗎？」

伊根笑了起來。「你說的一點也沒錯，」他回答道：「我女兒今天早上就要回來了，她搭乘的馬索尼號現在應該泊靠在碼頭。她到美國本土唸書，我們已經有九個月沒見面了，你們剛才剝奪了我去港口與她會面的樂趣，但是只要再過幾分鐘——」

「不行！」哈利焦躁的嚷道，「你現在就給我戴好帽子，我可沒耐性了！」

伊根遲疑了一下，慢慢從桌內拿出破舊的草帽。五個人穿過繁花茂盛的庭院，走向哈利的汽車，才剛到了大街，一輛計程車駛到路旁停下，伊根急忙跑上前去，約翰昆西看到和他在舊金山渡船口分手的女孩衝進了伊根的懷裡。

「爸爸，你要到哪裡去？」她嚷道。

「凱洛姐，乖乖，」他說道：「我真的很抱歉，本來我要到碼頭接妳的，但是卻被絆住了。妳好不好呢？」

「我很好，可是，爸，你要到哪裡去呢？」她看著哈利。約翰昆西則是細心的退到後面。

「我，呃，我要到市區處理一點事情，凱莉，」伊根說道：「應該很快就會回來，我想。假如我一時沒能回來，家裡面就由妳來照顧。」

「怎麼回事，爸——」

「妳別擔心，」他懇求道：「現在我只能講這些，凱洛姐，妳放心好了。」他轉向哈利。「我們該走了嗎，組長？」

兩名警察、伊根和堅尼森都上了汽車。約翰昆西走上前，女孩困惑的眼神與他相對。

「是你？」她驚呼道。

「走吧，溫特司禮先生。」哈利喚道。

約翰昆西笑望著那位女孩。「妳說得很對，」他說：「我根本用不著那頂帽子。」

女孩仰頭望著他。「可是你現在頭上什麼也沒戴，這是很不聰明的——」

「溫特司禮先生！」哈利大叫道。

約翰昆西轉過身去。「噢，很抱歉，組長，」他說道：「我忘記跟你講，我現在不跟你們一同去了，再見。」

哈利口裡一陣咕噥的發動車子，女孩則拿出小錢包付了計程車費，約翰昆西幫她拿行李箱。

「這一次我堅持幫妳拿。」他說。兩人進了柵門，步行在曾經風光過的伊甸園。

「妳那時並沒說我們也許會在檀香山碰面呢。」約翰昆西說道。

「我也不確定是不是會再見面，」她看著那幢破破爛爛的舊旅社，「我在這裡的社交界並非很受歡迎。」約翰昆西想不出該答些什麼才好。兩人登上朽壞的台階，大廳裡沒看到什麼人。「我們為什麼會再次見面呢？」她接著說：「這我真的不懂，又有點害怕，我爸跟那三個人去做什麼？那三個人之中有一位是哈利組長，他是警察。」

約翰昆西皺了皺眉頭。「我不確定妳父親願不願意讓妳曉得。」

「可是我必須知道，這很顯然的，不是嗎？請你告訴我吧。」

約翰昆西放下旅行箱，伸手挪過一張椅子，讓她坐下。

「是這樣的，」他開口道：「昨天晚上我堂叔丹恩被人殺死了。」

女孩露出難過的表情。「噢，可憐的芭巴拉！」她失聲道。約翰昆西覺得自己來對了，他絕不可以把芭巴拉忘掉！「可是，我爸爸他——噢，請你繼續講。」

「昨晚十一點妳父親去找我堂叔丹恩，但卻不肯說為什麼去找他。另外幾件事情他也拒絕透露。」

女孩望著約翰昆西，眼睛一下充滿淚水。「我在船上的時候覺得好快樂，」她說道：「我就知道這種快樂不會持續下去。」

約翰昆西也坐下來。「別胡思亂想，事情會圓滿解決的，妳父親也許想保護誰。」

她點點頭。「那是一定的。可是他要是鐵了心不肯說，那就再怎樣他也不會講出來，他就是有那種怪脾氣。他們會把他扣留起來，那就只剩下我孤孤單單一個人了。」

「妳不會孤獨的。」約翰昆西告訴她。

「不，你不懂，」她說：「我已經提醒過你了，那些處境好的人才不在乎我們——」

「那他們全是一些傻瓜，」他打岔道，「但我是約翰昆西，波士頓溫氏家族一分子，而妳——」

「我叫凱洛妲．瑪莉亞．伊根，」她回答道：「我媽媽是半個葡萄牙人，我爸爸的英國血統則是蘇格蘭加愛爾蘭。你知道嗎，這裡是民族大熔爐。」她沉默了一會。「我媽媽非常的漂亮，」她憧憬的想著，「這是他們告訴我的，我一點都不知道。」

約翰昆西頗為動容。「那天我在渡船上遇到妳時，」他婉言說：「我就在想，妳母親絕對是個美人。」

女孩用一方別緻的小手帕輕輕撲了眼睛一下，站了起來。「好吧，這只是另一樁我必須面對的事情，一樁我必須拿出勇氣來解決的事情，」她露出微笑。「我現在是沙洲棕櫚旅社的女經理了，你要我帶你看一下住宿的房間嗎？」

「我說，這可是一件頗不簡單的工作喔，會不會？」約翰昆西也站起來。

「噢，我不在乎，以前我就幫我爸爸做過。只有一件事我很頭痛——記帳之類的，我一向沒什麼數字概念。」

「那沒問題，數字概念我有。」約翰昆西回答。他忽然停下來，這樣是不是涉入太深了一點？

「那真是太好了！」女孩說道。

「嗄，那不算什麼，」約翰昆西說：「我在家的時候，這些都是我的工作。」家！喔，是的，他是有一個家，他想起來了。「股票啦、利息之類的事情。今天晚一點的時候我再過來找妳，看妳弄得怎樣。」他有點心慌的走開了去。「我現在必須走了，」他補充道。

「噢，好的，」女孩陪著他走到門邊。「你對我真的是太好了，你會在檀香山待很久嗎？」

「那要看情況，」約翰昆西說。「我已經下定決心，除非我堂叔丹恩那件殺人案偵破了，否則我絕不會離開這裡。而且我會盡全力協助破案。」

「我相信你一定非常能幹。」女孩說道。

他搖搖頭。「那我可不敢說，不過我一定會全力以赴就是了，現在我已經擁有不少協助辦案的誘因，」有些話湧到舌邊來，不過還是不講的好。噢，老天，他忍不住了。

「妳就是誘因之一。」他追加完這一句，然後便咚咚咚的跳下台階。

「請你小心，」女孩喚道。「這些台階比我上次離開時又朽得更厲害了，這又是另一個要修理的項目。等哪一天——屬於我們的船入港的時候。」

他把女孩的微笑遺留在門邊，快步走過庭院，來到卡拉卡華大道。毒辣的驕陽照射在他一無保護的頭上，枝葉茂盛的行道樹誇示著身上的紅色標誌，和煦的貿易風吹拂而過，高大的椰子樹在頭頂迎風搖曳，不遠處映著七彩虹影的海浪正拍撲在雪白的沙灘上。真是片可愛的土地——這周遭的一切。

他希望艾嘉莎．派克也在這裡陪他目睹這一切嗎？若照陳查禮所說的，更深一步追溯過去，喔，他才不會。

【第十章】 一張被憤而撕碎的報紙

當約翰昆西回到客廳時，他發現明諾薇姑媽來來回回的踱步，眼中充滿戰鬥的火花。他挑了一張大而舒適的椅子坐下。

「怎麼啦？」他問道，「妳似乎很不安的樣子。」

「我只是為自己弄一點皮里吉亞（pilikia）而已。」她說。

「什麼是皮里吉亞，一種本地的飲料嗎？」他好奇的問。「我可不可以也來一杯？」

「皮里吉亞就是麻煩的意思，」明諾薇解釋道，「剛剛來了好幾位報社的記者，他們問的問題你真不知道該怎麼回答才好。」

「是有關丹恩堂叔的吧？」約翰昆西點點頭，「我想像得到。」

「總之，他們什麼也沒有問到，我小心得很。」

「放輕鬆點吧，」約翰昆西勸道，「老家那邊有位朋友家裡有人鬧離婚，他告訴我說，假如你對那些記者不太禮貌的話，他們會給你好看。」

「那你不用擔心，我當然知道怎樣應付，」明諾薇說：「我想在那種情況下，我把他們收拾得很好。他們算是我第一次面對的記者——儘管我跟《波士頓記事報》那些人談得還滿愉快的。沙洲棕櫚旅社那裡怎樣了？」

約翰昆西只把和案情有關的部分告訴她。

「嗯，如果伊根證實有罪的話，我也不會驚訝，」她表示道。「我早上稍稍問了一下，他這個人似乎不怎麼了不起，美其名為海濱浪人。」

「那是胡扯，」約翰昆西反駁道：「伊根是個正人君子，我們不能光因為他沒什麼錢，就毫不打聽的說他不好。」

「我當然有打聽，」明諾薇不悅的說：「而且他似乎跟某些不很光彩的事情有所瓜葛。好吧，就算我這樣的結論是有預設立場。」

約翰昆西笑了起來。「丹恩堂叔，」他提醒明諾薇道：「也一樣跟一些事情有所牽扯，那些事情他回顧起來也同樣不怎麼光彩呢。姑媽，我覺得哈利組長好像追錯了線索，就像伊根的女兒所說的。」

明諾薇立刻看了他一眼。「哦，這麼說伊根還有個女兒？」

「是的，而且長得滿好看的，把這種事情加在她身上實在是很沒面子的事。」

「嗯！」明諾薇應了一聲。

約翰昆西看了下手錶。「老天爺，現在才早上十點！」整個房子異常的安靜，除了外面有海浪在輕輕拍擊著岸邊之外，什麼聲音也沒有。「妳都在這裡做些什麼呢？」

「噢，你很快就會適應這裡的，」明諾薇回答，「一開始，你只會坐在那裡想東想西，過一陣子之後，你就只是坐著。」

「聽起來滿吸引人的！」約翰昆西挖苦說。

「這是這地方古怪的一面，真的。」他姑媽答道。「一開始，你想的事情之一就是回家。等到你停止想的時候，這件事就很自然的消失了。」

「我們也猜是那樣。」約翰昆西告訴她。

「然後你就在海邊看到一個人，」明諾薇說：「他腳跨在兩條船上，彎下腰來洗衣服。那已經是二十年前的事了，而他依然還在那裡。」

「也許他們還不讓他把衣服洗好吧，」約翰昆西提出看法道，說著張口打個呵欠。

「呵——唔，我要上樓換一下衣服，之後想寫一些信。」他努力站了起來，走向門邊。「芭巴拉怎麼樣了？」他問道。

明諾薇搖搖頭。「丹恩是那可憐的孩子所僅有的，她很難接受這個事實。」她說道：「你會有好一陣子看不到她，等你看到她時，至少代表她已經好些了。」

「噢，那當然。」約翰昆西表示同意，隨後走上樓去。

洗完澡，換上他最白最輕薄的衣服之後，約翰昆西找了一下床鋪旁邊的書桌，發現有不少空白紙。他懶懶的攤開一張紙，開始寫起來。

親愛的艾嘉莎：

現在我人在檀香山，可以聽到窗戶外面海浪懶懶的拍打在那有名的海灘——

懶，的確是的。約翰昆西對這個字眼頗有同感，他停下筆，看到一朵小巧的雲輕快的掠過天空，他站起來，走過去，看著那朵雲飛越鑽石岬消逝不見。走回書桌時他經過了床，這裡的床多吸引人啊！他拉起蚊帳，躺下小睡片刻——

若不是哈庫在下午一點敲他的房門，約翰昆西也不會下樓用午餐。當他步履踟躅的走入飯廳時，他姑媽已經在座了。

「打起精神噢，」她笑道：「你很快就會適應下來的，當然啦，到那個時候，你每天吃過午飯之後就會想打個盹。」

「我才不會！」他答道，但語氣並不十分篤定。

「芭巴拉要我告訴你說，她很遺憾無法陪陪你。她是個很好的女孩，約翰昆西。」

「她的確是那樣，請替我轉達我的關愛，好嗎？」

「你的關愛？」明諾薇看著他。「什麼意思？芭巴拉只是你堂叔的女兒——」

他笑了起來。「妳別浪費時間瞎湊合了，姑姑。芭巴拉已經有人追了。」

「真的？是誰？」

「是堅尼森，他似乎也是個不錯的傢伙。」

「嗯，最起碼人很英俊，」明諾薇同意道。他們靜靜的吃了好一會。「今天早上驗屍官和他的助手來過了。」明諾薇說。

「哦？」約翰昆西答道。「有什麼裁定？」

「還沒有，我想他們要等晚一點吧。喔，對了，吃過飯後我要到市區裡一趟，替芭芭拉買些日用品。你要不要一起去？」

「噢，我不去，謝謝妳，」約翰昆西說：「我必須回樓上把信寫好。」

可是當他離開飯桌時，他卻決定那些信可以稍後再寫。他在丹恩的書房裡選了一本跟南太平洋有關的厚書，拿到涼台去看。不久明諾薇也來到那裡，身上穿著一件出色的白亞麻布衣服。

「我一波兒（pau），馬上回來。」她說道。

「什麼叫做波兒？」約翰昆西問道。

「波兒就是辦完、結束的意思。」

「老天爺，」約翰昆西說道，「英語裡那麼多字眼還不夠妳用嗎？」

「噢，我也搞不懂，」她回答道：「有些夏威夷人就是喜歡來點愉快的改變，人到了我這個年紀就會渴望有所改變了，約翰昆西。回頭見了。」

明諾薇留下他去面對書本和涼台上睡意催人的氣氛。於是，他閱讀那比夏威夷更南方的島嶼風情，有時靜靜坐著思前想後，而有時他甚至只是單純的坐著。熾熱的午後時光逐漸流逝，丹恩庭院外面的海濱充滿了歡樂的弄潮兒郎、做日光浴的男男女女，以及穿著單薄誘人的美麗少女。他們戲水作樂的喧嘩聽起來十分歡騰、快活，約翰昆西也很想試試看與聞名的浪潮親近的滋味，但卻覺得不太適合──時機還不太對，尤其是丹恩．溫特司禮還躺在樓上房間的這個時候。

五點鐘的時候，明諾薇又出現了，整個臉紅紅的，而且香汗淋漓──儘管她很清楚一個貝克灣區世家之後不該像這個樣子。她手上拿著一份晚報。

「有什麼新聞嗎？」約翰昆西問道。

她坐下來。「只有驗屍官的裁決，其他都很平常──你認識或不認識的人。但是我在車上讀這份報紙時，忽然產生一個靈感。」

「真有妳的，什麼靈感？」

哈庫出現在客廳通往涼台的門邊。「女士，妳的電話。」他說道。

「噢，我來接。哈庫，我們家舊報紙都放在哪裡？」

「都放在廚房旁邊的櫃子裡。」管家告訴她。

「你可不可以找來給我──噢，不用了，我自己來找。」

她隨哈庫進入客廳，過沒多久，她又回到涼台，手上多了一份報紙。

「我找到了，」她得意的說。「六月十六日星期一的晚報，丹恩那天寫信給羅傑之前看的就是這份報紙。啊，你看，這邊航運版有一角被撕掉了！」

「也許是無意中撕掉的吧！」約翰昆西倦怠的說。

「鬼扯！」她斷然道。「這是一個線索，事情的原因。丹恩一定是被這撕掉的內容所困擾的。」

「也許是吧，」約翰昆西同意道。「那妳現在打算怎麼辦——」

「這要由你去辦，」明諾薇打斷他的話說。「你立刻起來到市區去。現在離吃晚飯還有兩個小時，你去把這份報紙交給哈利組長，或許交給陳查禮更好。那位陳先生的智力令我印象深刻。」

約翰昆西大笑起來。「這些中國人真他媽的聰明！」他說道。「妳該不會對他講的話產生好感吧？也許是因為他們與眾不同，所以看起來相當聰明。」

「我們等著看好了。司機開車去幫芭巴拉辦一點事了，不過車庫裡面還有一輛敞篷跑車——」

「我搭電車就可以了，」約翰昆西說：「來吧，報紙給我。」

明諾薇向他說明路要怎麼走，他戴上帽子立即出門。不久他人在電車上面，身邊都是不同種族的人。凱洛姮．伊根說，檀香山是太平洋的民族大熔爐，這樣的形容似乎是對的。約翰昆西開始覺得體內有一股新的活力，對生活產生新的興趣。

電車疾馳於檀香山與威基基之間的低窪地方，經過農夫辛勤耕作的水稻田，經過種植芋頭的農田，最後轉彎進入國王街。電車每隔一會兒就會停下來，讓外地客、日本人、中國人、夏威夷人、葡萄牙人、菲律賓人、韓國人……各種膚色和信仰的人上下車，然後復又行駛起來。約翰昆西看到許多大戶人家，庭院內種的灌木花開得十分燦爛，距離福特汽車修理站不遠有一間張貼著奇特廣告的日本劇院，然後又出現一幢巨大的建築物，他看出那是夏威夷君王的王宮。最後，電車駛進有很多現代化辦公大樓的區域。

約翰昆西心想，吉卜林先生錯了，東方和西方是可以相遇的，而且他們也已經相遇過了。

當他在砲台街下車走了幾步路之後，那樣的觀感更是篤定。他現在是陌生人來到陌生的土地上，一名深色皮膚的警察在街角指揮交通，美國海軍與陸軍的軍官穿著整潔的帆布軍服漫步而過，街道林蔭處有幾位身材勻稱的中國少女穿著新漿洗好的上衣與長褲，頂著傍晚的清涼沿路逛著。

「請問警察局在哪裡？」約翰昆西向一位高大和善的美國人問道。

「你得往回走到國王街，」那個人說：「然後右轉，等走到教堂街的時候，再往瑪凱的方向——」

「什麼是瑪凱的方向？」

那個人露出笑容。「喔，看來你是個馬里希尼。所謂瑪凱是指朝著海的方向。和海相反的方向是茂卡——也就是朝著山的方向。警察局在卡拉卡華．海爾大樓，也就是教堂街的末端。」

約翰昆西謝過那個人，繼續上路，經過一家郵局的時候，他看到對著大街的所有信箱都沒有上鎖，不禁大為驚訝。又走了一會，來到警察局，一位懶懶坐在辦公桌後面的警官告訴他，陳查禮吃晚飯去了，要找的話可能要到國王街亞歷山大青年飯店或全美餐廳去找。

飯店似乎最好找，因此約翰昆西先上那兒。在飯店稍暗的大廳裡，一位拿著掃把畚斗的中國年輕人漫無目標的閒逛著，幾位投宿的客人正在寫明信片，櫃台後面有一名中國職員在當班，但是到處都看不到陳查禮的影子，不管是大廳或位於左側的餐廳都一樣。約翰昆西巡過餐廳後出來，適巧電梯打開，裡頭匆匆走出來一位身穿便服的英國人，身後跟隨的倫敦侍者手拿行李。

「科普上校！」約翰昆西呼喚道。

上校停了下來。「哈囉，是溫特司禮先生，你好嗎？」他轉向他的侍者，「去幫我買一份晚報和幾本不會難看的雜誌。」那人迅速離開，科普回頭跟約翰昆西繼續講話。「很高興又見到你，不過我正在趕時間，二十分鐘內就要趕去范寧群島。」

「你是什麼時候來的？」約翰昆西隨意問道。

「昨天中午，從來沒這麼順利過。」科普上校說道：「我相信你來這裡一定很快樂吧！噢，我差點忘了，丹恩·溫特司禮那件事真是太不幸了。」

「是啊！」約翰昆西冷冷的說。從舊金山俱樂部那天的交談看來，科普上校根本不會對此事動心。他的侍者回來了。

「很抱歉，我真的得走了。」上校接著說。「任務在身，沒有辦法。請代我向你的姑媽致意，祝你好運，小伙子。」

他從大門走了，跟隨的侍者也一樣。約翰昆西走到街上，正好看他坐上一輛大型汽車，向碼頭方向揚長而去。

約翰昆西看到電報局就在附近，於是進去拍兩份電報，一份給他母親，一份給艾嘉莎．派克，地址都是美國麻薩諸塞州波士頓，交出去時卻看到承辦的小姐苦哈哈的表情，原來她才剛把最後三封郵件處理好。兩封電報都各只有兩個字，不過約翰昆西卻安心回到街上，因為發出的訊息不久就會到了。

走沒多久便到了全美餐廳，他進到裡面，卻發現只有他一個是美國人。陳查禮單獨一人佔住一張桌子，約翰昆西走近時，他站起來行個禮。

「真是莫大的榮幸，」陳查禮說道：「我可以請你吃頓便飯嗎？」

「不用了，謝謝你，」約翰昆西回答道，「等一下我得回去吃晚飯。我可以稍坐片刻嗎？」

「榮幸之至，」陳查禮點點頭，他重新肅座，又對面前餐盤上的某樣東西皺了皺眉頭。「服務生，」他說道：「麻煩你去把這家餐廳的經理請來。」

經理是矮小的日本男子，和氣迎人，不聲不響的走來，對客人行個九十度的大禮。

「你們這裡賣的東西都那麼不乾淨嗎？」陳查禮質問道。

「本店有哪裡服務不周之處，請您多多指教。」日本人說。

「你看，這塊派上面都是別人的指印，看起來多噁心！」陳查禮指責道：「你最好把這東西弄走，另外送一份比較衛生的過來。」

經理把受爭議的派餅端走。

「日本人就是這個樣子，」陳查禮把手一攤，煞有介事的說道：「你來這裡是跟命案有關，我推測得對吧？」

約翰昆西露出微笑。「沒錯，」他把報紙從口袋中拿出來，指著上面的日期和缺損的一角。「我姑媽覺得這也許很重要。」他解釋其中原委。

「那位女士腦筋很有一套，」陳查禮說：「我會弄同樣一份完整的報紙比對看看，說不定有很大的收穫。」

「嗯，假如你不反對的話，」約翰昆西說：「我想要跟你一起調查這件案子。」

「我非常歡迎，」陳查禮回答說：「你是波士頓來的，那裡非常有文化氣息，使用的英語比較道地，不像這個地方。你講的話令我很讚歎。如果你要幫忙的話，我只能說我非常榮幸。」

「你對這件命案已有初步的看法了嗎？」約翰昆西問道。

陳查禮搖一搖頭。「現在談這個還嫌太早。」

「你說你並沒有找到指紋。」

陳查禮聳一聳肩。「那用不著擔心。指紋和其他道具在書裡頭是很好用，現實生活之中卻非如此。我的經驗告訴我應該對人多加思考，尤其是人的內在情感衝動。謀殺案發生原因向來是什麼呢？仇恨、報復都會使人不動聲色的殺害一個人。是對金錢起了貪念嗎？也許吧。總之我們要時時刻刻研究人這個課題。」

「聽起來很有道理。」約翰昆西同意道。

「大部分情況如此，」陳查禮斷言道，「就拿我們要考慮的那些線索來說吧，我們現在有一本缺了一頁的記事本，一個手套上的鈕扣，一封海底電報，伊根只說了一半的相關案情，科西嘉牌香菸的菸蒂，這一份說不定在盛怒時撕去一角的報紙；另外就是兇手手腕上的手錶，2那個數字看得不太清楚。」

「線索還不少嘛。」約翰昆西說道。

「的確很有趣，」陳查禮坦承道，「我們會一個一個查，有些線索會查不出個所以然，但是其中會有一、兩個還不那麼令人失望。蘇格蘭警場有一條辦案的守則——盯住唯一的基本線索，我就是這條守則的信徒。但是本案並不適用這條守則，我必須徹底追查所有的線索。」

「基本線索。」約翰昆西重複唸了一遍。

「是的，」陳查禮向服務生使個眼色，比較衛生的那一份還沒送來。「現在要說這些還嫌太早。不過我比較偏愛那本缺頁的記事本，發光的手錶也使我注意。奇怪得很，今早我們每一個線索都去查過，獨獨漏了手錶的部分，真是愚蠢！那線索很醒目呢，只有一點很遺憾，我們無法擁有那隻手錶，但不管怎樣，我會非常留意這條線索的。」

「我知道你是相當成功的辦案人員。」約翰昆西說。

陳查禮爽朗的笑了起來。「你唸過很多書，或許會曉得，」他說。「中國人是世界上最懂得心靈感應的民族，就像照相機裡的底片那麼敏感。從一個表情、一個笑容或一個手勢，說不定會察覺出異狀。」

約翰昆西注意到餐廳門口突然發生一陣騷擾，鮑克，那位泰勒總統號上的服務生，喝得大醉鬧哄哄闖了進來，後頭跟著一位表情焦慮的黝黑少年。

約翰昆西尷尬的轉過臉去，但沒有用，鮑克雙手揮舞的靠上來。

「真是太棒了！」鮑克放開喉嚨大聲說道，「咱們這位唸過大學的小老弟，我隔著玻璃看到你了，」他傾身據在餐桌上面。「你還好嗎，小老弟？」

「謝謝你，我很好。」約翰昆西說。

皮膚黝黑的少年走上前來，從穿著看來，他應該是鮑克本地的朋友。「喂，鮑克，」他說道，「你現在必須走了，」

「等一下下就好，」鮑克嚷道。「我來介紹你認識這位波士頓的約翰昆西先生，他是上帝創造過最好的傢伙，跟我一樣是提姆的朋友，你聽我講過提姆那家店吧……」

「聽過，好了，走吧！」皮膚黝黑的少年說道。

「還不行，我要請這位年輕人喝杯酒。你要喝什麼呢，昆西小兄弟？」

「什麼都不要，」約翰昆西笑道，「是你警告我不要喝這島上的酒的。」

「哦——我說的嗎?」鮑克受傷了,「你那時候聽錯了,老兄。我不想——不想狡辯,不過那一定是別人講的,不是我,我什麼都沒講——」

少年拉住他的手。「好了啦,你該上船去了!」

鮑克掙脫開來。「別抓我,」他怪叫道:「把你的手拿開。我是自己的主人,對吧?我可以跟我的朋友講話,對吧?好啦,昆西老弟,你要喝什麼呢?」

「很抱歉,」約翰昆西說道,「我們改天再喝吧。」

鮑克的朋友將他的手臂抓得更牢了。「你買不到什麼啦,」少年說:「這裡是一家餐廳。你跟我走,我曉得一個地方。」

「好吧,既然你這麼說。」鮑克同意道,「昆西老弟,你也來吧——」

「改天好了。」約翰昆西又說了一遍。

鮑克露出自尊心受到傷害的表情。「就依你講的,改天吧。在波士頓吧,嗯?在提姆那家店,可是提姆的店已經不在了。」悲傷襲擊著他。「提姆已經不在了,走了,就像被大地吞噬了——」

「對啦,對啦,」少年哄著他,「那真是太糟糕了。你跟我一起走吧!」

鮑克終於乖了下來，同意讓同伴帶他回街上。約翰昆西看了陳查禮一眼。

「他是我搭泰勒總統號時的客艙服務生，」他解釋道，「人真經不起歲月的消磨，是不是？」

服務生送上一份新做好的派放在中國佬面前。

「啊，」陳查禮說道：「這一份看起來好多了，」他嚐了一口，卻皺起眉來。「外表會騙死人，」他做了個鬼臉，「算了，嗯，如果你也準備要走的話，那就——」

兩人走到街上，陳查禮忽然停住腳步。「請恕我突然得跟你分手，」他說：「很榮幸有機會跟你合作，我相信結果將會令人滿意的。祝你事事順利，晚安。」

約翰昆西在異鄉的城市又落單了，整個人一下子墜入思鄉情懷當中。他沿街走著，不久遇到一輛販賣書報的小推車，老闆是戴著棒球帽的年輕人，車上也像他那個俱樂部閱覽室一樣，供應各種書刊雜誌。

「你有最近一期的《大西洋月刊》嗎？」約翰昆西問道。

年輕人將一份暗褐色刊物塞到他手裡。「噢，這本是六月號的，我不要，」約翰昆西說：「六月號我看過了。」

「七月號的還沒到，假如你要的話，我幫你留一本。」

「那就麻煩你了，」約翰昆西回答，「我姓溫特司禮。」

他繼續走到轉角，心中仍為買不到七月號一事抱憾不已，一份《大西洋月刊》也算是和老家的一種聯繫，提醒他波士頓還存在於這個世界上。他覺得需要一個聯繫，一個提醒。

一輛標有「往威基基」的電車向他駛來，約翰昆西招了個手，跳上車去。車上有三位日本少女正在開心的說笑，她們身穿艷麗的和服，腳上蹬著小巧的拖鞋，他輕輕走過她們身邊，找個位置坐下。

【第十一章】寶石樹

兩小時後，約翰昆西陪明諾薇姑媽吃過晚飯，站了起來。

「跟妳秀一下我沒兩三下就學會的本地方言，」他說道：「我傍晚很快就波兒，現在我要朝麥凱走去，到涼台上坐一坐，把這一天的皮里吉亞忘掉。」

明諾薇露出笑容，一樣站了起來。「艾摩斯等一下要來，」他們走過玄關時，明諾薇說：「我覺得應該開一下家庭會議，所以找他過來。」

「找他過來不有點奇怪嗎？」約翰昆西點起一支菸，說道。

「不會呀。」她把這兩兄弟長期以來的失和解釋了一下。

「看不出艾摩斯堂叔火氣那麼旺，」約翰昆西說道，他們在涼台找椅子坐下。「今早看第一眼的時候，覺得他好瘦。不過話說回來，溫氏家族的人一向是很記恨的。」

他們默默不語的坐著好一會兒，屋外天色迅速暗了下來，熱帶的暗夜帶來昨晚的悲劇。約翰昆西指著紗門上一隻小蜥蜴。

「有趣的小東西。」他說道。

「噢，牠們是無害的，」明諾薇告訴他，「而且會吃蚊子。」

「哦，真的？」他打了足踝一記，「噢，那跟味覺無關吧！」

沒多久艾摩斯來了，他那張臉在微明的燈光下看起來異常蒼白。「明諾薇，是妳找我來的嗎？」他正襟危坐在丹恩那張香港藤椅上，開口說道。

「是的。想抽菸的話請便。」艾摩斯點起一支香菸，放進雙唇之間時似乎怪怪的，不太搭。「我相信，」明諾薇繼續說：「我們都決心把幹下這樁壞事的兇手繩之以法。」

「那當然。」艾摩斯說。

「唯一的缺點是，」她接著說：「偵查的過程中，丹恩一些不太愉快的往事可能會揭露出來。」

「必然如此。」艾摩斯冷冷的說。

「為了芭芭拉好，」明諾薇說：「我希望除了跟追查兇手有關的事情外，其他都不要曝光。因為這個理由，我並沒有對警方完全交心。」

「妳說什麼！」艾摩斯大聲說道。

約翰昆西也站了起來。「姑姑，妳聽我說——」

「你坐下，」他的姑媽說：「艾摩斯，記得住你家時我們談過，丹恩和住在海濱那邊的女人有一些瓜葛，我記得她自稱是艾琳．康普敦。」

艾摩斯點點頭。「沒錯，她是個不值得來往的人，雖然朋友已經向丹恩指出這一點，但是丹恩卻看不出來，還說要娶她。」

「雖然你從不跟丹恩講話，卻知道很多有關他的事，」明諾薇接著說。「究竟他死的時候，他跟那個女人已經進展到什麼地步？雖然這只是昨晚才剛發生的事，感覺卻好像隔了非常久。」

「我也無法告訴妳他們已經到什麼地步了，」艾摩斯回答說：「據我所知，上個月有個叫李樂比的外地客經常纏著那個叫康普敦的女人，丹恩很討厭這個人。聽他們說，李樂比來自費城的上流家庭，本身卻是個紈袴子弟。」

「喔。」明諾薇遞給艾摩斯一個造形奇特的舊式胸針，構圖以瑪瑙為背景，當中鑲一棵寶石樹。「你看過這個嗎，艾摩斯？」

他拿在手上，點點頭。「這是丹恩一八八〇年代從南太平洋帶回來的幾件珠寶之一，本來還有耳環和手鐲。他對待這幾件小首飾的態度很奇怪，從不讓芭巴拉的母親或其他人佩戴。不過他近來想必放棄了這種想法，因為我幾星期之前看過這個東西。」

「在哪裡看到？」明諾薇問。

「我們的事務所也出租海濱的小木屋給遊客，現在住進去的就是那個叫康普敦的女人。不久前她去我們那裡付房租時，就佩戴著這個胸針。」他忽然注視著明諾薇。「這東西妳從哪裡得來的？」他問道。

「這是卡麥桂今早拿給我的，」明諾薇解釋道。「昨晚警察還沒到時，她在陽台撿到這個胸針。」

約翰昆西跳了起來。「姑姑，妳這就大錯特錯了，」他嚷道：「妳不能這麼做。妳都已經要求警察協助了，卻不向他們坦白，我真是替妳感到慚愧。」

「請你等一下好不好。」他姑媽說道。

「還等什麼啊！」他回答道。「妳把胸針給我，我立刻去交給陳查禮。不交給他我無法正眼看他。」

「我們會拿去給陳查禮的，」明諾薇平靜的說：「假如它真的很重要的話。可是在交出去之前，我們沒理由不自己先查查看。這女人也許有合情合理的解釋——」

「錯！」約翰昆西打岔說：「妳的麻煩就在於妳自以為是福爾摩斯。」

「艾摩斯，你的看法呢？」明諾薇問道。

「我比較同意他的看法，」艾摩斯說。「妳這樣做對哈利組長不公平，而且為了芭巴拉，或是任何人，而隱藏任何事情恐怕是不可能的。明諾薇，妳不用白費心機了，丹恩做過什麼不對的事，到最後都會公諸於世的。」

聽到他語氣中含有「如此方稱我願」的調調，明諾薇不禁有些惱怒。「也許是吧。可是，在我們知會警方前，我們如果有人去跟那女人談過，應該不會有什麼不良影響才對。假如她能給我們真誠坦率的解釋——」

「噢，對啊！」約翰昆西插嘴道。「她就不會有其他種說詞。」

「她所能講的並不多，」明諾薇堅持道。「關鍵在於她講話的神態，聰明人一眼就可以看出欺騙和作假。唯一的問題是，我們三個之中誰的本領最適合考驗她。」

「別把我算在內。」艾摩斯立刻說。

「約翰昆西你呢？」

約翰昆西想，他已向陳查禮要求加入專案小組了，透過這件事說不定可以贏得這中國人的尊重。但是，這件事牽涉到的那個女人，他搞不好應付不來。

「噢，謝了，我不行。」他說道。

「很好，」明諾薇答道，她站了起來，「那我自己一個人去。」

「噢，不行！」約翰昆西嚇了一跳，嚷了起來。

「為什麼不行？既然這個家沒一個男人可以擔此重任。其實啊，我倒很高興有這樣的機會。」

艾摩斯搖搖頭。「她只用一根小指頭就可以把妳耍得團團轉。」他預測道。

明諾薇露出苦笑。「我倒想看看她怎麼做。你們可以在這裡等嗎？」

約翰昆西走過去，把艾摩斯手上的胸針拿在手裡。「姑姑妳坐下吧，」他說：「我去找這個女人。可是我要提醒妳，找過她之後我立刻就把這東西送去給陳查禮。」

「那我們得再開個會決定，」姑媽告訴他：「約翰昆西，我想你可能不太適合走這一趟，你對付這樣的女人究竟有多少經驗？」

約翰昆西覺得被看扁了，他是個男人，他覺得他應付得了任何類型的女人。他把這個想法講出來。

艾摩斯說，那女人住的小木屋得往海濱走下去，離這裡才幾百碼，他又教約翰昆西怎麼個走法。約翰昆西於是出發。

當他走到嘉利亞路時，夜幕已整個籠罩在這個島上，是個星月爭輝的夜晚，柯納型天氣已然結束，月亮高掛在晴朗無雲的天上。印度素馨和野薑花的香氣穿過一整個籬笆的芙蓉花叢，悄悄鑽入他的鼻孔，貿易風越過一千英哩溫暖海域吹拂而來，在他的臉龐撲上涼爽的感覺。當他走到像是那個女人住處的附近時，一棵角豆樹上正聚著一大群印度八哥吵嚷不休，在這個靜謐的畫面裡，那些鳥兒的聒噪是唯一不和諧的部分。

他花了點工夫才找到小木屋在哪裡，因為路旁的花叢幾乎把小木屋整個隱藏起來，月光之下，那些花都呈現淡淡的黃色。來到門前，上方沉重的格子棚架漏下晦暗而帶著花香的影子，他猶豫的停下來。這真是需要下點工夫的差事，不過他還是鼓起勇氣伸手敲門。

沒人應門，只有八哥的聒噪。約翰昆西站立著，一時之間對這位威基基寡婦更加起了敵意。她想必是高大粗鄙的女人，專門跟男人打情罵俏，在派對場合很受歡迎。還在想著，門就開了，約翰昆西吃了一驚，因為燈光從她背後照過來，呈現出一個年輕苗條的身影，至於臉蛋，昏暗之中只覺得楚楚可憐。

「請問是康普敦太太嗎？」他問道。

「是的，我是康普敦太太，你有什麼事？」她一開口，約翰昆西不禁為之惋惜，因為她顯然是時下常見的那種一開口就印象破滅的美女，聲音聽起來很像八哥在叫。

「我名叫約翰昆西．溫特司禮，」他看見女人愣了一下。「我可以跟妳談一下嗎？」

「當然可以，進來吧。」女人帶他走過低窄的走道，進入一間小小的客廳，一位背有些駝、臉白得像石膏的年輕男子站在餐桌旁邊，手上玩弄著一個雞尾酒的調酒器。

「史提夫，這位是溫特司禮先生，」她向雙方介紹道，「這位是李樂比先生。」

李樂比咕噥了一下。「剛好可以跟我們一起喝一杯。」他說道。

「噢，不用，謝了。」約翰昆西說道。他看到康普敦太太從菸灰缸拿起尚在燃燒的香菸，正要湊到嘴邊，想了想，又把香菸按熄。

「好啦，艾琳，」李樂比說道：「妳的毒藥調好了。」他拿一杯給那個女人。

女人搖搖頭，有點懊惱的樣子。「我不喝。」

「不喝？」李樂比笑了起來。「那小史提夫就多喝一點。」他杯子舉了起來。「看你的囉，溫特司禮先生。」

「我說，你就是丹恩那位從波士頓來的侄子吧，」康普敦太太說：「他向我提起過你。」她把音調壓低下來。「我今天老想去你們那裡看看。可是這件事實在太令人震驚了，我被嚇得不知該怎麼好。」

「我了解，」約翰昆西回答道。他看了眼李樂比，那傢伙似乎不適合聽到這些內容。「康普敦太太，我想跟妳私下談談。」

李樂比一下子露出敵意，但女主人說：「那沒問題，史提夫正要離開。」

史提夫猶豫了一會，隨後走了。女主人送他出門。約翰昆西聽到他們壓低聲調在遠處切切的談著。空氣中混雜著琴酒和廉價香水的味道，約翰昆西想，他母親若是看到他待在這裡的話，不知道會說些什麼。前門被重重的摜上，女主人回來了。

「怎麼樣？」女人說道。約翰昆西覺得她的眼睛很冷酷，也很精明，就像她的聲音一樣。等她坐下之後，約翰昆西也端了一張椅子坐到她面前。

「聽說妳跟我堂叔相當親密。」約翰昆西說道。

「我跟他已訂婚了，」女人答道。約翰昆西看了一眼她的左手。「他還沒有任何表示——我是說，他並沒有給我戒指，但是呢——我們之間很清楚。」

「這麼說，他的死對妳是很大的打擊？」

女人像嬰兒般睜大了眼睛，滿是悲傷的樣子。「那當然，丹恩對我很好，他了解我，也信任我。孤單的女人在這地方生活是找不到什麼事做的。他實在對我太好了。」

「妳最後一次看到我堂叔是什麼時候？」

「三、四天前，好像是上星期五吧，我想。」

約翰昆西皺了皺眉頭。「那不是太久了嗎？」

她點點頭。「我告訴你實話好了。我們之間有一點誤會，你知道，就是愛侶間那種爭吵。丹恩很反對史提夫有事沒事就來我這裡。丹恩的反對根本沒什麼道理，史提夫對我來說並不算什麼，他只不過是我以前巡迴演出時認識的小夥子而已。我以前演過戲，也許你聽說過。」

「我聽說過，」約翰昆西說道，「從上周五之後妳就沒見過我堂叔，那妳昨天晚上有沒有去他家裡？」

「沒有。我也要為我的名譽著想，你不知道這地方的人多麼喜歡議論別人是非。」

約翰昆西把胸針放在桌上，桌上有一盞閱讀用的檯燈，但客廳裡一點文學氣息也無，胸針在燈光照射下閃閃發亮。嬰兒般的大眼睛吃了一驚。「這東西妳認得的，是不是？」他問道。

「啊，是，它是——我——」

「妳必須說老實話，」約翰昆西毫不容情的說，「我相信，這件舊首飾是我堂叔給妳的。」

「這個——」

「有人見妳佩戴過它，妳知道吧。」

「沒錯，這的確是他給我的，」她承認道。「他只送過我這樣禮物。我還以為這是諾亞夫人在方舟上佩戴過的哩，但雖然如此，它還是相當好看。」

「妳昨晚沒有去找我堂叔，」約翰昆西質問道。「但奇怪的是，這胸針卻在離屍體不遠的地板上被發現了。」

女人陡的吸一口氣。「我說——你算是什麼人？警察嗎？」她反問道。

「不是，」約翰昆西笑道。「我只是想把妳從警察手裡救出來，如果可能的話。假如妳對這件事能有很好的解釋，也許就不必引起警察的注意了。」

「噢！」她露出笑容。「我說，你還真是個好人哩。好吧，我告訴你實話吧。我剛才說從上周五之後就沒見過丹恩是騙人的，我昨晚跟他見過了。」

「哦，是嗎？在哪裡見的？」

「就在這裡。那東西是丹恩一個月前給我的，兩星期前他很緊張的跑來找我，說他必須把這東西要回去。可是這是他唯一送過我的東西，我很喜歡，再加上這上面的翡翠很值錢，所以——嗯，我就拖了一陣子，說是正在請人在上面裝一個搭扣。他又持續向我索討，昨晚還來到這裡，說他非拿到手不可。他還說願意買店裡頭的任何東西給我，跟這胸針交換。我必須說他人非常激動，所以我最後把這東西交還給他，他拿到手之後就走了。」

「那時候是幾點？」

「大約九點半。他顯得十分高興，還說我今天早上可以到珠寶店去，隨便挑選中意的東西。」她懇求的看著約翰昆西，「那是我最後一次看見他，這是真的，請你一定要幫我。」

「我考慮考慮。」約翰昆西沈思著。

女人更靠近了些。「欸，你是個不錯的小夥子，就像我們去波士頓巡迴演出時經常碰到的，肯替女人著想的那種。」她說道。「你不會把我扯入這個案子吧，請你想想那會對我造成的影響。」

約翰昆西不發一言，他看到女人眼眶噙著淚水。「你大概聽說過有關我的傳言，」她接著說：「可是那都不是真的。你不明白我是怎樣受人敵視，被趕到這裡來。一個手無縛雞之力的女人，走到哪裡都要任人宰割，可是在這個海邊，男人從世界各個角落流浪而來──我對待人很友善，那是我唯一的麻煩。我非常想家──噢，天吶，我想家想得要命！我在老家本來過得很好的，後來愛上比爾．康普敦，隨他來到這裡。有時我半夜會突然驚醒，想起遠在五千英哩外的百老匯，不禁痛哭起來，把他吵醒，他也被弄得很惱火。」

女人停了下來，她聲音裡面切切的思鄉之情令約翰昆西十分感動，他忽然為這個女人感到悲哀起來。

「後來比爾的飛機撞到鑽石岬，」她接著說。「我成了孤孤單單一個人，那些海濱的混混也知道我成了孤家寡人一個，而且身無分文。我非常想念第四十二街，想念那裡的公寓、死黨、自助餐廳、口香糖廣告，還有『新天堂』的試演會。所以我去混了幾個派對，試圖忘掉這一切，於是一些人就開始講那些有的沒的。」

「妳或許應該回老家去。」約翰昆西建議說。

「我知道，我為什麼不呢？我也曾經如此打算過，立刻就走，但是這化外之地每天都像是全新的開始，而你就是說服不了自己一走了之。我曾經浪盪過，但是我對天發誓，只要你放我一馬，我立刻就搭第一艘船回老家。我會去找工作上班賺錢，只要你放我一馬。你現在有機會摧毀我的一生，全憑你一念之間，可是我知道你不會。」

女人雙手握住約翰昆西的手，泫然欲泣的巴望著他。約翰昆西一輩子也沒有這麼不安的時刻，他胡亂的看著這個小房間，覺得和貝肯大街上的房子那麼的不同。他把手抽回來。

「我——我再看看，」他倏地站起來，說道：「我會好好想一想。」

「可是我不確定的話，今天晚上就沒辦法好好睡覺。」女人對他說道。

「我必須好好想一想，」他又說了一遍，剛轉頭回來，恰巧看到女人伸出纖細的手去抓那個首飾。「胸針我要帶走。」他補充道。

女人仰臉看他，約翰昆西突然知道對方正要幹什麼，明白自己的感情遭到了玩弄，他再一次覺得熱血上湧，像早上在玄關聽到芭巴拉哭泣時那樣急怒攻心。明諾薇姑媽預言說他應付不了這一類女人，好吧，他要證明給姑媽看——他要證明給全世界看。「把胸針給我！」他冷冷的說。

「這是我的！」女人頑強的回答。

約翰昆西不想多費口舌，一把抓住了女人的手腕。女人大叫起來，門在他們背後打開了。

「你們這裡發生了什麼事？」李樂比問道。

「喔，我以為你已經走了。」約翰昆西說道。

「史提夫！別讓他拿到這個！」女人大叫道。史提夫滿懷敵意的走向前，但神情帶有一絲懼意。

約翰昆西大笑起來。「你就站在那裡別動，史提夫，」他警告道。「否則我打爛你那張小白臉！」溫氏家族的人居然也講得出這樣的話。「海灘前面那裡發生了命案，你這位朋友竟要拿走命案的重要證物，我迫不得已才使出強制的手段。」胸針掉在地上，他彎腰撿起來。「好吧，我想這樣就可以了，」他又說：「康普敦太太，妳真那麼想家的話，我很同情，不過對一個波士頓人來說，我並不相信百老匯像妳形容的那麼迷人，距離遠了會使人迷惑。晚安！」

他離開那裡，找路回到卡拉卡華大道。他對自己處理這件事還算滿意，這個胸針的事一定要給陳查禮知道，而且是立刻。康普敦太太那些說詞可能是事實，也可能不是，那需要由靠得住的人進一步調查。

約翰昆西是取道嘉利亞路去小木屋的，他打算走燈光比較亮的大道回丹恩家，但是來到寬闊的柏油路時，發覺沙洲棕櫚旅社就在附近。他和凱洛姐・伊根有約在先——他答應今天會再去看那位小姐。至於陳查禮那裡，可以從旅社打電話過去。他於是轉個方向，往沙洲棕櫚旅社走去。

他漫步穿越幽暗的花園，最後終於看到那幢搖搖欲墜的建築，旅社上下兩層陽台上點著幾盞低亮度的燈，時明時滅。進到大廳裡面，寥寥幾位衣著寒酸的住宿客人各自做著自己的事。櫃台後面站著的不是別人，正是那位日本職員。

約翰昆西直接走到電話機旁，但就算他波士頓人的頭腦有多精明，也還是得向那個小日本請教一下檀香山的電話號碼該怎麼撥。他總算撥通了警察局，陳查禮出去了，但是接電話的人保證他回來時一定知會他立刻跟溫特司禮先生聯繫。

「我要付多少錢給你？」約翰昆西問櫃台道。

「不用錢。」一個聲音說道，他轉過身，看到凱洛妲．伊根就在旁邊。他笑了起來，這還差不多。

「可是我說的是——妳知道，我用了你們的電話。」

「電話是免費的，」她說道：「我們這地方有太多東西免費，那也就是我們無法富有的原因。謝謝你再一次來到這裡。」

「哪裡，」他說，舉頭四顧了一下，「妳父親——」

凱洛妲看了櫃台一眼，然後領他走到旅社側面的陽台。到了陽台盡頭，從那裡可以眺望鑽石岬上的燈火，月光下太平洋晶瑩的海水沖刷而來，消逝在旅館建築底下。

「我恐怕爸爸今天吃了不少苦頭，」她說，語音有點哽咽。「我見不到他，我相信他們把他當成重要人證扣留住了。還有保釋金的問題，我聽不下去。我們什麼錢都沒有，至少我認為我們沒有。」

「妳認為沒有——」他疑惑的說。

凱洛妲拿出一張票據，放在他手中。「我需要你的建議。我打掃我爸爸的辦公室，就在你來之前不久，我在他辦公桌裡發現了這個。」

約翰昆西看著那張粉紅色的票據，藉著走廊上小燈，他看出這是五千美元的支票，抬頭空白，開票人署名丹恩・溫特司禮，開票日期是昨天。

「我說，這東西看起來很重要，是不是？」約翰昆西說道。他把支票交還女孩，思考了片刻。「老天爺，這東西真的很重要，依我看，要認定妳父親無罪的話，這似乎是最有力的證據了。如果他有了這張票據，就表示他跟我堂叔之間的生意談成功了，那他不太可能除去在支票上署名的人，把金錢往來弄得這麼複雜。」

女孩眼睛發亮起來。「我也這麼認為，可是我不知道怎麼辦。」

「妳父親應該有律師吧。」

「有，但不是很好，我們財力有限，只好如此。我應該把這張支票轉給他嗎？」

「不要——先等一等。妳有可能很快見到妳父親嗎？」

「有。已經安排好了，我明天早上去看他。」

約翰昆西點點頭。「妳行動之前，最好和他談一談，」他建議道。他忽然想起當伊根拒絕解釋自己和丹恩．溫特司禮之間的關係時，臉上出現的表情。「妳要帶著這張支票一起去，問問妳父親他準備拿這張支票做什麼。妳還必須向他指出，這是對他十分有利的證據。」

「對，我想這樣做最好，」女孩同意道。「你，呃，你要再坐一會兒嗎？」

「噢，」約翰昆西忽然想到，明諾薇可能已經等得很不耐煩了。「只能再坐一會。我想知道妳目前的情況，有沒有碰到什麼麻煩的帳目問題？」

她搖搖頭。「還沒碰到，目前工作情形還不那麼糟。你也知道，我們住宿的客人並不多，如果不是為了我老爸，我也許還滿快樂的。」她嘆了一口氣。「打從有記憶開始，」她又說道：「我快不快樂始終會有個『如果』夾在裡頭。」

那是個寧靜的夜，在浪漫的海邊，約翰昆西讓女孩盡情的傾吐著自己。經由她的描述，一幕幕的呈現出她在這片海岸上失去母親的童年，與窮困的艱苦對抗，以及她父親是如何吃盡苦頭，把她送到美國本土去唸書，想使她在這個世界上有個合理的地位。眼前這位女孩比他在貝肯大街遇到的任何一位都大不相同，但約翰昆西發現自己很喜歡聽她講話。

最後他終於強迫自己告辭。走回大廳時，他們碰到旅社裡的一位客人，這個人身高不高，看起來頗為溫和，並且背駝駝的。儘管天色已晚了，他卻依然穿著泳衣。

「沙拉汀先生，你今天運氣好嗎？」女孩問道。

「運氣背死了。」那人口齒不清的匆匆走過。

她輕輕的笑了起來。「噢，我不該笑的，」她立刻表示後悔。「他是個可憐的人。」

「他怎麼啦？」約翰昆西問道。

「他是個出外做生意的人，從愛荷華州第蒙市或哪裡來到這裡。他碰到最可怕的意外，失去了他的牙齒。」

「他的牙齒！」約翰昆西重複了一遍。

「是的，他的牙齒是假牙，跟這個世界上的許多東西一樣。他坐的筏子在外海遇到了巨浪，一場拚命掙扎之後，牙齒全不見了。從那之後他就把所有時間花在那裡，白天猛盯著水底下看，到了晚上就跳進水裡四處摸索。一個悲劇人物的歷史，」她說道。

約翰昆西大笑起來。

「更悲哀的是，他成了整個海邊的笑柄。」女孩接著說：「可是他仍繼續他的打撈工作，態度非常認真。當然啦，那對他是件嚴肅的事。」

他們走過大廳，來到大門口，沙拉汀先生的個人悲劇立刻在約翰昆西心中失去蹤影。

「祝妳晚安，」他道別說：「明天去探望妳父親時，別忘記那張支票。明天白天我還會來看妳。」

「謝謝你來這裡，」女孩說道，她的手被約翰昆西握住了。「你真的幫了我很大的忙。」

「請妳不用擔心，快樂的日子離妳不遠了。那種快樂裡頭是沒有如果的，妳要緊緊抓住這個想法！」

「我會的。」她應許道。

「我們彼此都要抓住它。」他這才發現自己也抓住了女孩的手，於是立刻放開。

「祝妳晚安！」他又說了一遍，然後快步穿越花園。

回到丹恩家的客廳時，他驚訝的發現明諾薇和陳查禮都在座，兩人正一本正經的互望著。他進去後，陳查禮立刻站了起來。

「哈囉，」約翰昆西對姑媽說道：「看來妳有了訪客。」

「你究竟到哪裡去了？」明諾薇很不高興的說，顯然神情愉快的陳查禮令她有點坐立難安。

「這個嘛——我——」約翰昆西猶豫了一下。

「說吧，」明諾薇說道：「陳先生什麼都知道了。」

「妳太恭維我了，」陳查禮笑道：「我對某些事知道得還不很徹底，不過關於你去拜訪威基基寡婦的事，你進了她家門不久，我便已經曉得了。」

「你太神了吧！」約翰昆西說。

「道理很簡單，」陳查禮繼續說。「就像我對你講的，你得仔細研究人這種動物。康普敦太太是丹恩·溫特司禮先生的朋友，李樂比先生則是他的情敵，這中間就出現爭風吃醋的問題。從今早開始，這兩個關係人便已受到檀香山警網的監控。你一走進那個範圍，我便接到通知，立刻趕到海邊來。」

「啊，那他也知道——」約翰昆西問他姑媽。

「胸針是嗎？」明諾薇洩氣的說：「他知道，我每件事都向他招了。而且他還很大方的原諒了我。」

「但是這可不是什麼好事情，」陳查禮補充說：「很抱歉我必須這樣講，只要警方一聲令下，所有的牌都必須攤在桌上。」

「沒錯，他是原諒了我，還把我輕輕指責了一頓，」明諾薇說：「而且使我覺得自己就像他講的那樣，非常不聽話。」

「我十分抱歉！」陳查禮敬了個禮。

「好吧，其實呢，」約翰昆西說：「我正打算告訴陳先生這整件事情。」他轉向陳查禮。「當我離開那個女人的小木屋之後，我試圖打電話到警察局跟你聯絡——」

「跟警方辦案有關的事不必禮貌那麼周到，」陳查禮打岔道：「麻煩你言歸正傳從頭開始講吧，希望你不要介意。」

「噢，好吧，」約翰昆西笑道。「起先是那女人出來開門，讓我進到屋內，並帶我進她那個小客廳。在那裡我見到那個叫做李樂比的傢伙，他正在餐桌旁邊調雞尾酒——」

哈庫突然來到門邊。「陳查禮先生，您的電話。」他說道。

陳查禮道聲失陪，趕緊去接電話。

「姑姑，我想告訴他所有的事。」約翰昆西對明諾薇說。

「我不會阻止你的，」她回答道：「他已經坐在這裡大半個小時了，眼睛裡面只有遺憾，沒有憤怒。我於是下定決心，不再向警方隱瞞任何祕密。」

陳查禮又回到客廳裡來。「就像我剛才說的，」約翰昆西開口道：「那個叫做李樂比的傢伙當時站在桌子旁邊，並且——」

「對不起，我要再打斷一下，」陳查禮說：「你所講的有趣故事，剩下的情節到警察局去再說。」

「警察局！」約翰昆西驚叫道。

「沒錯。我想請你委屈一下，陪我到局裡跑一趟。那個李樂比正想駕尼加拉號到澳洲去，結果在船上遭到逮捕，女的正向他揮淚道別，也被逮捕了。現在兩個人在局裡頭已經恢復了平靜。」

「我想也是。」約翰昆西說道。

「另外還發現更令人驚訝的事，」陳查禮又說：「記事本來賓名單被撕掉的那一頁，在李樂比的口袋裡找到了。請你去拿帽子吧，外面有一輛福特汽車在等我。」

【第十二章】奴隸販子湯姆・布瑞德

來到警察局刑事組組長的辦公室，他們看到哈利組長正嚴厲的瞪著那兩名被抓來的嫌犯。嫌犯之一的史提夫・李樂比用一臉不高興的輕蔑表情回瞪過去，至於前百老匯表演女郎暨自助餐廳服務生的艾琳・康普敦太太，則正在用小手帕輕輕拭著眼睛。約翰昆西注意到，她無意中讓眼淚把化妝弄得一片狼藉。

「嗨，老陳，」哈利道：「溫特司禮先生，謝謝你一同前來。你大概已經得知，我們才剛剛把這位年輕人從尼加拉號上弄下來。他似乎想離我們而去，結果我們在他口袋裡找到這個。」

哈利把一張泛黃的紙遞給陳查禮，那顯然是從丹恩・溫特司禮的來賓名錄中撕下來的。約翰昆西和陳查禮一起低頭看那張紙，上頭的字體是用一種老式的書法寫的，墨水已經褪色，寫的內容是：

「夏威夷的每件東西都很美好，卻都比不上我在這間屋子裡受到的盛情款待。

約瑟夫．E．葛李森，維多利亞墨爾本小波克街一二四號。」

約翰昆西背過臉去，真教人昏倒。難怪這一頁會被撕掉！很顯然這位葛李森並沒有好好研讀A．S．希爾所著的《修辭學原理》，一樣東西怎能比另一樣東西更加美好？

「在我訊問這兩個人之前，」哈利說道：「那個胸針到底怎麼回事？」

約翰昆西把首飾放在組長辦公桌上，解釋說那本來是丹恩．溫特司禮送給康普敦太太的，結果在命案現場涼台的地板被人發現。

「什麼時候發現的？」組長不太相信的張眼怒瞪，質問道。

「現在所有令人遺憾的誤會都澄清了，」陳查禮趕緊說道：「至少是亡羊補牢，為時未晚。溫特司禮先生今晚查問過了這個女人——」

「噢，真的嗎，他去過了！」哈利很生氣的向著約翰昆西。「這案子到底是誰負責偵辦的？」

「噢，」約翰昆西不安的說：「那樣做似乎對溫氏家族比較好——」

「我去你媽的溫氏家族！」哈利爆炸道：「這件命案是我在——」

「組長，拜託一下好不好，」陳查禮安撫道：「請你別再為那件事浪費時間，先前我已經適度譴責過了。」

「哦？好吧，」哈利對約翰昆西說：「你已經跟這個女的談過了，那，她告訴你些什麼？」

「欸，你聽我說，」康普敦太太向哈利打岔道：「我要撤回我對那個眼睛亮亮的小夥子所說的每一件事。」

「噢，妳對他說謊了，是嘛？」哈利說道。

「我為什麼要告訴他實話？他有什麼權利向我問東問西？」她的聲音變得如糖似蜜起來，「但我是不會對條子說謊的。」她又說。

「我諒妳也不敢，」哈利說道：「妳既然知道厲害就別給我撒謊。不過呢，我倒想聽聽妳對這位業餘偵探是怎麼說的，有時候謊話裡也別有含意。你說吧，溫特司禮。」

約翰昆西覺得十分困擾，他怎麼會讓自己捲入這場混亂呢？他想站起來冷冷的行個禮然後走人，可是感覺卻告訴他，他脫不了干係。

他努力保持鎮定，把女人告訴他的話重複說了一遍。女人說，丹恩．溫特司禮跑去她的小木屋，最後一次請求歸還那枚胸針。在丹恩允諾用別樣東西代替那枚胸針的條件下，女人交了出來。丹恩拿到東西之後，於晚上九點半離開她那裡。

「那是她最後看到丹恩的時間。」約翰昆西未了說。

哈利冷笑起來。「總之她告訴你這些，而她現在又承認她在說謊。假如你腦子夠清楚的話，誰會把這種事跟人講呢？」他轉向那個女人。「妳在胡扯，是不是？」

女人冷靜的點頭。「從某個角度來說。丹恩的確是在昨晚九點半——或稍晚——離開我那間小木屋。但是我是跟他一起走的——去到他家裡。噢，那沒有什麼不尋常，史提夫也跟著去了。」

「喔，是嘛，史提夫，」哈利瞟了一眼李樂比，那傢伙看起來不像理想的護花使者。「我說，妳這位太太，妳現在從頭開始講吧，記住，實話實說。」

「那你必須幫幫我，」康普敦太太說，她淒慘的擠出一絲微笑。「我是不會向你說謊的，組長——你也知道是不是？我知道你是這地方的大人物，而且——」

「妳給我言歸正傳。」哈利冷酷的打斷她。

「噢，是。昨晚大約九點丹恩去我那裡找我聊天，卻發現李樂比先生也在那裡，丹恩立刻吃起醋來，嫉妒得要命。我敢對天發誓，我不知道他為什麼那樣。我跟史提夫只是普通的朋友而已，是吧，史提夫？」

「純粹只是朋友而已。」史提夫說。

「但是丹恩卻情緒失控，於是我們大吵了一架。我極力解釋說，史提夫要去澳洲在這裡只是暫時落腳，可丹恩卻要知道史提夫因什麼事絆住了。於是史提夫說，他駕駛帆船到這裡時，身上的錢都因為打橋牌輸光了。丹恩於是對他說：『要是我給你旅費的話，你會不會繼續動身？』史提夫就說他會，而且立刻就走。史提夫，我剛才講的對嗎？」

「沒錯，」李樂比同意道。「事情就像她講的那樣，組長。溫特司禮主動說要給我——要借我旅費，只是用借的。於是我答應在今晚駕著尼加拉號離開這裡。他說他家的保險櫃裡有一些現金，於是邀艾琳和我陪他一起回去拿。」

「到了他家之後，」女人說：「丹恩打開保險櫃拿出一捲鈔票，數出了三百美元。

你很少看到他有那副心腸，可是就如我講的，他把錢給了史提夫。結果史提夫開始抱怨錢怎麼那麼少——沒錯，史提夫，你就是那樣抱怨——還說他想知道到澳洲能幹什麼，他在那裡一個人也不認識，到最後只是餓死的份。丹恩起初很不高興，隨後卻嘲笑起來，笑得相當邪惡，並且從來賓名錄裡撕下那張紙，拿給史提夫，說：『你去找他，就說你是我的朋友，這樣他可能會給你一份工作。他姓葛李森，我討厭他討厭了二十幾年，可是他一直不知道！』」

「他對我講了些難聽的話，」李樂比說道：「我拿了借來的錢和這張葛李森的地址，兩人正準備要走，可是溫特司禮說要和艾琳講幾句話，所以我就一個人走了。那時大約十點。」

「然後你到哪裡去了？」哈利問道。

「我回到城裡下榻的旅館。因為我得整理行李。」

「你回旅館去了，是嗎？有人可以證明嗎？」

李樂比想了想。「我不知道，櫃檯的那個年輕人也許記得我何時回去，雖然我沒有把鑰匙寄在那裡——鑰匙我帶在身上。總之，在那之後我就沒再見到溫特司禮。我剛做好準備要駕駛尼加拉號離開，你們就找上來，我得說你們實在太多心了。」

「那你別管！」哈利回頭面向那個女人。「李樂比走掉之後，接著發生了什麼事？」

「嗯，丹恩又再向我要起那枚胸針，」女人說道：「那讓我很不高興，我不喜歡被人家緊黏著，更何況，我那時神經十分緊張，本來我是很隨和的，丹恩那樣叨叨不休把我弄得好煩。我喜歡周遭的人都快快樂樂的。丹恩不斷的向我死纏爛打，所以我最後把胸針扯下來，向他扔過去，那東西彈了幾下滾到桌子下面。於是他說他很抱歉，提出買其他比較時髦的東西代替那枚胸針，他答應說要買最昂貴的。這樣我們很快又變成了朋友，一直到我走時，我們都像平常那麼要好，那時大約是十點十五分吧。他最後還說今早要陪我到珠寶店走一趟。我問你，組長，有那樣的男人要買東西給我，而警方卻認為我跟他遭到殺害的案情有關，那說得通嗎？」

哈利笑了起來。「這麼說，妳是在十點十五分離開他的，妳獨自一人回去的嗎？」

「是的，而且我最後看到他的時候，他人還好好的——我敢對堆得像時代大廈一樣高的聖經發誓這是事實。欸，我今晚在百老匯的話可不敢指望很安全喔！」

哈利思考了片刻。「好吧，剛才講的我們會好好查證，你們都可以走了。我現在還不想扣留你們，不過我希望你們在破案之前都留在檀香山。還有我要奉勸你們可別私底下搞鬼，有了今晚的經驗，你們也該知道你們逃不掉的。」

「噢，不會有問題的，」女人站了起來，看起來放心了。「我們沒理由逃，是不是啊，史提夫？」

「想都別想，」史提夫也同意說，他又恢復吊兒郎當的一面。「就拿我來說吧，」他補充道：「我一向跟犯罪沒有關聯。」

「各位，我們走了，祝大家晚安。」康普敦太太說道，兩人於是走了。

哈利端坐看著那枚胸針。「交代得十分俐落。」他望著陳查禮，說出感想。

「相當合情合理。」中國人笑道。

「確實如此，」哈利聳聳肩。「嗯，至少我目前還肯接受。」他面向約翰昆西。

「我說，溫特司禮先生，」他很不高興的說：「我想知道你家人還發現到什麼證據？」

「噢，其實也不多，」約翰昆西搶著說。「要講的一下子就可講完。我已經把我堂叔寫信給羅傑那天所看的晚報交給了陳先生。」

陳查禮從口袋拿出那份報紙。「忙了一晚上，」他解釋道：「報紙的事差點忘了，幸虧你提起。」他提醒組長注意報上殘缺的一角。

「這個要去查。」哈利吩咐道。

「我會的，就寢前會辦妥，」陳查禮擔保道。「溫特司禮先生，我們走的是同一條路，如能蒙你一起乘坐我那簡陋的車，我將深感榮幸。」等車子駛到空曠的街道，陳查禮又說：「從來賓名錄撕下的那張紙，掉在地板上沒撿起的胸針，兩條路追到後來都碰到石牆，過不去了。我們要繞繞看，找別條路。」

「那你認為那一男一女是說實話囉？」約翰昆西問道。

「關於那個，我不想表示意見。」陳查禮答。

「那你的心靈感應呢？」約翰昆西問。

陳查禮露出微笑。「心靈感應現在有點睡著了，」他坦承道，「需要用一點刺激把它弄醒。」

「我說，」約翰昆西說道：「你不用載我回威基基，到國王街放我下來就可以了，我自己搭電車回去。」

「我有個不情之請，」陳查禮回答道：「能不能麻煩你陪我到報社走一趟，也許我們可以在那裡找到其他條路？」

約翰昆西看了下手錶，十一點十分。「我很樂意，陳先生。」他說道。

陳查禮露出愉快的表情。「你那麼大方，真讓我很有面子，」他說道。車子駛進外側車道。「我們這地方的報紙是傍晚出刊，報社現在已經相當平靜了。假如我們運氣不錯的話，那裡也許還有人晃來晃去。」

他們果然運氣，晚報大樓的門仍然開著，城市版編輯室裡有個老頭，戴著綠色遮光眼罩，正修理著一台打字機。

「嗨，查禮！」那人欣喜道。

「嗨，老彼，這位是溫特司禮先生，波士頓來的。」他又向約翰昆西介紹道：「我很榮幸向你介紹這位彼德．梅貝里先生，他深入港區非常多年，任何躲在那裡的新聞，他都挖得出來。」

老頭站起來，摘下眼罩，露出愉快的眼神。他顯然對這位溫氏家族的人很感興趣。

「要是不打擾的話，」陳查禮接著說：「我們想找六月十六日的晚報，今年的。」

梅貝里笑道：「你去找吧，查禮，檔案你知道放哪裡。」

陳查禮行禮後離去。「你是第一次來到這地方嗎，溫特司禮先生？」老頭問。

約翰昆西點點頭。「我才剛到這裡，」他說：「不過我看得出這是個很有魅力的地方。」

「你說得不錯，」梅貝里笑著說：「四十六年前我從新罕普夏的樸茲茅斯來這裡探親，從那時起我一直在吃報社的飯，大部分時間跑的是港區新聞。那可說是我畢生的事業！」

「你一定目睹過許多世事滄桑。」約翰昆西愚蠢的問道。

梅貝里點點頭。「每下愈況了。我見識過檀香山與世隔絕那個時代的迷人風貌，然後看著它慢慢褪色，淪為第八版美國式的庸俗趣味。現在港區版只是單純的港區版了——但是曾經一度，老弟，曾經一度它每一部分都散發著浪漫氣息。」

陳查禮拿著一份報紙回來了，他對梅貝里說：「實在非常感謝你那麼大方的——」

「你查到什麼了嗎？」梅貝里渴望的問道。

陳查禮搖搖頭。「目前來說，沒有。我們現在如入五里霧中。」

「好吧，」老記者說：「什麼時候雲開霧散的話，可別忘了我。」

「那怎麼會，」陳查禮辯解道。「祝你晚安。」

他們留下梅貝里繼續彎著腰對付那台打字機。離開報社後，兩人在陳查禮提議下轉往全美餐廳，點了兩杯「妙不可言咖啡」。正在等咖啡時，陳查禮把整版報紙攤在桌上，又把缺損的那份疊上去，再仔細的撕下報紙的右上角。

「這就是被撕走的部分，」陳查禮解釋道。隨後他研究那張紙片好久，終於搖一搖頭。「我看不出什麼令人吃驚的地方，」他把紙片推向對面，「勞駕一下！」

約翰昆西拿起紙片看，那是一名日本衣料商人自己撰稿的銷售廣告，上面說，任何人可贏得，六碼給五塊，假如買者驚奇大叫，怎麼辦，他會很高興的解「事」。約翰昆西看了哈哈大笑起來。

「噢，」陳查禮說：「你當然會覺得很好笑，布料大批發商菊池把原本典雅的英文搞成一團亂。你看的那一面跟我們沒什麼關係，我想麻煩你看一下反面。」

約翰昆西把紙片翻過來。反面是航運版的一部分，刊載船舶抵達或離開檀香山的消息，他仔細閱讀起來——星期三即將駛往東方的信陽丸還有五個艙位，威爾明納是位於夏威夷馬庫普角東方六百四十英哩的商埠，雙桅帆船瑪麗珍號將從通商港埠——

一則用小號鉛字排印的記事映入眼簾，約翰昆西嚇了一跳，屏住了呼吸。

「蘇諾瑪號上週六離開澳洲，航行一週後將抵達檀香山，船上五名乘客是：來自加爾各答的湯瑪斯・馬肯・布瑞德夫婦——」

約翰昆西雙眼瞪著全美餐廳不很光潔的玻璃，心思回到泰勒總統號甲板，那位相貌清癯的老傳教士講的故事，在亞平島上一個晴朗的早晨，一棵棕櫚樹下立了一座墳墓。「來自加爾各答的湯瑪斯・馬肯・布瑞德。」老傳教士尖銳的語音再度在他耳邊響起：「湯姆・布瑞德是個冷血的暴徒、海盜及投機客，專門販賣奴隸。」

可是布瑞德已經被裝進一具長方形的松木箱子，埋葬在亞平島上，即使在這太平洋上的十字路口，他和丹恩・溫特司禮的行進路線也很難再度交會。

服務生送來咖啡，陳查禮一言不發的注視著約翰昆西，最後他說：「你有很多事情要告訴我。」

約翰昆西迅速四下看了一遍，對陳查禮視而不見。

他真是進退維谷。他非要在異鄉這個髒兮兮的餐廳，把曾經加諸在溫特司禮姓氏上的污痕透露給眼前這個中國人嗎？明諾薇姑媽會怎麼說呢？嗯，不久之前她才說她決定不再向警方隱瞞任何祕密，可是，事關整個家族的名譽——

約翰昆西視線落在日本服務生身上。日本帝國旗子上那一條一條是什麼意思？「但是家族的尊嚴必須加以否定，抑制，並且擱在一邊。」

約翰昆西露出笑容，說道：「是的，陳先生。我有很多事情要告訴你。」喝完全美餐廳的妙不可言咖啡之後，他把法蘭克．俄頓牧師在泰勒總統號上講的故事一五一十的告訴陳查禮。

陳查禮眼睛為之一亮，嚷道：「我們這下可來到關鍵點的附近了！須羅少女號的船長，奴隸販子布瑞德，丹恩．溫特司禮是那艘船上的大副——」

「可是布瑞德已經埋葬在亞平島上了。」約翰昆西辯解道。

「是的，的確如此。可是，誰看到他了？那口箱子當時是打開的嗎？喔，才不！」陳查禮眼睛跳起舞來。「請你回想一下，用桃金孃木做的堅固木盒子上面有T．M．B三個字母。仍然有很多疑點沒錯，可是我們持續行動，就會取得進展！」

「我想也是。」約翰昆西同意道。

「我們由此可知，」陳查禮接下去講。「丹恩．溫特司禮在家裡陽台，寧靜的看著報紙，突然他發現這條消息，於是跳了起來，趕緊採取行動，火速趕到輪船甲板上要求別人代為送信，務使那個桃金孃木盒子沉入太平洋裡。為什麼他要如此？」陳查禮手伸進口袋摸了摸，拿出一疊紙來，原來是抵達本地的船隻名單。「蘇諾瑪號上周六抵達本埠，旅客裡面……有了……湯瑪斯・馬肯・布瑞德和他的夫人，本籍地加爾各答。這上面寫說他們到達後就留在這裡，蘇諾瑪號開船時他們並沒有在船上。而在星期一晚上，丹恩・溫特司禮遭人謀殺。」

「這說明布瑞德先生是我們必須找到的重要人物。」約翰昆西說。

「完全正確。不過現在還不急，眼前並沒有船隻要開航。回去睡覺之前，我會去查一下市區的旅館，明天再去查威基基一帶。布瑞德先生，你人在哪裡呢？」陳查禮拿起帳單，「噢，對不起請你喝那麼難喝的飲料，必須讓我付錢才行。」

來到外面街上，陳查禮指著駛來的電車，說：「這班車會經過你住的地方，你需要好好睡個覺，我們明天再碰面吧。今晚真是大豐收，可喜可賀。」

約翰昆西再度坐上通往威基基的電車，雖然人很疲倦，精神卻很振奮，他拿出菸斗，填入菸絲，點燃起來。真是奇特的一天！從今早上岸之後，他彷彿在此住了一輩子似的。他發現身邊有位嬌小的日本婦人，吐出的菸霧正往她疲倦的臉上撲去。「對不起，」他說道，將菸斗朝車廂邊的橫桿敲了敲，去掉菸絲，將菸斗收回口袋。婦人微微驚疑的看著他，過去從沒有人對她說過抱歉。

約翰昆西背後坐著一夥頸項掛著黃色花圈的本地少年，他們彈起鋼弦吉他，唱著一首哀怨的情歌。花香四溢的夜晚，電車轟隆隆的奔馳著，音樂的甜美濃烈更蓋過了車輪的軋軋作響。約翰昆西往後靠坐，閉上了雙眼。

附近一座大鐘敲響了午夜十二點。又是新的一天了——是星期三。約翰昆西突然想到，他波士頓的那家銀行今天要替林恩製造皮鞋的客戶發行優先股。新股會被搶購一空嗎？不成問題吧。

他現在是在太平洋中央的一輛電車上，背後有一夥棕色皮膚的孩子正在唱著一首哀怨的老式情歌，月光灑落在花朵殷紅的鳳凰木上。在這個小島的某個角落，有一個名叫湯瑪斯·馬肯·布瑞德的男人正躺在蚊帳裡面睡覺。也許他並沒有睡著，而是腦筋清醒的躺著，心裡面想的是丹恩·溫特司禮。

【第十三章】第十九號房間的行李

第二天早晨，約翰昆西掙扎了一番方從睡夢中醒來，將手錶從枕頭底下拿出來一看，老天，八點三十分了！上班是九點啊！他必須趕快梳洗一番，稍稍吃一下早餐，然後快步穿越大眾公園、波士頓公園，到達學府路之後——

他在床上坐起來。為什麼他會睡在蚊帳裡頭？蚊帳上面還爬著一隻小蜥蜴，那是怎麼回事？噢，對了，這裡是檀香山。他現在人在夏威夷，再怎麼樣也無法在九點以前趕到他的辦公室，那是在五千英哩之外呢。

海邊浪潮沙沙作響，印證了眼前的事實，他走到窗戶旁邊，看著戶外寧靜鮮亮的早晨。是的，他人在檀香山，和一樁謀殺案攪在一起，為了追查線索，他和中國警探打交道，也接觸過威基基寡婦。這新的一天充滿了希望，他得趕快去看看有什麼新的進展。

哈庫說，他姑媽和芭巴拉已經吃過早餐，然後在他面前放了一片肉色紅艷的甜瓜，他問那是什麼，哈庫說是木瓜。吃完東西後，約翰昆西走到外面涼台，芭巴拉正站在那裡望著大海。這是個全新的芭巴拉，原先精力過人、享受的芭巴拉已隱而不見，換上去的卻是容顏蒼白，眼神哀傷。

約翰昆西伸手去搭她的肩，畢竟她也姓溫特司禮，親人終歸是親人。約翰昆西心中再度升起怒火，恨透了將悲傷加諸於她的不明人物。犯罪就必須付出代價，不管那個人是誰——伊根、布瑞德、李樂比，還是那歌舞女郎，約翰昆西都決心使其付出非常慘痛的代價。

「芭巴拉，」約翰昆西說道，「我不知道該說什麼——」

「你要說的我都明白，」她說道：「你看，約翰昆西，這就是我的海灘。我才五歲大的時候，就一個人游泳到那邊那個浮筏上去。我爸爸他——他很引以為傲。」

「這地方真的非常可愛，芭巴拉。」約翰昆西對她說。

「我知道你會這麼想。等過些時候我們可以一起游泳到沙洲那邊，我再教你怎樣玩衝浪板。希望你這趟來能夠玩得非常快樂。」

約翰昆西搖了搖頭。「因為妳，我不能夠那樣，」他說道：「但也因為妳，使我非常高興能來到這裡。」

芭巴拉按著他的手。「我到海邊那裡坐坐，你要不要一起來？」

竹簾子被分開，明諾薇走了過來。「啊，約翰昆西，你也該出現了，」她高聲說道。「你說你要把我從忘憂谷拯救出來，那你自己做了免疫措施沒？」

約翰昆西笑了起來。「還在適應之中，」他解釋道。「芭巴拉，我等一下再去找妳。」他補充道，並為他堂妹開了門。

「昨晚我等你等到十一點半，」芭巴拉走後，明諾薇說：「但是前晚睡得很少，我撐不下去。坦白對你說，我很好奇昨晚警局裡發生了什麼事。」

約翰昆西把康普敦太太和李樂比的說詞重複一遍給明諾薇聽。「但願我也在場，」明諾薇說：「一個貌美的女人有可能把整個天國的男人都給騙了。她那些是謊話吧，很有可能。」

「也許吧，」約翰昆西同意道。「不過請等一等。之後呢，我和陳查禮去追查妳那個報紙的線索，結果有了驚人的發現。」

「那一定的，」明諾薇眼睛一亮。「你們發現什麼？」

「這個嘛，」約翰昆西說道：「首先呢，我在前來這裡的船上遇到一位傳教士。」他把法蘭克．俄頓牧師有關那天早上亞平島上的故事告訴了明諾薇，然後又交代那段消息的內容：一個名叫湯瑪斯．馬肯．布瑞德的人此刻正在檀香山。

明諾薇靜默良久。「這麼說來，丹恩以前居然販賣過奴隸，」她終於說道。「真是太不可思議了！而他又是那麼討人喜歡的人。可是話說回來，我早就知道這種道理——笑容越是爽朗的人，過去的歷史越是黑暗。這件事登在波士頓報紙上一定很吸引人，約翰昆西。」

「噢，他們挖不到這消息的。」她的侄子說道。

「可別自欺欺人。報紙最喜歡針對情節複雜的謀殺案追根究底，我有一次寫信給波士頓所有的報紙編輯，要他們不要過份渲染殺人案的細節，但是一點用也沒有——雖然我得知《波士頓消息報》曾有正面的反應。」

約翰昆西看一下手錶。「我也許應該到警察局一趟，早上報紙有說些什麼嗎？」

「有一篇有關哈利組長的報導，內容語焉不詳。上頭說警方找到重要的線索，可能很快就會有結果。你也知道，每次發生殺人事件，他們總是會說這一類的話。」

約翰昆西很慧黠的看了姑媽一眼。「哈，」他說道：「這麼說妳看的是自己很反對的新聞內容。」

「那當然，」姑媽說。「那可以帶來些許足夠的刺激。不過我很高興戒掉了葡萄酒，因為我覺得酒精對低階層的人有害，而且——」

哈庫前來打岔說，有約翰昆西的電話。等他又回到涼台，看起來渾身是勁。

「是陳查禮打來的，」他說：「今天的工作就要開始進行了。他們已經查出布瑞德夫婦在沙洲棕櫚旅社投宿，我十五分鐘之內要趕到那裡跟陳查禮會合。」

「沙洲棕櫚旅社，」明諾薇唸了一遍。「你看，線索老是指回伊根身上。他一定是兇手，這我可以用《白朗寧全集》跟你賭，你輸的話要賠我一本當代小說。」

「妳的《白朗寧全集》完了，可是到了演講季節時，妳能做些什麼呢？」約翰昆西大笑道：「我從來不知道妳那麼傻。」然後他的表情正經起來，「對了，我不能到海灘去找芭巴拉了，妳可不可以替我解釋一下？」

明諾薇點點頭。「你去吧，」她說道：「我就只嫉妒你這一點。這輩子我頭一次希望自己是個男人。」

約翰昆西取道海濱走向沙洲棕櫚旅社，沿途景色清朗寧謐，有些疲憊的遊客懶洋洋的坐在沙灘上，其他精力旺盛的人則出現在浪潮升起之處，構成風景明信片看到的那種畫面。一艘白色的大輪船冒著黑煙往港口駛去，一群本地婦女站在深度沒到頸部的海水裡，一面閒話家常一面掏摸著午餐佳餚。

約翰昆西走過艾琳·康普敦的小木屋，進入沙洲棕櫚旅社的庭園。距離旅社不遠的海灘上，一名年長的英國女人坐在摺椅上，眼前擺著畫架和畫布，眼睛四處搜尋著異鄉的特殊景物——徒勞而已，因為約翰昆西經過時佇足從後面看了一下，發覺她畫得實在不怎麼樣。老女人轉頭看到約翰昆西，疲憊的眼神露出受到打擾的不悅，被逮到正在窺覷對方的敗筆，約翰昆西也感到滿抱歉的。

陳查禮還沒抵達旅社，櫃台人員告訴約翰昆西說，凱洛妲小姐到市區去了。想必去探視她父親。他希望以那張支票為證，伊根會獲得釋放。感覺上，伊根受留置的理由相當薄弱。

他坐在旅社邊間的陽台，從那裡可以看見由外面馬路走進來的小徑，也可以觀賞太平洋湧進湧出的海水。海邊那裡有個身穿紫色泳衣的男子，形容沮喪的斜倚在大石頭上，約翰昆西想到是誰後露出了笑容。和自身悲劇孤獨為伍的沙拉汀先生仍持續注視著那片洗劫過自己的海水——想必是等候潮水將其掠奪物吐出吧！

過了大約十五到二十分，花園裡傳來交談的聲音。他看到哈利和陳查禮從小徑走來，於是走到前門去和他們會面。

「早啊，」陳查禮說道：「今天的天氣很適合我們向新路線出發，尋找重要的發現。」

約翰昆西陪著他們走到櫃檯，日本職員看到他們前來，露出很不高興的表情，他並沒有忘記昨天的事，看來只能一點一點的從他那裡挖出消息。是的，有一對布瑞德夫婦在此住宿。他們是上週六搭乘蘇諾瑪號來這裡的。布瑞德先生現在不在。布瑞德太太在海邊畫風景畫。

「好極了，」哈利說道：「我先去他們房間看一下，再找他們問話。你帶我們去吧！」

日本職員猶豫著，「服務生！」他叫了一聲，但那只是裝個樣子而已，沙洲棕櫚旅社並沒有服務生。末了他以一副尊嚴受傷的表情帶他們走向走廊，伊根的辦公室和沒上鎖的第十九號客房都在同一層。十九號客房位於走廊盡頭處右手邊，哈利大步走進去，到窗戶旁停下。

「喂，你等一下，」他叫住日本人，指著海邊正在作畫的老女人說：「那個就是布瑞德太太嗎？」

「是的。」門房低聲道。

「很好，你走吧。」日本人離開房間。「溫特司禮先生，我想請你坐在窗戶旁邊，注意那個老女人的一舉一動。假如她要回這裡來時，告訴我們一聲。」哈利熱切的看著裝潢簡陋的臥房。「好啦，布瑞德先生，我倒想看看你房間裡面藏了些什麼。」

約翰昆西執行著分配的任務，心裡十分不安。這對他來說似乎不是很光榮的事，可話說回來，翻箱倒櫃的工作幸好輪不到他，不過警察也是迫不得已才去做一些不愉快的事情——嗯，在他們成為警察之前，應該有考慮過吧。哈利和陳查禮在他面前做這件事時，也都沒有不好意思的樣子。

房間裡面的行李相當多。英國人的行李通常體積大而且醒目，約翰昆西注意到一個大皮箱，兩個大袋子，還有一個小行李箱。每件行李都貼上「蘇諾瑪號」的標籤，標籤底下還貼著其他磨損的標籤，不完整的道出曾經在哪些船隻或旅館停留過。

哈利和陳查禮都是幹這檔子事的老手，他們快速徹底的檢查過布瑞德的大皮箱，不過並沒有發現異狀。組長把注意力移到小行李箱，滿心歡喜的搜出一疊信件，拿到桌旁坐下。約翰昆西十分震驚，在他眼裡，偷看私人信件無論如何是做不得的。

然而哈利卻如此做了。片刻後，這位組長說話了。「他似乎在英國駐加爾各答的機構擔任文職，但是辭職了。」他對陳查禮說：「這裡有一封他在倫敦的上司寫的，提到布瑞德為政府工作了三十六年，很遺憾他不幹了。」哈利拿起另一封信，讀過之後表情振奮起來。「嘿——這封就比較像樣了！」他把那封打字的信遞給陳查禮，陳查禮看了眼睛一亮。「有趣極了！」他大叫一聲，把信拿給約翰昆西。

約翰昆西猶豫起來，服膺了一輩子的生活信條並不容易打破，但是人家已經先看過了，他遂不再顧忌。信是好幾個月前寫的，收件人是加爾各答的布瑞德。

「**親愛的先生：**

有關您本月六日來函詢問的內容，我們的答覆是：丹恩・溫特司禮先生依然健在，並且居住在本地，住址是夏威美檀香山市威基基區嘉利亞路三九四七號。」

信後署名的是檀香山英國領事。約翰昆西把信交還給哈利，哈利放入自己口袋。這時候，檢查大袋子的陳查禮發出小小的歡呼。

「找到什麼了，老陳？」哈利問道。

陳查禮把一個小錫罐放在組長面前的桌上，拔開蓋子，罐子裡頭都是香菸。「科西嘉牌。」他高興的說。

「太好了，」哈利說道：「看來這位湯瑪斯・馬肯・布瑞德可有得解釋了。」

他們持續搜尋，約翰昆西一言不發的坐在窗戶旁邊。忽然他看到凱洛妲・伊根出現在窗戶外，緩緩走到陽台的一張椅子坐下，對著海上的浪潮看了一陣，隨後哭了起來。

約翰昆西不安的轉開頭，看來在這所謂的人間樂土上，不幸的事件依然十分猖獗。他只認識島上的兩個女孩子，而她們卻老是流眼淚，而且都不是沒有來由的。

「很抱歉，我要失陪一下！」他說道。哈利和陳查禮正找得不亦樂乎，無暇回答，他從窗台爬出去，雙腳踏在陽台。當他走近時，女孩抬頭看著他。

「噢，」她說道：「我以為只有我一個人在這裡。」

「也許妳想一個人獨處，」約翰昆西答道：「不過妳如果肯告訴我發生了什麼事，我也許幫得上忙。妳已經跟妳父親提到那張支票了嗎？」

她點點頭。「是的，我拿給他看，可是你知道他怎麼反應嗎？他從我手裡奪去，把支票撕成碎片，然後把碎片交給我，要我扔掉。他還要我不能向任何人提及這件事。」

「這我就不懂。」約翰昆西皺起眉來。

「我也是。我爸爸發好大的脾氣，跟平常完全不一樣。後來我告訴他你也知道這件事，他又發了一次脾氣。」

「但是妳可以信任我，我不會告訴任何人的。」

「我知道。可是我爸爸當然不像我那麼信任你。可憐，他吃了好多苦頭，他們根本不讓他休息，還不斷逼他，想盡方法要他講話。可是警察再怎樣都不該——噢，我爸爸真可憐！」

她又哭了起來，約翰昆西像同情芭巴拉那樣同情起她來，想伸手把她攬在懷裡，好好的安慰。但是天吶，凱洛姐．瑪莉亞．伊根可不是溫特司禮家的人！

「好了，好了，」約翰昆西說：「妳光哭也無濟於事。」

女孩淚眼矇矓的看著他。「是嗎？我也不知道，我以為那樣會好一點。但是——」

她擦乾眼淚，「我現在真的沒有時間哭了。我必須去張羅午餐。」

凱洛妲站起來，約翰昆西陪她在陽台上走一段。「如果我是妳的話，我就不會那麼憂心，」他說道：「警方今天早上在追查新的線索。」

「真的？」她急切的問。

「是啊。有一個姓布瑞德的人住在妳這裡，我想妳認得他吧？」

她搖搖頭。「不，我不認得。」

「嗄！怎麼會，他是這裡的客人啊。」

「他是住這裡，可是人現在不在這裡。」

「等一下！」約翰昆西伸手拉住她手臂，兩人停下腳步。「那就有趣了。妳是說，布瑞德走了？」

「是的，我從櫃台那裡知道，布瑞德先生和太太上星期六來到這裡。可是星期二早上，在我搭的那艘船尚未進港之前，布瑞德先生就不見了，從那之後就沒再看到他。」

「布瑞德先生越發的可疑了，」約翰昆西說：「哈利和陳查禮現在在他房間裡，他們找出一些可疑的東西，妳最好把這些話講給他們聽。」

他們由側門進入大廳，正好大門口進來一位削瘦的本地青年，他的神態引起約翰昆西注意，不禁停下腳步。方此同時，身穿紫色泳衣的沙拉汀先生匆匆在約翰昆西面前一掠而過，向櫃台走去。凱洛姐轉入走廊，向十九號客房走去，約翰昆西則留在客廳。

那名青年怯生生的走到管櫃台的日本人面前。「對不起，打擾一下，」年輕人說：「我想要找湯瑪斯．布瑞德先生。」

「布瑞德先生不在。」日本職員告訴他。

「那我等他回來。」

櫃台人員皺起眉頭。「這不太好，布瑞德先生現在人不在檀香山。」

「不在檀香山！」年輕人似乎吃了一驚。

「不過布瑞德太太現在在海灘那邊。」日本人接著說。

「喔，那麼布瑞德先生會回來，」年輕人似乎鬆了一口氣，「我會再來找他。」

年輕人轉身加快腳步離去。沙拉汀先生在香菸櫃附近徘徊，日本櫃台問他：「先生，請問什麼事？」

「我要香菸。」沙拉汀先生說。

日本人顯然知道他抽哪一種牌子，拿了一包給他。

「記在我的帳上。」沙拉汀先生說道，站在那裡看向那位青年的背影，青年消失在大門之外。沙拉汀轉移視線，與約翰昆西四目交會，他趕緊看向別處，隨即走開了去。

兩名警察和凱洛妲從走廊出來。「這下好啦，溫特司禮先生，」哈利說道，「鳥兒飛了。」

「我已經知道了。」約翰昆西回答道。

「不過我們會找到他的，」哈利接著說：「我會在附近這幾個島佈下天羅地網。不過首先呢，我要跟他老婆談一下。」他轉身面對著凱洛妲．伊根，吩咐道：「妳去把她帶來這裡。」女孩瞪他一眼。「麻煩妳！」他補充道。

女孩走去交代櫃台那位日本人，日本人走出門去。

「對了，」約翰昆西說道：「剛才有人來找布瑞德。」

「啊，有這種事！」哈利露出高度的興趣。

「一位本地的年輕人，大約二十歲吧，我想。人瘦瘦高高的，假如你到門口那邊，也許還能看見最後一眼。」

哈利趕緊跑過去，對著花園張望一下，隨後走了回來。「嗯，」他說道：「那個人我認識。他有說要再來嗎？」

「有。」

哈利思考起來。「我改變主意，不問布瑞德太太問題了。」他表示，「目前我不想讓她知道我們在調查她丈夫。」他又對凱洛妲說：「我相信妳跟那位櫃台可以把這件事料理妥善。」女孩點點頭。「幸虧我們把在十九號房發現的東西都留在原位，」他接著說：「除非她想起那封信和香菸，不過那不太可能，我們穩得很。好啦，伊根小姐，我們三個現在要進去櫃台後面妳父親的辦公室，妳們不要關上，等布瑞德太太進來時，妳問一下她丈夫去哪裡了。妳盡可能把她的話套出來，我就在後面聽。」

「我了解。」凱洛妲說。

於是哈利、陳查禮和約翰昆西都進了吉姆．伊根的小辦公室。「你們在那房間還找到別的嗎？」約翰昆西問那位中國人。

陳查禮搖搖頭。「不過就算這樣，運氣已經非常好了，我們現在線索相當豐富。」

「噓！」哈利提醒他們。

「布瑞德太太，剛才有一位年輕人想找妳先生。」凱洛妲·伊根的聲音傳來。

「真的？」這聲音是道地英國腔。

「他想知道在哪裡可以找到妳先生，但是我們說不出來。」

「噢，你們當然不知道。」

「妳先生出城去了嗎，布瑞德太太？」

「是的，我想他出城去了。」

「妳或許曉得他什麼時候回來？」

「那可說不準。妳有收到信嗎？」

「還沒有，信通常下午一點送來。」

「非常謝謝妳。」

哈利吩咐約翰昆西：「你到門邊看一下。」

「她回房間去了。」約翰昆西看過之後說。

三人從伊根的辦公室出來。

「啊，組長，」凱洛妲說道：「我恐怕處理得不很理想。」

「已經很好了，我還以為妳做不到哩。」哈利回答。日本人這時回到櫃台後面，哈利對他說：「我知道一分鐘前有人來這裡找布瑞德，那個人是不是狄克．高拉？」

「是的。」日本人回答道。

「他之前有來找過布瑞德嗎？」

「有的，在星期天晚上。布瑞德先生跟他到海邊那裡談了很久。」

哈利面色凝重的點點頭。「老陳，我們走吧！」他說道：「我們該去辦點正事了，不管布瑞德人在哪裡，我們都要把他找出來。」

約翰昆西走上前去，說道：「對不起，組長，不介意的話請問這個狄克．高拉到底是誰？」

哈利遲疑了一下，說道：「高拉的父親已經死了，他生前應該算是丹恩．溫特司禮信任的僕人。這個小鬼一向不肯學好，而且，啊，對了，他祖母就在你住的地方，名字叫卡麥桂，應該沒錯吧？」

【第十四章】高拉身上帶的東西

接下來幾天一晃就過去了，約翰昆西幾乎沒注意到時間的流逝。丹恩・溫特司禮現在長眠在島上高大的棕櫚樹下，生於斯亦死於斯。晝夜交替，日精月華輪流照耀在他最後的棲息地上。星期一晚上他究竟碰到了什麼人，調查這件事的人依然在黑暗中摸索。

哈利言出必行，搜遍了幾個島，到處找布瑞德，然而卻連個影子也沒見到。船隻陸續駛來這四方的要衝停靠，隨後再度啟程，每一艘離境船舶的旅客名單都沒發現湯瑪斯・馬肯・布瑞德這個名字。哈利派出眾多密探四出偵查，堪稱為村子的遠方聚落都跑遍了，除了日本人叢聚的小屋之外啥也沒有，而偏遠的小海灣也只能聽到海潮憂鬱的嗚咽。他們還走訪栽植鳳梨和甘蔗的農場，辛勤奔波卻一無所獲。

約翰昆西每天遊手好閒的打混著，他現在體認到威基基海水的魅力了，親身感受到那溫暖的擁抱。每天下午他都去體驗衝浪的樂趣，切切的嚮往何時可向更遠處的大浪挑戰。波士頓似乎成了一則傳說，比較鮮活的國家街和貝肯大街，也被記憶擺在一旁。他不再困惑不解為何姑媽捨不得離開這些熟悉的海岸。

星期五中午剛過不久，明諾薇看到約翰昆西正在涼台上看一本書，那種事不關己的逍遙態度惹惱了她。她這輩子一向是積極主動的，即使人在夏威夷也沒有改變。

「你這兩天有見到陳先生嗎？」她問道。

「今天早上和他聯絡過了，他們正卯足了勁尋找布瑞德。」

「唔，」明諾薇哼道。「我們卯足了勁看起來也不怎麼樣，我想應該到波士頓找一些辦案高手來調查這個案子。」

「喔，給他們一點時間嘛！」約翰昆西打了個呵欠。

「他們已經偵辦了三天，」明諾薇不滿的說：「時間很足夠了。布瑞德根本沒離開歐胡島，那是很肯定的。而且你想，從島這一端開車到另一端只要兩個小時，環島一圈只要六小時，哈利先生的聰明才智根本不怎麼樣，我來偵辦的話一定可以破案。」

約翰昆西笑了起來。「對呀，妳來的話說不定可以。」

「還說呢，我給了他們兩條最好的線索，假如他們眼睛睜得跟我一樣大的話——」

「陳查禮的眼睛是睜開的。」約翰昆西不以為然的說道。

「你這麼以為嗎？在我看來，他們全在打瞌睡。」

芭巴拉來到涼台，一副要開車子出去的打扮。她的眼神比較愉快些了，臉上也恢復了一點氣色。「你在看什麼書，約翰昆西？」她問道。

約翰昆西拿起書來晃道：「《毗鄰金門的城市》。」

「哦，是嗎？假如你有興趣的話，我知道我爸爸收藏不少舊金山出版的書，其中有一本我記得是談證券交易的歷史。我爸爸要我讀，可是我讀不下去。」

「妳錯過一本好書，」約翰昆西對她說：「那本書我今天早上才剛看完，來到這裡之後，我已經看完五本舊金山出版的書。」

姑媽驚訝的看著他，問道：「幹嘛看這麼多？」

「這個嘛——」他遲疑了一下。「我對這城市有些憧憬我也不知道，有時候我似乎寧可住到那裡。」

明諾薇苦笑，說道：「他們派你來可是為了找我回波士頓。」

「波士頓也沒有什麼不好，」她侄子立即說：「那裡是溫氏家族的大本營，但也無法阻止偶然會有個溫氏家族的人跑出去外頭流浪。妳知道嗎，當我坐渡船進入舊金山港口時，忽然有個奇怪的感覺。」他把那個感覺告訴她們。「我越看那個城市越是喜歡，那裡的空氣帶有一種清新的朝氣，居民也似乎非常懂得過日子。」

芭巴拉讚許的對他笑道：「你要順著這樣的衝動去做才對，約翰昆西。」

「也許我會吧。講到這些可提醒我必須寫封信了。」他站起來離開涼台。

「他真的肯離開波士頓嗎？」芭巴拉問道。

明諾薇搖一搖頭。「只是一時的衝動罷了，」她解釋道：「不過我倒高興他已經能適應這裡了——往後他會更有人情味一點。但約翰昆西離開波士頓，那就像把邦克・希爾紀念館搬到英國去一樣，別傻了！」

但是在二樓房間裡，約翰昆西的衝動仍在持續著。致艾嘉莎・派克的信老是未能完成，但是他現在熱情澎湃的投入這件事情上。他拿舊金山大作文章，寫得文情並茂，他形容那是座煥發著生命光輝的城市，因此他想——僅是建議而已——不知道伊人是否願意搬到那裡去住。

約翰昆西想到，艾嘉莎現在人在懷俄明州一個農場裡，這是她和美國西部第一次接觸——冥冥之中若有天意。她已經親身體驗天高地闊的誘惑。嗯，妳路程走得越遠，越能見識到更寬廣的世界。人在加州，生活充滿著五光十色。當然啦，上面講的無非是建議而已。

當他把信封好時，眼前彷彿出現艾嘉莎那張大家閨秀的俏臉，一顆心不禁沉了下去。艾嘉莎那雙灰眼睛非常的冷，和芭巴拉的頗不相同，和凱洛妲・瑪莉亞・伊根的更是大相逕廷。

星期六下午，約翰昆西應邀跟何瑞・堅尼森打一場高爾夫球。他開著芭巴拉的跑車去到紐阿努山谷——根據丹恩的遺囑，他現在使用的每一樣東西都是芭巴拉名下的財產。當他進入俱樂部時，雖說陽光依然燦爛，雨卻像往常一樣嘩啦嘩啦降下來。約翰昆西已習慣了這種現象，「太陽雨」是本地人為這種雨取的名字。天邊一下子出現五、六道彩虹，更增添了鄉村俱樂部球場的美麗。

堅尼森在遊廊上等著他，整個人穿得一身白，十分顯眼。當客人到達時，他顯得十分高興。兩人去打了一場令約翰昆西畢生難忘的球，他從未在環境那麼優美的地方打球，小山丘侍衛般環繞著，山坡上熱帶植物的繽紛瑰麗清晰可見——黃色的是古桂樹，灰色的是羊齒類，翠綠色的是桃金孃木和香蕉樹，磚紅色的土壤這一塊那一塊的相映成趣。球坪在他們腳下綠茵如碧毯。陣雨來了又去。堅尼森的發球很有一套，不過約翰昆西上果嶺的球更勝一籌，最後的結果是客人以四桿之裕贏得勝利。他們從一道美麗的彩虹下面走過，回到更衣室換洗。

在開車回去的路上，堅尼森談起了丹恩這宗謀殺案。約翰昆西很有興趣看看一名律師對於證據所持的反應。

「我跟這件案子多多少少保持著接觸，」堅尼森說：「到目前為止，我還是認為伊根的嫌疑最大。」

約翰昆西不由得起了反感，凱洛妲．伊根那張可愛卻憂愁的臉在他心頭閃了一下。「你覺得李樂比和那個叫康普敦的女人怎樣？」他問道。

「這個嘛，當然啦，他們在交代行蹤時我並不在場，」堅尼森回答道：「不過哈利組長說，他們的陳述聽起來挺合理的，而且李樂比如果跟這件兇殺案有關，就不會蠢到把那張來賓名錄帶在身邊。」

「還有一個叫布瑞德的人。」約翰昆西提醒說。

「對，布瑞德，他的事很複雜。只怕當警方真的找到他時，也問不出個名堂來。」

「你知道卡麥桂的孫子跟布瑞德有一些瓜葛嗎？」

「我知道。那件事必須要查。但是請你記住我的話，當所有這些線索都查到底時，每一件事情都會指回吉姆・伊根的身上。」

「你為什麼那麼懷疑伊根？」約翰昆西問道，他將方向盤一轉，閃過另一輛車。

「我和伊根無冤無仇，」堅尼森回答道：「但是我忘不了丹恩那天對我說他很怕那個人時臉上的表情。另外就是，現場還找到半截科西嘉牌香菸。最重要的是，伊根對他與丹恩的事始終絕口不提。我說老兄，當一個人受到謀殺罪的指控時，那就要講話，講得越快越好。否則，嫌疑人講得再多，所受的牽連就會再多加一點。」

他們默默無語的駛入市中心區。「哈利告訴我說，你自己也做了一點調查的工作。」堅尼森笑道。

「我嘗試了一下，但我只是冒牌貨，」約翰昆西承認道。「目前我還在查探我姑媽看見的那隻戴在兇手手上的錶，每當我看見有人戴著手錶，就盡可能走過去看個究竟。不過這件事大部分都是在白天做的，要判斷2這個數字會不會發光並不那麼容易。」

「要當優秀的偵探，祕訣就是堅持到底，」堅尼森鼓勵他道。「你再堅持下去，說不定就會成功。」

堅尼森講好了要到威基基跟他們共進晚餐，約翰昆西載他到他的事務所去，等他處理完幾封信件之後，又開車一起到海邊。芭巴拉穿上了白色的晚宴服，身材苗條，美麗動人，和剛剛從事的活動比起來，這頓晚飯吃得相當舒適。

他們在涼台上享用飯後的咖啡，未幾堅尼森立起身來，站在芭巴拉的座椅旁邊。「我們兩個有件事想要告訴你們，」他宣布道，然後低頭看芭巴拉。「我這樣說對嗎，親愛的。」

「我和芭巴拉兩情相悅已經有相當長的時間了，」這位律師對著明諾薇和約翰昆西說：「我們打算在未來一週左右盡可能不張揚的完成終身大事。」

芭巴拉點點頭。

「啊，何瑞——不要在下週。」芭巴拉說道。

「噢，那就隨妳的意。不過就在近期。」

「是的，就在近期。」她又說了一遍。

「然後我們會離開檀香山一段時間，」堅尼森接著說：「我想你們也知道，這裡有太多的記憶，芭巴拉覺得她現在無法在這裡待下去。她已經授權我把這幢房子賣掉。」

「啊，何瑞，」芭巴拉抗議道：「你告訴我的客人這幢房子要賣，而我又要離開，聽起來就像我要趕客人走似的。」

「親愛的，可別那麼說。」明諾薇說道：「我和約翰昆西都能了解，妳那麼想要離開這裡，我感到非常同情。」她站了起來。

「我很抱歉，剛才的話聽起來有點唐突，」堅尼森說：「不過我現在一心想要照顧芭巴拉。」

「那是當然的。」約翰昆西同意道。

明諾薇俯身親吻芭巴拉。「親愛的，如果妳母親還在世的話，」她說道：「她一定也像我一樣熱切的想看到妳得到幸福。」芭巴拉伸手激動的抱著明諾薇。

約翰昆西向堅尼森握手致意：「你真幸運。」

「我也這麼想。」堅尼森回答道。

約翰昆西走到芭巴拉面前，說：「我真心祝福妳。」芭巴拉點點頭，但未作答，他看見她雙眼含淚。

不久明諾薇離開客廳，約翰昆西覺得自己好像成了電燈泡，也趕緊離開，讓堅尼森和芭巴拉獨處。約翰昆西漫步到海邊，皎潔的月亮高掛在天上，被一群燦爛的星星圍繞著，椰子林中傳來浪漫的呢喃。他想起那個令人窒息的夜，他在泰勒總統號上目睹的那一幕——只有兩個人的小天地，狂野、熾烈的愛——嗯，現在可大事底定了。在這片海灘上，自盤古開天以來即儷影雙雙，低語呢喃的傾訴著山盟海誓，各個人種的愛侶俱是如此。約翰昆西陡然覺得形孤影弔起來。

芭巴拉也是溫氏家族的一員，和他豈能匹配，可為什麼他仍然覺得心痛沮喪呢？芭巴拉已經有抉擇，這門親事相當登對，而那又干他什麼事呢？

他發覺自己正朝沙洲棕櫚旅館的方向走去，是要找凱洛妲．伊根聊天嗎？但是，他又為什麼想去跟那個識見與自己有天大差異的女孩聊天呢？在他老家那裡，女孩子的智力和男人沒什麼不同——往往更加聰明，好像站在很高的位置往下看似的。最近一期的

《大西洋月刊》就有這方面的討論，在這浪漫海濱的棕櫚樹下，在月亮高掛鑽石岬的銀色世界裡，他想找人談的話題就是這一類的嗎？

沙洲棕櫚旅社的大廳沒什麼人，凱洛妲・伊根坐在櫃台後，愁眉深鎖，面帶憂色。

「謝天謝地，你在千鈞一髮之際來了，」她大聲嚷道，隨即笑了出來。「我正在作困獸之鬥呢。」

「帳目不會算嗎？」約翰昆西問道。

「這些在我看來簡直是天書，我把布瑞德夫婦的帳單全找了出來。」

約翰昆西繞到櫃台後面，站在她身旁。「我來幫妳解決。」

「我好怕這麼複雜的東西，」她抬頭看著約翰昆西，約翰昆西心想這筆帳乾脆帶到海邊去算好了。「布瑞德先生星期二早上便離開這裡，而我們對離開三天以上的客人是不計費的，這樣問題就發生了。也許你算得出來，可是我卻不知道怎麼辦。」

「妳就把他這幾天的費用也加進去嘛。」他建議道。

「我是想這麼做，這樣的話就簡單了。可是我爸爸的作風不是這樣。」

約翰昆西拿起鉛筆來。「這裡的住宿費一天是多少？」他問道。凱洛妲把食宿各項收費標準都告訴他，他於是開始計算。這工作並不單純，即使對股票專家而言也是如此，連約翰昆西也皺起眉來。

這時大門口有人進來，約翰昆西抬頭看見那位本地的青年狄克．高拉，他腋下夾著一個相當大的東西，用報紙包著。

「布瑞德先生現在在嗎？」他問道。

凱洛妲搖搖頭說：「不在，他還沒回來。」

「我在這裡等他。」年輕人說道。

「可是我們不知道他到哪裡去了，也不知道什麼時候會回來，」凱洛妲阻止道。

「他很快就會回來了，」那位年輕人說：「我到陽台那裡等他。」說著他從側門走出去，腋下仍夾著那件東西。約翰昆西和凱洛妲面面相覷。

「『我們持續行動，就會取得進展！』」約翰昆西低聲覆誦著陳查禮的那句話。「布瑞德很快就要回來了！小姐，麻煩妳到外面陽台看一下，告訴我高拉現在在哪裡？」

凱洛妲立刻照辦，幾秒後她回來說：「他在陽台最尾端的椅子上坐著。」

「聽不到這裡的動靜吧？」

「聽不到。你要打電話是不是——」

話沒講完，約翰昆西已走到電話機旁。陳查禮的聲音從那頭傳過來。

「真是非常恭喜，你現在已經是第一流的偵探了。好了，我的自動啟動裝置也不該再痙攣個不停了，我立刻去跟你會合。」

約翰昆西含著笑意回到櫃台。「陳查禮要立刻開車趕來這裡，咱們好像又有相當的進展了。不過話說回來，有關帳單的問題，布瑞德太太的食宿費我算是十六美元；至於布瑞德先生的部分——一個星期的食宿費用減去四天的膳食費——一共是美金九塊六角二分。」

「你要我怎麼謝你才好？」凱洛妲說。

「要謝我的話，只要再講一遍妳小時候在這個海邊的故事就好了。」凱洛妲的臉上掠過一陣陰影。「噢，對不起，我讓妳想起不愉快的事了。」

「噢，不是，跟你無關，」她搖搖頭說：「我從來沒有真正快樂過，就像我告訴過你的，總有個『如果』在裡面。也許那天早上在渡船上是我和真正的快樂最靠近的時候吧，一時之間我好像從生活當中逃了出來似的。」

「我還記得妳對我的帽子嘲笑了一番。」

「噢，希望你原諒我。」

「沒有的事。有辦法讓妳笑得那樣開心，我也很高興。」凱洛姐的大眼睛似乎望向未來，約翰昆西不禁疼惜起來。他也認識像凱洛姐那麼愛著自己父親的女孩子，她們對父親堆起高高的期望，卻眼看著父親淪入淒涼的晚景。他看到凱洛姐修長的手放在櫃台上，於是伸手覆上去。「妳不要悶悶不樂的嘛，」他哄道，「妳看今天晚上那麼美，那個月亮——妳們叫做卡麥娜吧——妳就像那月亮一樣，我打賭妳從沒看過那麼美的月亮，就像一枚大金幣，帶點蒼白，卻可以流通兌現。好不好我們出去外面走走，欣賞一下月色？」

凱洛姐輕輕把手抽開。「我們還送了七瓶水去他們房間，每瓶收費三角五分。」

「什麼？噢，是布瑞德的帳。是的，那就另外加兩塊四毛五。星星我也想提一下，好奇怪，熱帶地方的星星似乎離我們特別近。」

凱洛姐笑了起來。「另外皮箱和大袋子也不能忘了，從港口運到這裡一共要三美元。」

「嘿——那太誇張了吧。好了，我也加進去了。我有沒有告訴過妳這地方的自然美也在妳臉上留下痕跡？在妳這張漂亮臉蛋的正中央，那只能用一件事來形容——」

「布瑞德太太還拿了三個盤子到房裡，還要再記上七角五分。」

「她太奢侈了吧！布瑞德回來一定會很難過，會令他煩心的事可不只一件。好了，這也記下了，還有別的嗎？」

「只剩洗衣費了，九角七分。」

「收費相當合理。全部加起來，一共是美金三十二塊六角九分，四捨五入就算三十三塊吧。」

凱洛姐笑了起來，說：「噢，那不行，我們不能那麼做。」

布瑞德太太從陽台慢慢走進大廳，來到櫃台前停下來。「有沒有我的留言？」她問道。

「沒有呢，布瑞德太太，」凱洛姐回答道，說著把一張紙遞過去。「這是妳的帳單。」

「噢，好的。等布瑞德先生回來時他會處理。」

「妳想他快要回來了嗎？」

「我真的無法肯定。」英國女人進了走廊，向十九號客房走去。

「跟往常一樣，處處都含著玄機，」約翰昆西笑道。「喔，陳查禮這位仁兄來了。」

陳查禮精神奕奕的向櫃台走來，後面還跟著一名警察，同樣都穿著便服。

「我那輛車情況還不錯，」他說道：「今晚的空氣非常舒適。」他又向身旁的夥伴點個頭，「介紹一下，這位是史本塞先生。怎樣，現在的情況如何？麻煩你迅速交代一下。」

約翰昆西告訴他高拉正在陽台等人，手邊還夾著一件笨重的東西。陳查禮點點頭。

「情勢急轉直下，」他說道，接著面向凱洛妲。「麻煩妳去告訴高拉，就說布瑞德人已經來了，而且說要在這裡見他。」凱洛妲遲疑了一下。「啊，不對，」陳查禮立刻補充道：「我忘記考慮小姐妳的立場了。我怎麼可以要一位漂亮的小姐用紅唇散布虛假的謊言呢，請原諒我的鹵莽。麻煩妳用一個說得過去的藉口把那個人找來這裡好嗎？」

凱洛妲面帶微笑的走出側門。「史本塞先生，」陳查禮說道：「我想很冒昧的請你訊問那位本地青年。我這套洋涇濱英語往往無法穿透本地人想像豐富的腦袋。」

史本塞點點頭，走到側門旁邊，他站的位置任何人從那裡進來也不會看到。沒多久高拉出現了，後頭還跟著凱洛妲。這位夏威夷青年快步走進來，但一看到陳查禮就停住了，臉上一陣驚慌，更令他震驚的是史本塞抓住了他的手臂。

「到這裡來吧，」史本塞說：「我們想跟你談幾句話。」他把那位年輕人帶到大廳一旁的角落去，陳查禮和約翰昆西也跟過去。「在這裡坐下，東西交給我。」史本塞拿走年輕人腋下夾著的東西，一時之間那年輕人似乎想反抗，但顯然還是考慮不要。史本塞把東西放在桌上，站到高拉面前。

「你想要找布瑞德，嗯？」他語帶恐嚇。

「是的。」

「找他幹什麼？」

「那是我私人的事。」

「喔，我勸你要識相點，你已經失風了，最好改變主意說老實話。」

「我不要。」

「很好，咱們走著瞧。你這個東西裡面包著什麼？」年輕人看向桌子，未做回答。

陳查禮從口袋拿出一把小刀，說道：「要看是什麼很容易。」他割斷外頭綁的麻繩，又拆了幾層報紙，約翰昆西也湊過去看，感覺有重要的東西要曝光了。

最後一層報紙拿開後，陳查禮大叫一聲：「哈，中香腸了！」他趕緊轉頭對約翰昆西說：「噢，對不起！我把我堂弟陳衛理的黑話也拿來用了，他是全中棒球隊的隊長。」

但是約翰昆西充耳不聞，眼睛被桌上的東西吸引住了，那是一只桃金孃木盒子，邊緣鑲飾銅皮，表面有三個英文字母T．M．B。

「我們把它打開吧！」陳查禮說道，他仔細檢查一遍。「不行，鎖得很緊，我們回警察局再撬開吧。你、我跟這位不講話的小夥子現在得趕快動身。史本塞先生，你留下來，要是布瑞德出現了，你知道怎麼做吧。」

「我知道。」史本塞說。

「高拉先生，讓我有這個榮幸陪你跑一趟吧，」陳查禮又說：「到了局裡，我們有很多話要問你。」

三個人轉向門邊，凱洛妲．伊根趕上來，對約翰昆西說：「我可以跟你講個話嗎？」

「可以呀。」約翰昆西陪她走到櫃台。

「剛才我到陽台去的時候，」她屏住呼吸低聲說道：「有一個人正在你們說話的窗戶外邊蹲著。我稍微走近一看，原來是沙拉汀先生！」

「啊哈，」約翰昆西說：「沙拉汀先生最好改掉那個壞毛病，要不然會惹禍上身。」

「我們要告訴陳查禮嗎？」

「還不要，陳查禮還有別的事要操心，我們兩個先私下調查吧。除非絕對必要，否則我們也不願失去任何一位客人吧！」

「我們當然不願意，」她笑道，「謝謝你那麼費心替我們這家旅館著想。」

「那只不過是我從他們——」約翰昆西正要說下去，陳查禮卻打斷他的話頭。

「請容我插一下嘴，我們必須趕快行動了，」他說道：「哈利組長一定很高興逮到這個叫高拉的傢伙，更別說是找到桃金孃木盒子了。」

走到門邊的時候，高拉擠了約翰昆西一下，約翰昆西被他惡毒的眼神嚇了一跳。

「你竟敢向警察告密，」年輕人低聲恨道：「我不會忘記的！」

【第十五章】來自印度的人

陳查禮的坐車卡啦卡啦的奔馳在卡拉卡華大道上。約翰昆西一個人坐後座，陳查禮要他抱著那只桃金孃木盒子。

他雙手放在木盒子上，盒子曾一度失之交臂，但現在在他手上了。他的心思又回到那天晚上在兩千英哩外的小閣樓裡，一條黑影背著天窗，火辣辣的戒指劃破他的臉頰。羅傑當時叫道：「糟了，丹恩這下完了！」而他們最終獲得這個桃金孃木盒子，丹恩遇害的謎底就藏在這盒子裡嗎？

哈利正在辦公室裡等著，同他一起的還有一位目光如炬、看起來相當幹練的男子，年齡顯然快四十了。

「嗨，各位，你們來了，」組長說道：「溫特司禮先生，見過葛林先生，他是我們的地檢處檢察官。」

葛林親切的與他握手。「我一直想認識你呢，先生，」葛林說道：「貴寶地那裡我相當熟，因為我在哈佛法學院唸了三年。」

「真的嗎？」約翰昆西很起勁的答。

「是的，我是在新港畢業後到那裡去的，我是個耶魯人，你知道吧。」

「喔！」約翰昆西回答，不再那麼起勁了。但是姑且不論葛林對學校的選擇，他看起來倒是個挺平易近人的傢伙。

陳查禮把木盒子放在哈利的桌上，交代了一下他們是如何得到的。哈利眼睛為之一亮，仔細的檢查起那個寶貝。「鎖住了，是吧？」他說道：「你有鑰匙嗎，高拉？」

年輕人一臉不高興的搖了搖頭，說：「沒有。」

「你給我小心點，小鬼，」哈利警告道。「老陳，搜他。」

陳查禮快速而徹底的搜索年輕人的身上，找出一串鑰匙，但沒有一把吻合木盒子。末了還搜出一捲鈔票。

「你這些錢哪裡來的，狄克？」哈利問道。

「我賺的！」年輕人咆哮道。

不過哈利比較有興趣的是那個木盒子，還愛不釋手的敲了敲。「葛林先生，這東西很重要，我們說不定可以在裡面找到謎團的答案。」他從抽屜裡找出一把鑿子，費了點勁，撬開了盒蓋。

約翰昆西、陳查禮和檢察官都湊過頭去，注視著組長把蓋子掀開，但盒子裡竟然是空的。

「居然空無一物，」陳查禮低聲嘀咕著，「另一個夢又撞在石牆上粉碎了。」

這場空歡喜激怒了哈利，他轉向高拉。「好啦，小鬼，我倒想聽聽你怎麼說。」哈利說道。「你和布瑞德接觸過了，上星期天晚上還跟他談過話，知道他今晚會回來。看來你跟他頗有瓜葛，我要你一五一十全講出來。」

「沒什麼可說的！」年輕人頑固的說。

哈利一下子跳起來。「喔，你當然很有得說，而且不管怎樣都得說。我今天晚上可不是很有耐性，我警告你，假如你再不開口講真話，小心我對你不客氣。」他講到這裡突然停住，轉向陳查禮，「老陳，那艘從茂伊島開來的離島交通船快要到了，你趕快到碼頭那裡攔住布瑞德，他的相貌特徵你曉得嗎？」

「曉得，」陳查禮回答說：「臉瘦瘦白白的，一個肩膀高，一個肩膀低，嘴唇上灰色的鬍鬚垂下來，一副心情苦悶的樣子。」

「就是那樣，好好留意。這傢伙就留給我們，我們好好跟他磨，不信他嘴還那麼硬，是吧，葛林先生？」

檢察官較為持重，僅是微笑而已。

「溫特司禮先生，」陳查禮說道：「今晚月色很美，在碼頭那裡漫步——」

「我跟你一起去。」約翰昆西回答道，走了幾步又回頭看了一下，想想自己並不在意代替高拉去面見布瑞德。

碼頭上的燈光不甚明亮，等待船隻抵達的一小群人倒是三教九流都有。陳查禮和約翰昆西走到碼頭的盡頭處，發現晚報港區新聞的記者也在那裡，正坐在一口打包好的箱子上。

「嗨，查理，」梅貝里先生叫道：「你們來這裡做什麼？」

「好像有朋友要搭船上岸來。」陳查禮笑道。

「是嗎？」梅貝里回說：「你們這些警局的小伙子忽然變得神祕兮兮的，到底怎麼回事，查理？」

「要聲明的話請找我們組長。」陳查禮說道。

「是喔，他的聲明我們都聽過了，」梅貝里嗤道。「警方找到了若干線索，正在清查當中，現階段無可奉告。真令人噁心。嗯，坐吧，查理。喔，是溫特司禮先生，晚安，我一下子認不出是你。」

「你好！」約翰昆西打了聲招呼，他和陳查禮都找個箱子坐下，空氣中有一股很濃的蔗糖味。碼頭十分空曠，他們可以看到月光照臨下的港區和沿岸一帶。好一幅迷人的景致，相當具有異國情調，約翰昆西如是想，並發表了這個看法。

「你這樣認為嗎？」梅貝里說：「嗯，我可不這麼想。在我看來，這裡就像西雅圖、葛夫斯東或其他設備一成不變的港口。不過你知道嗎，我見識過這地方從前的樣子，當——」

「我記得你向我提過。」約翰昆西笑道。

「我無論何時都願意提起。對我而言，檀香山這個港口已經失去了它迷人的風貌，小兄弟，這裡的海岸線曾經是世界上最美的，可是你看看它現在亂七八糟的！」老記者重新點燃手上的菸斗。「查理可以把以前的情形告訴你，他還記得。那些地勢很低、破破爛爛的老碼頭，老海軍和那些船。以前有木造的汽船，上頭有一個或兩個桅桿，有時還會利用上帝恩賜的好風，不至於過分自大。另外還有出色的小划艇，像是阿囉哈號、曼奴號、愛瑪號等等，我說的對吧，查理？」

「全都看不到了！」陳查禮同意道。

「像碼頭上的扶輪社團體，那時候看不到的，」梅貝里接著說：「夏威夷港邊的裝卸工人帽緣上都鑲著花環，手上都彈著四絃琴。拿著魚網的漁夫，也許是老式的事務長都熱烈的歡迎人，並不只是機械化而已。」他傷感的吞雲吐霧了一陣。「那些啊，溫特司禮先生，都是夏威夷遺世獨立、最有魅力的時代，電報和無線電尚未將我們和美國本土所謂的文明聯結起來。每當有船進港的時候，我們就爭先恐後的登船去找報紙，爭睹外頭世界的最新消息。記得每次船要來的時候，查理，每一個人都坐上舊式馬車到碼頭去，女人都穿戴著荷璐扣長袍和撈哈拉帽，柏格和他的樂隊也會在那裡，人群之中還說不定有一兩個王室的成員。」

「還有夜晚的時候。」陳查禮提醒他道。

「對呀，老鄉，我就要講到夜晚了呢。每當鳥語花香的夜晚，那些演唱情歌的樂隊就會坐在小船上，在港區裡划著，水面上燈籠會排成一條長長的陣勢……」

說著說著，梅貝里泫然欲泣，約翰昆西回想起幼年時候曾經讀過的書。

「我猜想，」他說道：「偶爾有些人是在違背自由意願的情形下被弄上船吧？」

「是有這種情形，」梅貝里回答道，好像想到了什麼。「嗯，那還只是一八九幾年的時候，有一天晚上我人坐在離這裡不過幾碼的碼頭上，看到登船口附近有人在爭吵，有一個很要好的朋友向我大喊說：『彼德，再見了！』我立刻站起來跑下去，把他從他們手裡弄了出來——我那時還算年輕。我那個朋友是個海員，人很不錯，他不想加入那幫人替他安排的航程，結果他們把他弄到一間沙龍灌醉他，不過他及時擺脫掉了——嗯，就這樣，如今那個年代已經一去不返了。沒錯，就跟葛夫斯東或西雅圖沒什麼兩樣，檀香山這個港口已經失去昔日的風華。」

航行於離島間的小交通船慢慢向岸邊駛來，他們都注視著船的行動。當扶梯放下來時，陳查禮站了起來。

「查理，你在等誰？」梅貝里問道。

「我們仔細找一下，」陳查禮說道。「也許布瑞德就在船上。」

「布瑞德！」梅貝里倏的站起來。

「那只是推測啦，我們並不那麼肯定，」陳查禮提醒道，「假如正如我們所料，我建議你跟著到警察局一趟，說不定可以搶到新聞。」

旅客陸續下船，約翰昆西跟著陳查禮走到扶梯旁，上岸的人並不多，只有幾名島上的商人和零零落落的旅客，幾名穿著西服的日本人受到岸上友人的歡迎，這夥人頗與眾不同，全都行九十度鞠躬禮，約翰昆西饒有興致的看著他們，這時陳查禮碰了他一下。

一位高大但背有點駝的英國人正要走下扶梯，沒錯，正是湯瑪斯·馬肯·布瑞德，在人群之中很容易認出來，他嘴唇上的鬍鬚模仿著包塔克伯爵的樣子，更容易辨認的是，他還戴了一頂白盔帽。在夏威夷這麼溫和的氣候裡並不需要戴盔帽，很明顯那是印度的習慣。

陳查禮走上前去，問道：「是布瑞德先生嗎？」

那人眼睛裡帶著倦意，乍聽之下被嚇了一跳，遲疑道：「是——是的。」

「我是檀香山警察局刑事組警探，敝姓陳。不介意的話，我想麻煩你到局裡一趟。」

布瑞德凝視著他，隨後搖一搖頭，說道：「那是不可能的。」

「很抱歉，」陳查禮回答道：「你不可推辭。」

「我——我才剛剛搭船回來，」布瑞德抗議道：「我太太說不定正記掛著我，我必須先回去跟她講兩句話，然後再——」

「我感到十分抱歉，」陳查禮低沉的說：「但是我必須奉命行事，組長的交代就是命令。我建議閣下不要浪費寶貴的時間。」

「這麼說我是被逮捕了嗎？」布瑞德佛然道。

「你說得太離譜了，」陳查禮告訴他。「不過我那位組長非常急著想聽聽你的說法，我想你非走這一趟不可。稍等一下，我跟你介紹介紹，這位是我的好朋友約翰昆西・溫特司禮先生，遠從波士頓來到這裡。」

布瑞德一聽到名字便轉過身來，帶著極大的興趣注視著約翰昆西。「非常好，」他說：「我跟你們去。」

他們走到港口外的大街，布瑞德還提著一個小手提袋。船隻靠岸引起的一陣忙亂很快平靜下來，檀香山又恢復夜晚的寧靜。

當他們抵達警局時，哈利和那位檢察官似乎心情相當愉快，一旁坐著的高拉則帶著絕望、挫敗的表情，約翰昆西只看一眼就知道他的祕密全抖了出來。

「為大家介紹一下，這位是布瑞德先生。」陳查禮說道。

「啊，布瑞德先生，」哈利嚷道：「見到你真是太好了，我們都在擔心你哩。」

「是這樣嗎，警官，」布瑞德說：「我真的感到很困惑——」

「坐吧，」哈利吩咐道。布瑞德深深坐進椅子裡，他同樣給人一種絕望、挫敗的味道。任何人都不會有一名英國公務員那種貶抑、挫折的表情，而這個人據悉已經在印度曬了三十六年太陽，受到英國駐軍的輕視，不受任何人尊敬。不只他嘴唇上的鬍鬚，就連他整個人都是「一副心情苦悶的樣子」。但是約翰昆西發覺，他有時也會精光乍現，流露出自負和挑釁的意味。

「布瑞德先生，你這幾天去哪裡了？」哈利問道。

「我到附近的茂伊島去了。」

「你是上星期二早上去的嗎？」

「是的，來回都搭同一條船。」

「乘客名單上並沒有你的名字。」

「是的，我用了另一個化名。這——我有我的理由。」

「是嗎？」

又是精光乍現。「長官，請教一下我為何被帶來這裡？」他轉向檢察官。「或許你可以告訴我這一點？」

葛林向哈利點點頭，說：「哈利組長會給你一點提示。」

「我會的。」哈利說道：「布瑞德先生，也許你已經知道，丹恩·溫特司禮先生已經被人謀殺了。」

布瑞德那雙滿是倦意的眼睛望向約翰昆西。「是的，」他說道：「我在離島的報紙上看到了。」

「你上星期二早上離開這裡時還不知道這件事？」哈利問道。

「還不知道，我去搭船時並沒有看報紙。」

「噢，原來如此。你最後一次看到溫特司禮先生是什麼時候？」

「我從來沒有見過他。」

「什麼？先生，你講話要留神點！」

「我這輩子從來沒見過丹恩．溫特司禮。」

「很好。那麼上星期二凌晨一點二十分的時候你人在哪裡？」

「我在我住的沙洲棕櫚旅社房間裡睡覺。因為一早就要搭船，所以我晚上九點半就去睡了。這件事我太太可以作證。」

「太太作證的可信度並不很高，布瑞德先生。」

布瑞德跳了起來。「欸，先生！你這話是在暗示什麼意思。」

「你先別急，」哈利神閒氣定的說：「布瑞德先生，我舉幾件事情讓你留意一下。丹恩．溫特司禮先生上星期二凌晨一點二十分左右被人殺死，我們無意中得知他年輕時候是須羅少女號那艘船上的大副，那艘船專門在販賣奴隸，而船長的名字卻和你一模一樣。我們到沙洲棕櫚旅社調查過你的房間——」

「什麼，你好大膽！」布瑞德嚷道，「你憑什麼——」

「我正在追查殺死丹恩·溫特司禮的兇手，」哈利冷冷的打斷他的話。「只要有什麼線索，我都會去查。我在你房間裡發現本地英國領事館寄給你的一封信，內容是說丹恩·溫特司禮人還活著，而且住在檀香山。另外我還找到這罐科西嘉牌香菸，巧的是我們在溫特司禮住家客廳的門外也撿到一根科西嘉牌香菸的菸蒂，這種牌子的香菸檀香山並沒有賣。」

布瑞德已坐回椅子上，眼神茫然的看著哈利手上的菸罐。哈利指著角落的年輕人說：「你見過這位小伙子，布瑞德先生？」布瑞德點點頭。

「上星期天晚上你和他在海邊談過話？」

「是的。」

「這位小伙子把所有的事都說了。他是在報紙上看到你要來檀香山的消息，以前他父親是丹恩·溫特司禮倚重的僕役，而他自己就是在溫特司禮的房舍內長大。你和溫特司禮之間是什麼關係，他大致猜得出來，因此他認為你很想得到這個桃金孃木盒子。在他年紀還很小的時候，他曾經在溫特司禮位於舊金山住宅閣樓上看過這個盒子，盒子就裝在一只大皮箱裡面。於是他跑去找泰勒總統號上的一位朋友，也就是船上的主舵手，請那傢伙闖進那幢房子，把盒子偷走。當你上星期天晚上和他見面時，他告訴你說泰勒總統號一進港，他就會拿到那個盒子，他想用個好價錢賣給你。布瑞德先生，我剛才說的都對吧？」

「你說的沒錯。」布瑞德說。

「這個盒子上面有T．M．B三個英文字母，」哈利進一步說。「那是你本人姓名的縮寫，是吧？」

「剛剛好是，」布瑞德說：「不過那三個字母也是我父親姓名的縮寫。我父親很多年前死在南太平洋的一艘船上，那個盒子在他的艙房裡被人偷了，偷它的人是須羅少女號的大副，也就是丹恩．溫特司禮先生。」

有一段時間沒有任何人講話。約翰昆西覺得背脊由上到下一陣寒顫，臉頰紅得發燙。老天吶，為什麼，為什麼他要從老家糊裡糊塗跑來這裡？在波士頓的時候，他生活過得——或許是一成不變吧，可是一成不變卻是安全無憂的。在那裡，任何人都不曾將這樣一個罪名加諸在溫氏家族成員頭上，溫特司禮這個姓氏從來沒有遭受過一絲一毫醜聞的污損。但是在這個地方，溫氏家族的人卻無惡不作，下一步還會有什麼醜事揭發出來，誰也說不準。

「布瑞德先生，」檢察官緩緩的說：「我想你最好把所有的事情講出來。」

布瑞德點點頭，說：「我正打算如此。我想要對丹恩．溫特司禮打的官司準備得還不夠周全，所以我暫時還不會提出告訴，不過在現在這種情形下，我必須講出來。我可以抽菸吧，你們要是不介意的話。」他從盒子裡取出一根菸，點燃了它。「這件事我不知該從何說起。嗯，大約一八七〇年代我父親離開了英國，留下了我母親和我自謀生路。我們有一段時間沒有他的任何消息，後來才有信件從澳洲及南太平洋的不同地點寄給我們。那些信裡頭都裝著錢，我們極度需要的錢。那時候我才曉得他跑去做奴隸販子了，那並不是什麼值得驕傲的事，可天曉得，我想要感激他的，就是他並沒有把太太跟兒子完全遺棄掉。

「到了一八八幾年，我們得知他的死訊。他死在須羅少女號上，遺體埋葬在吉伯特群島的亞平島，埋葬他的是丹恩．溫特司禮，他的大副。我們接受了這個事實，再也不會有信件帶著匯款寄給我們了，我們只好再度為生計掙扎。六個月之後，我們收到從雪梨寄來的一封信，那是我父親一個朋友寫的，他也是一艘船的船長，那封信使我們十分震驚。

「信上面說，據他所知，我父親有一大筆錢放在須羅少女號的船長臥艙內。他和銀行沒有任何往來，而是把所有的錢都放在這一只用桃金孃木做的堅硬盒子裡。寫信給我們的人說，他看過盒子裡的東西，裡面有珠寶和相當多黃金。我父親還給他看了好幾個獸皮袋子，裡面有好幾個國家的金幣，他估計全部價值一定接近兩萬英鎊。信上還說，丹恩．溫特司禮把須羅少女號開回雪梨，向有關單位報繳了我父親的衣服、私人物品、還有錢——才十英鎊而已。那個人沒有提到更進一步的事，他和須羅少女號上另一個白人，名叫哈京的愛爾蘭人，當時便立刻離開雪梨，前往夏威夷。他建議我們應立刻調查這件事。

「我說，在座的各位，」布瑞德環顧周遭好奇的眼神，「我們能做什麼呢？我們那時候處境可憐，我母親和我相依為命。我們哪有錢請得了律師，去打這場幾千英哩外的官司？向一位住在雪梨的親戚問了些問題倒是有的，但是並沒有問出什麼。有一陣子還有謠言傳來傳去，後來謠言不見了，整件事情也不再有人談起。可是我——我從來就沒有忘記。

「丹恩．溫特司禮回到這個地方，人也發了。他利用在我父親臥艙裡發現的錢財建立起他個人的財富，受到全檀香山的矚目。當他飛黃騰達的時候，我們卻幾近餓死邊緣。後來我母親死了，而我堅持下去。我要他付出代價，這是我許多年來的夢想。我並沒有特別成功，但是我省吃儉用，把錢存起來。而現在我有錢可以打這場官司了。

「四個月前，我向我在印度服務的單位提出辭呈，往檀香山出發。我在雪梨稍作停留，父親的那個朋友已經死了，可是我有那封信，有其他人證言，他們都知道有那筆錢——有那個桃金鑲木盒子。我來到這裡，打算和丹恩．溫特司禮見上一面。但是我卻連一面都沒有見到。就如你們所曉得的，各位，」布瑞德放下香菸，手微微發抖，「有人剝奪了我那個權利。我對那個人懷恨了四十多年，卻被一隻不知名的手先一步把那個人奪走了。」

「你是上星期六來的，也就是一週之前，」哈利停了半晌，說道：「而星期天晚上，這位高拉就跟你取得聯絡，說要提供那個木盒子給你？」

「是的，」布瑞德回答道：「他接到朋友拍的海底電報，預定星期二就可以拿到那個盒子，我承諾用五千美元交換那個盒子，這筆錢我打算向溫特司禮索取。高拉還告訴我說，哈京就住在茂伊島的一處農場裡，這說明了我為什麼要去那裡。我使用化名，因為我不想讓溫特司禮跟蹤。他在監視我，我一點也不懷疑。」

「你也沒有告訴高拉你要去哪裡？」

「沒有，我認為不應該完全相信他。結果我找到哈京，卻無法從他那裡得到什麼，很顯然溫特司禮很早以前就收買了他，要他閉嘴。我明白那個木盒子對我意義重大，所以打電報給高拉，要他在我回來時立刻拿給我。結果溫特司禮的死訊傳開來了，我非常失望，可是還是阻止不了我。」他轉向約翰昆西。「溫特司禮的繼承人必須付那筆錢，我發誓他們必須讓我年老的時候有個保障。」

約翰昆西再一次臉紅起來，心中有一股對抗意識、一股以家族為傲的憤然在蠢動著。「我們會考慮看看的，布瑞德先生，」他說道：「盒子你找到了，但到目前為止，尚沒有證據證明有任何貴重物品，或者是錢——」

「等一下，」葛林檢察官打岔道：「布瑞德先生，你能不能描述一下你父親留下什麼貴重物品？」

布瑞德點點頭。「好的。在我父親寄給我們的最後一封信中——我前幾天才又看了一遍——他提到他在雪梨買了一枚胸針，圖案是中間一顆翡翠做的樹，用琥珀襯底，上面鑲了很多紅寶石和鑽石。他說他要寄來給我母親，可是一直沒有下文。」

檢察官看向約翰昆西，約翰昆西移開視線。「布瑞德先生，我本人並不是丹恩‧溫特司禮的繼承人，」他解釋道：「事實上，他是關係跟我相當遠的親戚。我無法代替他女兒發言，不過我相當肯定一旦她知道你的故事，這件事可以不必上法庭就獲得解決。我想你應該可以等吧？」

「我會等的，」布瑞德同意道，「至於現在，組長——」

哈利舉起手來。「等一下。你說你並沒有打電話給溫特司禮？也沒有走近他家？」

「我沒有。」布瑞德說。

「可是在他家客廳的側門外面，我們卻發現一根科西嘉牌香菸的菸蒂，這我已經告訴過你了。這件事還是得交代清楚才行。」

布瑞德稍微想了想。「我不想讓任何人惹上麻煩，」他說道：「但是這個人和我一點關係也沒有，而我卻必須洗清嫌疑。我曾與沙洲棕櫚旅社的主人聊過天，還請他抽了根香菸。當他認出這個牌子時，顯得很高興，還說有很多年沒看過這種菸了。我於是又給了他很多根，他就把這些菸都裝進菸盒子裡。」

「你說的這個人是吉姆．伊根。」哈利欣喜的說。

「噢，就是他。」布瑞德回答。

「我想知道的就是這些，」哈利說：「好了，葛林先生——」

檢察官於是對布瑞德說：「在現階段，我們不允許你離開檀香山，不過你現在可以回旅社了。這個木盒子在我們確定它的最終歸屬之前必須留在這裡。」

「那當然。」布瑞德站了起來。

約翰昆西面對布瑞德，允諾說：「我會盡快和你聯絡。」

「什麼?噢，好——好的，那當然好。」布瑞德有點神經質的看著他。「各位，假如你們不介意的話，我必須走了，我真的必須——」

布瑞德走後，葛林檢察官也看了一下自己的錶。「好了，就這麼吧。哈利，明天早上我再跟你討論，我太太現在還在鄉村俱樂部裡等我呢。再見了，溫特司禮先生。」他看到約翰昆西的表情，露出了笑容。「你也別把你堂叔那些事看得太嚴重，要知道，一八八〇年代距離現在已經很遙遠了。」

葛林離開後哈利轉向約翰昆西。「那高拉怎麼辦？」他問道：「真要起訴他，以及他那個闖空門的朋友，整個工作會相當複雜，不過也還是可以——」

一位身穿制服的警員出現在門口，把陳查禮找了去。

「噢，不要，讓這個人走吧。」約翰昆西說道。「我們不希望這件事情曝光。組長，我請求你不要讓布瑞德講的那些事出現在報紙上。」

「我盡可能如此。」哈利回答道，然後他轉身面對高拉，道：「你給我過來！」高拉站起來。「你剛剛聽到這位先生所講的話了吧，本來我是要送你到牢裡蹲的，不過我們現在還有更要緊的事情要做。你走吧，快滾！」

陳查禮進來時，剛好趕上哈利最後一句話，他背後跟著一名滑頭的日本人和一名中國年輕人。中國年輕人一副大學生的打扮，看起來就像是美國人，他自己也強調這一點。

「請等一下，」陳查禮阻止道：「我們又發現新案情了，這件事很有意思。兩位，這位是堂弟陳衛理，全中棒球隊的隊長，也是咱們太平洋區的魔鬼捕手！」

「二位幸會幸會。」陳衛理說。

「還有這位是岡本，他在卡拉卡華大道經營一家租車站，離溫特司禮的家不很遠。」

「岡本，我記得，」哈利說道：「他另外還兼賣歐克里郝。」

「才沒有，」岡本抗議道：「我只經營租車站，僅止而已。」

「我堂弟做了一點小調查，想幫我們度過難關。」陳查禮接著說：「他發現這位岡本家的門外發生不尋常的事。七月一日，也就是上星期二凌晨的時候，岡本睡覺中被重重敲門聲吵醒。於是他起來開門——」

「你讓他自己說，」哈利說道：「那時候幾點？」

「凌晨兩點，」岡本說：「就像他講的，敲門敲得很重，我起來時看了錶，然後走去開門。結果在門口的是這位狄克．高拉先生，他要我開車送他回艾威列區的家，我照做了。」

「很好，」哈利說道。「還有沒有別的？沒有了嗎？老陳，你送他們出去，好好謝謝他們。這你很行的。」等兩名東方人走後，他倏的扭頭過來面對高拉。「好啦，你又重新受到重視了，」他大叫道：「你現在給我老實招來，發生謀殺案那個晚上，你在溫特司禮住家附近做什麼？」

「沒有！」高拉說道。

「沒有！待到那麼晚卻什麼都沒做，是不是？你仔細聽著，小鬼，我要開始修理你了。那麼多年來丹恩．溫特司禮給你錢，照顧你，直到他最後認定你不是個好東西為止。他不給你錢了，你就跟他大吵了一架，你說，是不是？」

「是！」狄克．高拉承認道。

「上星期天晚上，布瑞德表示要用五千塊美元買那個盒子，而你覺得不夠，於是靈機一動，說不定丹恩．溫特司禮肯付更高的價錢。你本來有點怕他，那天卻鼓起勇氣，走到他家——」

「沒有，沒有，」高拉嚷道，「我沒有到他家。」

「我說你有。你決心要背叛布瑞德，結果反而跟丹恩．溫特司禮爆發更大的衝突，然後你抽出刀子——」

「胡扯！全部都是胡扯！」高拉驚怖的大聲喊道。

「你別說我胡扯！溫特司禮被你殺了，我要你把這件事全抖出來！別的謀殺案我偵破了，這件我也要偵破！」哈利兇神惡煞的站起來。

突然陳查禮又回到房間裡來，交給哈利一封信。「剛剛有個身分特別的人送這個來。」他解釋道。

哈利撕開信封，閱讀後臉色大變。他深惡痛絕的轉向高拉大吼道：「你給我滾！」

高拉千恩萬謝的夾著尾巴跑了。約翰昆西和陳查禮一臉疑惑的看著哈利組長。「疑點又回到伊根身上，」他說道，「我早就知道會這樣。」

「等一下，」約翰昆西嚷道，「那高拉怎麼辦？」

哈利把信揉成一團，說：「噢，高拉嗎？他現在跟本案無關了。」

「為什麼？」

「我所能告訴你的就是這些，他跟本案無關。」

「那樣不夠，」約翰昆西說：「我必須知道——」

哈利瞪著他，很生氣的回答道：「你想知道的都已經曉得了，我說高拉跟本案無關，就是無關。是伊根殺了溫特司禮，在我還沒要他把真相全講出來之前——」

「你休怪我這麼說，」約翰昆西打岔道：「我覺得你是我見過耳朵最軟的人，任何人講的話你都相信。那個叫康普敦的女人和李樂比那個混混跑來這裡隨便編了個故事，你就低頭認錯，把他們排除在外。還有就是布瑞德！布瑞德會沒問題嗎？上星期二凌晨他正在房裡睡覺，是嗎？那是誰講的？是他自己講的。有誰能證明呢？他老婆能。要是他從沙洲棕櫚旅社的陽台出來，沿著海濱一路走到我堂叔家裡去，有誰阻止得了？你回答看看！」

哈利搖一搖頭。「是伊根幹的。那根菸蒂——」

「是噢，那根菸蒂。你有沒有想到，伊根那些香菸是布瑞德故意給他的——」

「是伊根幹的，」哈利打斷他的話，頑固的說：「我現在唯一需要的就是他的自白，我會讓他講的。我有我的步驟和方法。」

「恭喜你這個超級大笨蛋，」約翰昆西嚷道：「晚安，長官！」

約翰昆西沿著教堂街走著，陳查禮在一旁陪伴。「我看你差不多氣瘋了，」那位中國佬說：「本人建議你最好冷靜下來，人的頭腦需要鎮定。」

「問題是那封信裡寫的是什麼？他為什麼不告訴我們？」

「在適當時機我們會曉得的，組長是個說話算話的人，你必須要有耐心。」

「但是我們又再度進退維谷了，」約翰昆西不滿的說：「是誰殺死我堂叔丹恩呢？

我們什麼進展也沒有。」

「你話是不錯，」陳查禮同意道：「更多的線索帶我們到無法搖撼的石牆面前，我們只有迂迴一下，看看還有沒有別條路。」

「也只有如此了，」約翰昆西回答，「我的電車來了，晚安！」

電車尚未走到距離威基基一半的路時，約翰昆西想起了沙拉汀先生，想到他蹲在沙洲棕櫚旅社窗戶外面偷聽的樣子。那是什麼意思？沙拉汀是個滑稽人物，講話漏風漏風，成天在威基基的清澈海水裡找尋假牙。但儘管如此，也許他那微不足道的舉止才應該得調查。

【第十六章】科普上校回來了

星期天早餐飯後，約翰昆西跟著明諾薇走到涼台。紗門外面是個乾淨的天地，因為昨晚丹恩・溫特司禮的園丁工作到好晚，把草坪徹徹底底整理過一遍，仔細得就像家庭主婦對珍貴的東方地毯那般。

芭巴拉並沒有下樓吃早餐，約翰昆西趁機告訴姑媽布瑞德回來了，以及他口中丹恩・溫特司禮在須羅少女號船上行竊的事。說完約翰昆西點燃一根香菸，靜坐嚴肅的看著遠處的大海。

「提起精神來吧，」明諾薇說道：「不要看起來像法官似的。你是在想你那位可憐的堂叔吧。」

「是啊。」

「你得原諒他，把那些事情忘掉。我們從來沒把丹恩看作聖人。」

「聖人！太離譜了！他只不過是個——」

「好了，別再說了，」他姑媽制止道：「你要記住，人都是環境的產物。他遇到的誘惑一定非常的大。你不妨想像一下丹恩那艘船正悠閒的航行在那樣的緯度，一大筆財富就踩在他腳下，有權享有那筆財富的人眼前一個也沒有。總之，人無橫財不富，即使是你——」

「即使是我，」約翰昆西斷然說：「我也會想想我是溫氏家族的一份子。我做夢也沒想到我會親耳聽妳為那種行為辯護。」

明諾薇笑了起來。「你知道他們說白種女人到了熱帶地方會發生什麼事嗎？她們首先會失去容貌，再來是牙齒，最後是道德意識。」她頓了頓，又說道：「最近兩天我必須去看一下牙醫。」

約翰昆西愣了一下。「我建議妳最好趕快回家去。」他說道。

「那你呢，什麼時候回去？」

「噢，快了，就快了。」

「那是我們都在講的。你的意思是回波士頓吧？」

「那當然。」

「那舊金山呢？」

「喚，那件事算了吧。我是有向艾嘉莎提過，不過我肯定她聽不進去，而我也開始在想她或許是對的。」明諾薇站起來，約翰昆西於是一本正經的說：「我想妳最好上一下教堂。」

「我正準備要去，」她笑道。「對了，艾摩斯晚上會來吃晚飯，布瑞德那件事他最好是從我們這裡聽到，省得被那些道聽塗說誤導了。這件事芭巴拉也必須知道，假如事實證明不假，這個家應該為布瑞德先生做點事情。」

「喔，好吧，這個家將會為他做點事情，」約翰昆西說道。「無論這個家是否想做。」

「好啦，我讓你告訴芭巴拉這件事好了。」明諾薇允諾道。

「真是感謝妳喔！」她的侄子挖苦道。

「不客氣。你要不要去教堂？」

「不要，」他說：「妳那一套我不很需要。」

明諾薇走開，留下他面對慵懶無事的一天。到了下午五點，威基基海灘像往常一樣湧進週末遊玩的人潮，這裡遊客可不是美國本土海濱令人望之生厭的那些，而是皮膚曬得棕黑、面貌身材均屬一流的人物，讓感官文化的愛好者激賞不已。約翰昆西也振奮起來，換好泳裝，跑去加入他們。

與海的接觸予人一種舒適慰藉的感覺，他便日甚一日的把這裡當成自己的家。奮力游了一陣之後，他脫離岸邊的碎浪，向較遠處興起的大浪挑戰。許多衝浪客在他面前一閃而過，附有舷外浮桿的小舟也不時闖入他前進的方向，不得不避開。

他看到凱洛妲坐在最遠處的浮筏上，身材苗條動人，充滿活力，正等著他游過去。當他在凱洛妲身邊爬上浮筏，與伊人四目相接，也許是在水裡出了不少力吧，他竟有點——有點喘不過氣來。

「我正希望找到妳呢！」約翰昆西喘著氣說。

「真的嗎？」她隱微的笑道：「我也希望你發現到我。你知道嗎，我需要好好振奮一下。」

「在這麼好的天氣下！」

「我本來對布瑞德先生抱了好大的希望，」她解釋說。「你或許知道他回來了，根據我所能猜測到的，他的回來並不能對我爸爸的嫌疑有所澄清。」

「噢，恐怕是沒有，」約翰昆西同意道：「但是我們絕不可氣餒。就像陳查禮講的，我們要迂迴看看，尋找新的出路。妳跟我就有一點點迂迴的工作要做，沙拉汀先生怎麼樣了？」

「我也一直在思考著沙拉汀先生這個人，可是他的事老是無法引起我的注意，他實在太荒謬了。」

「我們不能因為那樣就把他忽略了，」約翰昆西提醒道。「我可以看到他那件紫色泳衣就在最前面的浮筏上。來吧，我們假裝無意中遇到他。我們來比賽一下，看看誰先游到那裡。」

凱洛妲又再度露出笑容，倏的站起來，先擺了個姿勢，然後用約翰昆西學也學不會的方式跳入水中。他急起直追，但任憑他使盡吃奶的力氣，凱洛妲還是早他五秒游到沙拉汀的身邊。

「嗨，沙拉汀先生，」她說道：「這位是溫特司禮先生，從波士頓來的。」

「啊，是喔，」沙拉汀先生回答道，不太有勁。「你好，溫特司禮先生。」他好奇的打量著約翰昆西。

「運氣怎麼樣，沙拉汀先生？」約翰昆西同情的問道。

「噢——你聽說過我那次的事了？」

「是的，我覺得很遺憾。」

「我也是，」沙拉汀先生感心的說。「到目前為止連個鬼影子也沒有，而再過幾天我又必須回家去了。」

「我聽伊根小姐說，你是從愛荷華州的第蒙斯市來的？」

「是的，第……第……，那個音我發不出來。」

「你在那裡做生意？」約翰昆西隨意的問。

「是的，是食……食品雜貨批發。」沙拉汀先生答道，他話說得很慢，但音發得很不標準。

約翰昆西轉過頭去，忍住了笑。「我們該走了吧？」他對凱洛妲說。「祝你好運了，沙拉汀先生。」他跳進水裡，向岸邊游去時，他想到他們追的這一條線索是假的，跟沙拉汀的牙齒一樣。那位先生看起來太普通，不可能跟丹恩．溫特司禮被殺的案子有任何牽連。但話說回來，他也只能把這個想法悶在心裡。

游到一半，他們遇到一個胖子懶懶的浮在水面仰泳。約翰昆西在那大腹便便之上看到是陳查禮的臉，似乎挺悠哉的樣子。

「嗨，陳先生，」他叫道：「想不到這裡的海那麼小啊！你開車來的嗎？」

陳查禮傾斜身體，露出笑容。「跑來消遣消遣罷了，」他解釋說：「把調查的事都丟開，像片葉片漂在水面。」

「咱們游上岸吧，」約翰昆西提議，「我有事情告訴你。」

「樂意之至。」陳查禮同意道。

他隨著他們游到岸邊，三個人一起坐在白沙灘上。約翰昆西把沙拉汀那天晚上的舉止告訴陳查禮，也把剛才和他之間的對話交代了一下。「當然啦，那個人舉止太荒謬了，不可能有什麼名堂的。」他補充道。

陳查禮搖搖頭。「很對不起，」他說道：「那是非常錯誤的態度。調查工作是由許多看起來不起眼的瑣碎東西構成的，調查過一個又一個線索之後，案情的全貌才會跳出來。你們想到要查沙拉汀，可見你們很有腦筋。」

「那你建議怎麼做？」約翰昆西問道。

「今晚我要到城裡上夜班，處理雜務，」陳查禮回答道。「晚飯過後，建議你跟我到電報局一趟。我們拍電報到第蒙斯市的郵局，向負責人問一下這位從事食品雜貨批發的沙拉汀先生住哪裡，不過電報要請你署名，這樣比由警方插手要好。」

「沒問題，」約翰昆西同意道：「我晚上八點半跟你在那裡碰面。」

凱洛妲．伊根站起來，道：「我必須回旅社了，天曉得我還有好多事情要做。」

約翰昆西在她身旁站了起來，「假如我幫得上忙的話，妳知道——」

「是，我知道，」她笑道：「我正在考慮請你來當副理，這樣你波士頓的親朋好友一定會非常以你為榮。」

她又往海水裡走去，要一路游回家。約翰昆西坐回陳查禮身邊，陳查禮目送著那個女孩子離去的身影。「我為了學好英文，還學習英美詩，」他說：「有一首詩說：『她步行之美態宛如夜晚』，這首詩的大詩人是哪個？」

「噢，這個嘛……呃……是誰呀？」約翰昆西絞盡腦汁的想。

「名字很容易就忘了，」陳查禮接著說：「不過沒有關係。每次我看到這位伊根小姐，總會無端想起這首詩來。將美比喻成夜晚，夏威夷的夜晚大概當之無愧，像純度最純的翡翠那麼可愛。特別是在這個海灘。這個海灘，魅力令人心碎的地點。」

「是啊！」約翰昆西附和道，陳查禮居然多愁善感起來，使他覺得很有意思。

「我就是在這閃閃發光的沙灘上，第一次見到我太太，」陳查禮繼續說：「纖長宛如綠竹，艷質恍若桃李。」

「你這是說你太太？」約翰昆西覆誦著他的句子，真是充滿了新意。

「是啊，」陳查禮站了起來。「這使我想起來，我必須趕快回家，她現在正在家裡帶小孩哩，算一算，九個孩子。」他若有所思的看著約翰昆西。「你本身可做好了應變的武裝？」他說道：「想想看，某個晚上這附近一帶月光照得非常明亮，可可樹的扇形葉低低垂下，掉轉頭去，像什麼都沒看到似的，白人在這情形下就會情不自禁的親吻起來。」

「噢，不用擔心，」約翰昆西笑道。「我是從波士頓來的，有免疫能力。」

「免疫能力，」陳查禮重覆唸了一次。「噢，是啊，我知道免疫是什麼意思。我家有一尊從中國請來的神像，神像裡面是實心石材，祂大概認為祂對任何事都有免疫能力吧。但是縱然如此，在這裡的海濱，我對祂還是不怎麼放心。咱們晚上見吧。」

約翰昆西又在沙灘上坐了一會，然後爬起來，慢慢走回家去。他的行進路線很接近艾琳・康普敦小木屋的涼台，當有人在紗門後面叫他的名字時，他嚇了一跳。他走到門口向裡面瞧，那女人正獨自坐在那裡。

「進來坐坐吧，溫特司禮先生。」她說道。

約翰昆西遲疑了一下。他並不想跟這女人搭訕，但是粗魯的拒絕他可做不來。他走進涼台，小心翼翼的坐下，隨時準備奪門而出。「我得趕快回去吃晚飯。」他解釋道。

「吃晚飯?來喝杯雞尾酒吧。」

「不，謝了。我，呃，我在戒酒。」

「你會發現在這裡戒酒很難持續下去，」她有點苦澀的說：「我不會耽誤你太久的。我只是想知道——局裡面那些傻瓜到底是有進展了，還是還沒有?」

「噢，妳的意思是指警察，」約翰昆西笑道：「他們似乎有些進展，不過進展很慢，相當的慢。」

「我想也是很慢，看來在他們鎖定別人之前，我只能待在這裡，哪裡都去不得。這裡的風景還不錯，對吧？」

「那位李樂比先生還跟妳在一起嗎？」約翰昆西問道。

「你說還跟我在一起是什麼意思？」她怫然道。

「噢，對不起。他人還在檀香山嗎？」

「當然還在，他們一樣不准他走啊。不過他的情形怎麼樣我才不管，我自己的麻煩就已經忙不完了。我想要回老家去。」她向桌上的報紙示意道：「這份過期的《綜藝》我剛剛才拿到，上面說大西洋城有一齣戲要上演，裡頭有一大票人，工作得很辛苦，日夜不停的排練，他們很擔心自己會累出病來，不知道這種情況還會持續多久。老天，我真羨慕死他們了。當你走過來時，我幾乎要大吼大叫起來。」

「別擔心，妳會回去的。」約翰昆西安慰她。

「是啊，要是能夠就太好了！我會在百老匯攔下每一個我碰到的人，向他們發誓說我再也不離開了。」看到約翰昆西站起來，她殷切的說：「你去告訴那個叫哈利的傢伙，叫他多加點油吧。」

「我會告訴他的。」他答應。

「你有空也來看看我嘛，」她又渴望的說：「我們從東部到這裡來的人，應該好好保持聯絡才是。」

「妳說得對，是應該如此。」約翰昆西回答，「再見囉！」

他一個人在海邊走著，感到康普敦太太好可憐。她和李樂比陳述的事情也許是假的，儘管如此，她畢竟也是個人，而且很有魅力，她的思鄉情懷也非常令他感動。

稍晚之後，當約翰昆西一身衣著光鮮的到樓下吃晚飯時，在客廳遇到了艾摩斯·溫特司禮。艾摩斯清瘦的臉比往常更加蒼白，整個人無精打采的樣子。他心頭之恨被橫加剝奪，如此一來，每天晚上站在角豆樹下就再也沒有意義，生活也就失去動力。

這頓晚飯吃得並不特別愉快，芭巴拉似乎急於了解警方目前辦案的細節，約翰昆西只好負責說明。最後他不得不說出布瑞德的故事，芭巴拉默默的聽著。晚飯過後，芭巴拉和他走到庭院，坐在黃槿樹下的長板凳上，眼睛看著大海。

「我很遺憾，必須把布瑞德的事告訴妳，」約翰昆西柔聲的說，「可是我覺得非說出來不可。」

「那當然，」她同意道：「可憐的爸爸，他是那麼的軟弱……」

「妳得原諒他，並試著遺忘，」約翰昆西建議道。「人畢竟是環境的產物。」他感到這些話好像在哪裡聽過。「事情並不能只怪妳父親。」

「你對我真是太好了，約翰昆西。」芭巴拉說。

「別謝我，我這樣講是真心的，」他說。「妳只要設身處地想一想，在那麼孤獨的大海之中，財富就踩在他的腳下，一蹴可幾，而且神不知鬼不覺。」

芭巴拉搖搖頭說：「噢，但那樣做是不對的，不能夠那麼做。布瑞德先生真可憐，我必須盡可能補償他，明天我就叫何瑞去跟他談——」

「等一等，」約翰昆西打岔道：「我這只是個建議，不管妳想要為布瑞德做什麼，都必須等殺害妳父親的兇手抓到時再說。」

芭巴拉吃驚的看著他，說：「什麼！你該不會認為布瑞德他——」

「我不知道。誰也無法知道。布瑞德並無法證明上星期二凌晨他人在哪裡。」

兩人默默坐了一陣子，芭巴拉忽然情緒失去控制，雙手掩面哭了起來，窄窄的雙肩劇烈的顫抖著。約翰昆西非常同情的挨近了些，伸手攬著她，但見月光灑在她的秀髮上，貿易風拂過黃槿的枝葉，海邊碎浪沙沙低鳴。芭巴拉仰起臉來，他親吻了她。他本以為那只是平輩間的親情之吻，但卻根本不是那麼回事——那樣的吻，他在貝肯大街上從未有過。

驀然有個聲音在他們背後說道：「明諾薇女士告訴我在這裡可以找到你們。」

約翰昆西倏的跳起來，發現何瑞．堅尼森正一臉嘲諷的注視著他。雖說你是這名女子的堂兄，但是被逮到你在親吻他未婚妻，那還是相當尷尬的，更何況這如果不完全是親情之吻的話——約翰昆西擔心堅尼森是否看得出來。

「請進吧，呃，我是說，坐吧，」約翰昆西舌頭打結起來，「我正要出門呢。」

「再見。」堅尼森冷冷的說。

明諾薇和艾摩斯正坐在客廳裡，約翰昆西匆匆走了過去。「我跟人約好在市區裡碰面，」他解釋道，旋即到玄關拿了帽子，一溜煙消失在夜色裡。

他本想開那輛跑車，但要去車庫的話，就必須經過黃槿樹下那張長椅。噯，算了，從各方面看，電車內多彩多姿的氣氛應該更有趣吧。

電報局就位於亞歷山大青年飯店同一棟樓下，陳查禮等他到達之後，用約翰昆西的姓名、住址，拍了封電報給第蒙斯市的郵局負責人。完事之後，兩人回到街上，對面公園裡傳來一群年輕人彈奏吉他的聲音，柔聲唱著纏綿悱惻的歌曲，那正是此地生活的最佳寫照。

「勞駕你陪我到飯店大廳好嗎？」陳查禮說道：「我習慣隨時察看一下來此住宿的旅客姓名。」

飯店一進門處有個售菸攤，陳查禮向櫃台走去，約翰昆西則停在那裡拿出菸斗來抽，忽一轉身，恰好看到一位老朋友亞瑟登堡．科普上校，刻正獨自一人坐在大廳裡。科普上校是個英俊出眾的人，身上穿的晚禮服看起來毫無瑕疵，內裡想必有倫敦邦德街的印記。

科普一見到約翰昆西便立刻站起來，走向前來。「嗨，真高興見到你。」他嚷道，殷勤的態度與前兩次判若兩人。「來吧，我們到那裡坐。」

約翰昆西跟了過去。「你不是沒那麼快回來嗎？」他問道。

「比我原先預料的快，」科普回答，「而且順利得很。」

「難道你不用關照島上的群眾嗎？」

「老弟啊，你真的應該去那地方看看，那裡只有三十五名白人，兩百五十名土著，以及一個電報站。晚上你要找點娛樂的話，到哪裡好？」

陳查禮走過來，約翰昆西為雙方介紹，科普上校好客起來。「請坐吧，兩位，」他殷勤的說道，還拿出一個銀質菸盒：「抽根菸吧。」

「謝了，我還是抽我的菸斗。」約翰昆西說，陳查禮恭謹的取一支菸，點燃它。

「我說，老弟，」科普在他們坐下後說：「溫特司禮被殺害的案子可有最新進展？兇手也許抓到了吧？」

「不，還沒有。」約翰昆西回答道。

「噢，那太遺憾了。我呢，呃，我聽說警方扣留一名叫伊根的傢伙。」

「是的，他叫吉姆．伊根，是沙洲棕櫚旅社的負責人。」

「他們懷疑伊根哪一點呢，溫特司禮先生？」

約翰昆西發現陳查禮正用一種很奇特的表情看著他。「噢，警方找到好幾樣東西。」

他含糊答道。

「陳先生，你是警方的一員，」科普上校接著說：「也許你可以告訴我？」

陳查禮的眼睛半眯起來，答道：「這些事情還不適合對外講。」

「噢，是，那當然。」科普上校失望的說。

「你好像對這宗謀殺案很感興趣？」陳查禮說。

「呃，是啊，我想每個局外人都對這個案子感到很疑惑，它可以從好幾個角度來看。」

「你該不會認識丹恩．溫特司禮先生吧？」陳查禮進一步問。

「我嘛，我對他只知道一點，不過那是許多年前的事了。」

陳查禮站了起來。「很抱歉那麼冒昧的問你這麼些問題，」他說道，並轉向約翰昆西，「我們跟人家約的時間好像到了。」

「噢，是啊，」約翰昆西應道。「回頭見了，上校。」他丈二金剛摸不著頭的跟著陳查禮走到街上。「我們跟誰約了——」他才開口，隨即停下來。陳查禮很小心的將手上的菸在飯店牆上按熄，再把菸蒂放入口袋。

「你等一下就會明白，」陳查禮向他保證道。「首先我們先回局裡去，你一面走，一面把你所知有關科普上校的事情告訴我好嗎？」

約翰昆西告訴陳查禮與科普在舊金山俱樂部第一次見面的事，又把還記得的談話內容敘述了一遍。

「他毫不掩飾的說他很討厭丹恩．溫特司禮？」

「噢，他相當坦白，顯然他也不喜歡我堂叔丹恩，不過——」

「然後他緊接著就到夏威夷來——對不起我插嘴了。你知不知道他到達這裡的日期？」

「我知道。我上星期二晚上來找你的時候，就在亞歷山大青年飯店遇到他，那時他正趕著去范寧群島，他說他是前一天中午住進飯店裡的。」

「說清楚一點就是禮拜一中午。」

「是的，是禮拜一中午。可是……你知道這個幹嘛？」

「東摸摸西摸摸，」陳查禮笑道，「用熱熱的雙手抓住事情的真相。」

兩人默默走到警察局，陳查禮帶頭走進哈利組長的辦公室，裡面空無一人。陳查禮直接走向保險箱，打開箱子，從一個抽屜裡拿出幾個小東西，放在組長桌上。

「這是吉姆．伊根的東西，」他把一個褪色的銀質菸盒放在約翰昆西面前，說道：「打開來，你看到什麼？是科西嘉牌香菸。」他又把另一個東西放在約翰昆西面前。「這是在布瑞德先生房間裡找到的罐子。你打開看看，一樣，裡面有更多科西嘉牌香菸。」

他從口袋拿出一個信封，從當中拿出一個菸蒂，同樣放在桌上。「這是在丹恩．溫特司禮住宅門外發現的，」他說道：「也是科西嘉牌的。」

然後他眉頭深鎖的從口袋拿出第二根菸蒂，另外放一邊。「這根菸蒂是亞瑟登堡．科普上校請我抽的，你靠近一點看，又是一根科西嘉牌香菸！」

「老天吶！」約翰昆西嚷道。

「這些科西嘉牌香菸你熟悉嗎？」陳查禮問道。

「我一無所知。」

「我比較有點眉目了。今天下午我到海邊游泳之前，先到公共圖書館隨便翻了一下書報，結果在一份澳洲報紙上看到科西嘉牌香菸廣告。這種香菸有兩種不同的風味，其中一種在罐子上印有222字樣，所用的是土耳其菸草，布瑞德的香菸罐子上印的就是

222。另外一種印著444標記是維珍妮菸草做的。你知道土耳其菸草和維珍妮菸草有所不同吧？」

「喔，我也這樣認為——」約翰昆西說。

「跟我一樣，不過呢，光認為是不夠的。現在這個時候非常重要，我們要詢問一下專家的意見。勞你的駕陪我到賣香菸的店裡跑一趟吧。」

他從布瑞德的罐子裡取出一根香菸，放入一個信封袋裡，並在信封上寫幾個字，然後又從伊根的菸盒裡取出一根，做同樣的動作。另外兩根菸蒂也如法炮製。

兩人默默的走到街上，約翰昆西對這個轉折十分驚訝，直嘀咕這個點子太荒謬了。但陳查禮臉卻一本正經，眼睛炯炯有神且充滿了期待。

他們進到一家商店，和那位賣香菸的年輕人好好討論一番，出來後的約翰昆西更加驚訝了，陳查禮這下更得意起來。

「我們又向前推進了！他說的你都聽到了吧，布瑞德罐子裡的菸跟伊根菸盒裡的小兄弟成分一樣，都是土耳其菸草。屋外走道上的菸蒂成分是維珍妮菸草，科普上校好客請我抽的那根菸也一樣！」

「我做夢都沒想到，」約翰昆西答道：「老天，這樣子伊根就沒事了，那對凱洛妲真是個好消息，我得趕快到沙洲棕櫚去告訴她。」

「噢，不行不行，」陳查禮阻止道。「請你讓這快樂的時刻稍等一下，目前這階段只能保持沉默。在還沒要科普上校提出說明之前，我們先監視他每一個舉動。不知不覺之間才能揭露出更多東西來，我到局裡面安排一下。」

「但是科普是個正人君子啊，」約翰昆西嚷道：「他是英國海軍總部的上校軍官，你那個想法是不可能的。」

陳查禮搖一搖頭。「在波士頓的貝克灣區才不可能，」他說：「但這裡是太平洋上的十字路口，情形和波士頓不同。我這輩子有二十五年待在夏威夷，原本說不可能而後來卻發生的事，我就親眼見過好多次。」

【第十七章】 檀香山的夜生活

星期一的到來並沒有為案情帶來新的發展，約翰昆西心神不寧的過了一天，幾次打電話到警局找陳查禮，但人總是不在。

晚報上說檀香山熱鬧極了，其中並沒有提到溫特司禮的案子，令約翰昆西驚訝不已。一支美國艦隊駛離了聖斐卓港，正向著夏威夷進發，那是安納波里海軍官校畢業生的年度巡航，戰艦上載滿未來的軍艦艦長和司令。他們將在檀香山逗留好幾天，一連串歡騰的社交節目很快就要展開——晚宴、舞會、月光游泳派對。

芭巴拉整天不見人影，沒有跟他們一起吃早餐，午餐則是跟一位朋友在海邊那裡吃。吃晚飯時倒是見面了，但是在約翰昆西看來，芭巴拉似乎比往常更為疲累，臉色更為蒼白。她談到艦隊即將到來的事。

「每次都是快樂時光，」她企望的說：「城裡一夕之間充滿了英俊的男孩，每一個都穿著制服。約翰昆西，我可不希望你錯過那些派對，否則你就看不到檀香山最熱鬧的一面了。」

「噢，我覺得還好嘛。」約翰昆西說。

她搖搖頭。「我可不一樣。你知道，我們這裡的人可不是傳統的奴隸。我想我去幫你弄幾張邀請卡吧，姑媽妳認為怎麼樣？」

「我已經是老女人了，」明諾薇說：「以你們年輕人的標準，我想很適合吧，不過我的觀念並不認可這樣的行為。現在我每天——」

「妳不用操心了，芭巴拉，」約翰昆西打岔道：「派對對我來說可有可無。至於說到老女人，我自己就是老男人，再過個生日就三十了。手拿菸斗、腳穿拖鞋、坐在火爐旁邊——或者說電風扇旁邊，那就是我所要求的生活。」

芭巴拉笑了起來，把話題擱在一邊。晚飯過後，她隨約翰昆西走到涼台。「我想請你幫我做一件事。」她說道。

「請儘管說。」

「麻煩你去跟布瑞德先生談一下，把他想要的告訴我。」

「嗄，我以為堅尼森他——」約翰昆西說道。

「噢，我沒有要他去談，」芭巴拉沉默良久，然後說：「我想告訴你，我不打算跟堅尼森先生訂婚了。」

約翰昆西猛聽之下，背脊一陣凜然。老天——昨天晚上那一吻！芭巴拉難道誤會了嗎？他當時並不是有意的，只不過是平輩之間的表示——至少一開始是這樣。沒錯，芭巴拉的確是位可愛的女孩子，但她是堂妹，溫氏家族的一員，堂兄妹就算關係再怎麼疏遠也不應該結婚，更何況還有個艾嘉莎。他在道義上必須忠於艾嘉莎。他現在是陷入什麼處境呢？

「聽到妳這麼說，我真的很惋惜，」他說：「只怕要怪我——」

「噢，那不能怪你。」芭巴拉不同意。

「可是堅尼森先生應當理解吧，他知道我們是親戚，昨晚他看到的，並不是那麼回事。」他發現他這些話講得挺漂亮的，感到相當自豪。

「這件事別再提了好嗎，希望你不要介意。」芭巴拉說：「我和何瑞不結婚了，至少目前如此。而假如你肯替我去見一下布瑞德先生的話——」

「我當然會去，」約翰昆西允諾道，「我現在立刻就去見他。」他樂得出門，因為現在月亮正爬向「魅力令人心碎」的位置。

他沿著海邊走時忽然想到，身為男人行事應當更為謹慎才是，就像陳查禮講的，本身先做好應變的武裝。在離家那麼遠的熱帶土地上，人往往會有莫名的衝動，向衝動投降是軟弱。紛擾會相繼而來，就像夜以繼日一樣。眼前芭巴拉和堅尼森的破裂就是一個例子，原因相當清楚。嗯，他要更留心自己的腳步才是。

沙洲棕櫚旅社一樓陽台的盡頭處，布瑞德和他太太並坐在幽暗之中，約翰昆西走到兩人面前。

「布瑞德先生，我可以跟你談一下嗎？」

布瑞德從臆想中回過神來，仰頭看著他。「嗄，喔，好啊——」

「我是約翰昆西．溫特司禮，我們先前見過。」

「噢，是的，是的。」布瑞德起身和他握手。「親愛的，」他轉身向太太開口，那女人嚴厲的目光掃過約翰昆西一眼，逕自走了。約翰昆西彷彿被針扎了一下，在波士頓，一個溫氏家族的人從未受到冷眼相待。唉，這種情形在夏威夷因丹恩・溫特司禮而為之改觀。

「坐吧，先生。」布瑞德說，太太的行為使他有點不好意思。「我正等著你這個姓氏的人來跟我接觸。」

「那當然啊。來根香菸吧，先生。」約翰昆西遞出自己的菸盒，菸點著後，他坐在布瑞德身邊。「我到這裡來，自然是為了星期六晚上你所講的那個故事。」

「故事？」布瑞德佛然道。

約翰昆西露出笑容。「請不要誤會，我並不是質疑它的真實性，不過我要講的是，布瑞德先生，你一定很清楚這件事如果上法庭的話困難並不少，一八八〇年代距離現在相當遙遠。」

「你說的也許是實情，」布瑞德同意道。「我比較依賴的是，這一場官司將會使溫氏家族在聲譽上受到相當不愉快的影響。」

「你說得很對，」約翰昆西點點頭。「我是受芭巴拉・溫特司禮小姐之託而來的，芭巴拉是丹恩．溫特司禮唯一的繼承人，她的為人相當不錯——」

「那個我並不質疑。」布瑞德忍不住打岔道。

「如果你的要求並非不合理的話——」約翰昆西頓了頓，上身靠前了些。「布瑞德先生，你究竟想要些什麼？」

布瑞德摸了一下灰白下垂的八字鬍。「金錢並不能使丹恩．溫特司禮的所作所為轉惡為善，」他說道：「但是我老了，晚年感到在經濟上有保障對我來說很重要。我並不想窮追猛打，既然丹恩．溫特司禮過世了。這件事情關係著兩萬英鎊，四十多年來的利息我也不計較了，用十萬美元來解決，我想是可以接受的。」

約翰昆西想了一想。「我無法替我堂妹很肯定的答應下來，」他說道：「不過就我而言，那似乎相當合理。我確信芭巴拉會給你那筆錢的。」他看到布瑞德疲憊的眼神幽暗中一下子明亮起來，「只要等到殺死丹恩．溫特司禮的兇手被抓到的時候。」他趕緊補充。

「你那是什麼意思？」布瑞德跳起來。

「我說的是當這個案子真相大白時，她會很願意把錢付給你。在那之前，你當然也不期望她那麼做吧。」約翰昆西也站了起來。

「我當然希望！」布瑞德嚷道。「喂，你聽我說，這件事說不定會拖個沒完沒了。我要回英國去，逛河濱大道、畢卡第利廣場，我已經有二十五年沒看到倫敦了。要我等！該死的，憑什麼要我等！這件謀殺案干我什麼事！老天爺，你——」他怒火中燒的走向前，挺立著，簡直就是人口販子湯姆·布瑞德的兒子。「你這是在暗示我——」

約翰昆西鎮靜的看著他。「我知道你無法證明兇案發生那天凌晨你人在哪裡，」他沉著的說。「我這樣講並非想暗示什麼，不過我當然會勸我堂妹得等到水落石出。我不想看到她萬一把錢給了殺父仇人。」

「我要告，」布瑞德嚷道：「我要到法院去告——」

「儘管去吧，」約翰昆西說道：「不過那會花掉你積蓄下來的每一毛錢，最後還會敗訴。晚安了，先生。」

「再見！」布瑞德答道，站立的樣子宛如他父親屹立在須羅少女號的甲板上。

約翰昆西轉身離開陽台，才走到一半，就聽到背後響起急促的腳步聲。他轉過身去，是布瑞德，在印度那個蒸籠辛苦勞碌了三十六年的英國公務員，一個挫敗、無助的人。

「你說服我了，」他伸手搭在約翰昆西的胳臂上，「我不能到法院告。我太累，太老，被工作整慘了。任憑你堂妹要給我多少，什麼時候給，我都依你們就是了。」

「你這個決定非常明智，布瑞德先生，」約翰昆西答道。一陣突如其來的不忍在他心中浮現，就像對艾琳．康普敦般的同情。「我希望你很快就能回到倫敦。」他又加了一句，伸出了右手。

布瑞德與他握手。「謝謝你，年輕人。你實在是個好人，即使你姓的是溫特司禮。」

那是不無遺憾的讚許，約翰昆西走進旅社大廳時如此回味著。

不過他也沒有為此煩心多久，因為凱洛妲．伊根正坐在櫃台後面，抬頭看到他時露出了笑容，約翰昆西發覺她似乎比那天在奧克蘭渡船上相遇時還要愉快。

「嗨，」他說道：「妳的記帳工作還順利嗎？」

她搖搖頭。「現在的問題不是那個了。我正在算員工薪水。你知道，威基基這裡是沒什麼伏波暗流的，可是我一輩子都得擔心當頭的大浪。」

約翰昆西笑了起來。「你說話的口氣真像同濟會會員。咦，有什麼好事情嗎？妳似乎挺高興的。」

「是啊，」她回答道：「我今天早上去那個可怕的地方看我爸爸，要離開的時候，正有一個人要探視他。那個人我從來沒見過。」

「從來沒見過？」

「是啊，我從來沒見過那麼英俊的人，個子很高、灰頭髮，一副精明能幹的樣子，而且態度友善，一看到他我的心情就好多了。」

「他是誰？」約翰昆西突然感到很好奇，問道。

「我以前沒見過他，可是那裡的人告訴我說他是英國的海軍軍官科普上校。」

「科普上校為什麼去看妳父親？」

「我不知道。你認識他嗎？」

「是的，我見過。」約翰昆西告訴她。

「你不覺得他長得很英俊嗎？」她的黑眼眸射出光彩。

「噢，他是挺不錯的，」約翰昆西不很有勁的答道。「妳知道嗎，我不禁覺得妳的情況越來越好轉了。」

「我也這麼覺得。」她說。

「我們去慶祝慶祝，妳看怎樣？」他提議道：「去加入外面那些人，品嚐一下夜生活的滋味吧，我老是跟警方打交道，受不了了。這裡的人晚上都怎麼過的？看電影嗎？」

「現在的話，」凱洛妲告訴他：「大家都會去邦納胡看夜晚開花的仙人掌，你知道嗎，仙人掌開放的季節到了。」

「聽起來今晚挺熱鬧的，大家都去賞花。」約翰昆西笑道：「嗯，我也要去看看，妳要不要一起去？」

「好啊。」凱洛妲向櫃台交代了幾件事，和他一起出門。「我可以跑回家去把跑車開來。」約翰昆西提議道。

「噢，不要，」她笑道。「我這輩子肯定不會有自己的車，要是坐你的車，說不定會變得不知足。我的交通工具是電車，而且搭電車很好玩，你可以看到很多有趣的人。」

歐胡學院校園外的圍牆，這種花期只有一個夏日夜晚的奇異花卉開得一片雪白。他們要出發時，約翰昆西本來也只視若等閒，不甚熱衷，可這下他知道自己錯了，因為這裡的美，美得令人驚訝，而且罕見。圍牆前面聚著一大群賞花的人，他們也加入行列。

凱洛妲是個可愛的同伴，她精神煥發，興致高昂的絮聒不已，雖說她談的並非蕭伯納和畫廊美展之類的話題，卻也都是約翰昆西愛聽的。

之後他請凱洛妲到市區去吃了一客冰淇淋蘇打，回到海濱區時已經晚上十點了。他們在離沙洲棕櫚旅社還有一小段路的站牌下車，慢慢逛回去，人行道右側種著一整排灌木，花葉茂盛得幾乎風穿不透。夜色沉靜，街燈明亮，街道在月光的照耀下其色如銀。約翰昆西在談著波士頓。

「我想妳會喜歡那裡的，那裡雖然古老，凡事都已定型，不過——」

忽然，在他們旁邊的花木叢裡有人開了一槍，火花乍現，約翰昆西聽到子彈從他頭部附近嘶的飛過，未幾又是一個火花，另一顆子彈飛過。凱洛妲低聲驚呼。

約翰昆西雙手環住她，撲進花叢裡，猛覺得一大堆小樹枝拍擊著他的臉。他停住不動，不願讓凱洛妲落單。片刻後，他恢復到她身邊的位置。

「那是怎麼回事？」他驚愕的問，注視著眼前的一片平靜。

「我——我不知道。」凱洛妲抓住他的手臂。「來，快點！」

「妳不要怕。」他安撫道。

「我自己並不怕。」凱洛妲答道。

兩人滿腔疑惑的走回旅社，才剛進入大廳，可又出現另一個費解的情況了，因為亞瑟登堡．科普上校就站在櫃台那裡，一見到他們立刻趨前。

「我想這位就是伊根小姐了。喔，溫特司禮，你好嗎？」他又回到了凱洛妲身上。「不太麻煩的話，我想要一個房間。」

「噢，」她愣了一下，「好啊，沒問題。」

「我今早和妳父親談了一下。他發生這個麻煩，我是搭船到范寧群島前才知道的，所以我盡快趕回來。」

「你特地趕回來——」凱洛妲注視著他。

「是的，我要回來幫他。」

「非常感謝你的好意，」她說道：「可是我恐怕不明白——」

「噢，是啊，妳當然不明白。」科普上校低頭對她笑道：「妳知道嗎，吉姆是我弟弟，那妳就是我侄女了，妳的名字叫做凱洛妲．瑪莉亞．科普。我想我已經說服老吉姆恢復我們本家的姓了。」

凱洛姐睜大了黑眼睛。「我——我想你是個非常好的伯伯。」她最後說。

「妳真的這麼想嗎?」科普上校點了個頭。「我會努力做到這點的。」他又說道。

約翰昆西走上前去。「對不起,」他說道:「我想我還是別打擾你們比較好。祝你晚安,上校。」

「晚安,小伙子。」科普回答道。

凱洛姐陪約翰昆西走到陽台。「這——這件事我不知道要怎麼辦?」她說道。

「事情太突然了。」約翰昆西同意道,他想起科西牌香菸那件事。「我不太信得過他。」他警告道。

「可是他人看起來那麼好——」

「噢,那他或許沒問題吧,不過人的相貌往往帶有欺騙性。好了,我得走了,讓妳去跟他談談吧。」

她伸出黝黑修長的手放在約翰昆西的手臂上。「你務必要小心!」

「噢,我不會有事的。」他告訴她。

「可是有人向你開槍。」

「是啊，不過他也未免射得太不準了。妳不必為我擔心。」凱洛妲和他非常的靠近，眼睛在黑暗中發亮。「妳剛才說妳自己並不怕，」他又說道：「妳的意思是——」

「我的意思是，我擔心的是你。」

此時的月光皎潔，在貿易風的吹拂下，可可亞樹的扇形葉都被吹得轉過頭去，附近威基基的海灘上海水正低聲的湧動著，來自波士頓並自稱與浪漫免疫的約翰昆西把女孩拉近身邊，親吻了她。那同樣不是手足之情的吻——又何必是呢？凱洛妲又不是他堂妹。

「謝謝你，親愛的。」他說道。他感到有點暈眩，宛如神遊太虛一般，也許他該伸手摘下幾顆星星送她。

瞬間他又想到，儘管他有堅定的決心，卻還是重蹈覆轍：親吻另一位女子。如此一來他親吻過的女子已達三個之多——他不禁為這個記錄困擾起來。

「晚安！」他口乾舌燥的說，隨即縱身一躍越過欄杆，沒命的衝進花園。

到現在為止他已經親吻過三個女人——但卻沒有絲毫悔意。他終於找到了生活的意義。當他沿著海邊在黑暗中奔行時，心裡頭輕快不已，他一度意識到有人在背後跟蹤，但是並沒有放在心上。跟蹤，那又怎樣？

回到家，他在臥房的書桌上看到一封信，他的姓名用打字機打在信封上。信裡面內容也是用打字的，他唸道：

「你在本地活動的內容已經超越了分寸，夏威夷自能料理本身的事務，用不著馬里希尼插手。此地幾乎每天都有船隻出航，假如你在收信的四十八小時之後，仍然在此地逗留的話——注意了！今晚那兩槍只是對空射擊而已，需要的話瞄準點將迅速修正！」

約翰昆西心情輕鬆的把那封信扔在一旁，想恐嚇他，是吧？看來他的偵探工作已經頗有成效，記得高拉那時露出惡毒的眼神說：「你竟敢向警察告密，我不會忘記的！」而明諾薇姑媽也引述丹恩．溫特司禮的話說：「文明是吧——那是有的。但是在最深最深的底層，也仍然有泉水在黑暗之中流動著。」

幾乎每天都有船隻出航，是嗎？好吧，那就讓它們出航吧。他有朝一日也會搭船離開此地，但必須等到他把殺害丹恩．溫特司禮的兇手繩之以法再說。

現在生活上又有一個令他著迷的東西了。注意？他是在注意著，而且還引以為樂哩！當他脫下外套時，他開心的對著自己笑了起來，這比起在波士頓賣股票還要好哩。

【第十八章】美國本土傳來的電報

第二天早上九點，約翰昆西一醒來便立刻從蚊帳裡鑽出來，興沖沖的想面對新的任務。靠近書桌的地板上躺著那封要他趁早滾蛋的信，他撿起來饒有興致的又讀了一遍。

當他來到飯廳時，哈庫告訴她明諾薇和芭巴拉一大早便吃過早餐，相偕到城裡逛街購物去了。

「我說，哈庫啊，」約翰昆西說：「昨晚很晚的時候有人送了一封信給我是吧？」

「是……是的。」哈庫應承道。

「是誰送來的？」

「不知道欸。那封信是在玄關靠近大門口的地上發現的。」

「是誰發現的？」

「卡麥桂。」

「噢，原來如此，是卡麥桂。」

「我要她放在你臥房裡。」

「卡麥桂有看到是誰送來的嗎？」

「沒看到，當時玄關那裡沒人。」

「好吧，我知道了。」約翰昆西說。

他在涼台上一面抽菸斗一面看報紙，度過了閒適的時光。大約十點半的時候，他把跑車開出家門，直奔警察局。

招呼他的人說，哈利組長和陳查禮正在跟檢察官談事情，他於是坐下來等，沒過多久便讓請去裡面跟他們一起商量。進了葛林的辦公室，他看到三個人都一臉陰鬱的在書桌旁坐著。

「嗯，我想我也夠資格稱作是警探了。」他開口道。

葛林立即抬起頭來。「發現什麼新案情了嗎？」

「不完全是，」約翰昆西坦承道。「不過我昨晚跟一位小姐走在卡華卡拉大道上時，有人在樹叢後面胡亂向我開了兩槍，結果回家後看到這封信。」

他把那封信交給哈利，哈利看過之後露出十分厭惡的表情，隨即拿給檢察官看。

「那並沒有把我們帶到任何地方。」哈利說道。

「那卻可能會把我帶到某個地方，萬一我不小心的話。」約翰昆西回答道，「不過呢，我倒是引以為傲的，那似乎是說我的偵察工作已經擊中某人的要害了。」

「也許吧！」哈利滿不在乎的答道。

葛林把信放在書桌上面。「我的建議是，」他說道：「你應該帶一把槍。當然啦，那並不是官方所認可的。」

「別開玩笑了，我才不害怕呢，」約翰昆西告訴他，「我倒是猜得出這玩意兒是誰送給我的。」

「哦，是嗎？」葛林問道。

「沒錯，他就是狄克．高拉，哈利組長的一個朋友。」

「豈有此理，你為何說他是我的朋友？」哈利怫然道。

「嗯，你前兩天對他挺體貼的嘛。」

「我自然有我的分寸。」哈利不高興的說。

「但願如此。不過他要是哪天晚上餵我吃了顆子彈，我就會讓你相當頭痛了。」

「噢，你安啦，」哈利回答，「只有孬種才會去寫這種匿名信。」

「是啊，也只有孬種會躲在樹叢後面開槍，不過那並不表示他瞄不準喔。」

哈利拿起信來。「這個我收起來，也許它可以當作證據。」

「那當然好，」約翰昆西同意。「依我看，你也沒得到多少證據嘛。」

「誰說的？」哈利憤懣的說道：「我們在科西嘉牌香菸上面已經有相當重要的發現。」

「噢，我可不是說陳先生不行，」約翰昆西笑道：「他查出那件事時，我跟他是一道的。」

一名穿制服警員出現在門口，向葛林報告說：「長官，伊根和他女兒，以及一位科普上校到了，要見他們嗎？」

「帶他們進來吧。」葛林吩咐道。

「我也想在場旁聽，希望你不要介意。」約翰昆西說。

「噢，沒問題，」葛林回答道：「少了你，我們案子就辦不了了。」

警員把伊根帶到門邊，這位沙洲棕櫚旅社的主人走進了辦公室。他的臉顯得憔悴而蒼白，想是連日拘留的緣故，然而眼神裡依然燃燒著頑固的火苗。在他身後進來的是凱洛妲·伊根，清新漂亮，且帶有一種新的自信。科普上校跟在最後面，高大、自負，看起來相當有能力與決心的一個人。

「我想這位就是檢察官吧，」他說道：「啊，溫特司禮先生，我好像走到哪裡都會碰到你。」

「我在這裡你不介意吧？」約翰昆西問道。

「一點都不介意，小伙子。我們這件事不會耽擱太久。」他轉向葛林，「我先自我介紹好了，」他接著說：「我是亞瑟登堡·科普上校，目前在英國海軍總部任職，而這位先生——」他頭朝著沙洲棕櫚旅社的主人點了點，「是我弟弟。」

「真的嗎？」葛林說道。「據我所知，他本人姓的是伊根。」

「他的全名是詹姆斯·伊根·科普，」科普上校回答道。「多年前放棄了科普這個姓氏，當中的原因現在對我們來說已經無所謂了。我來這裡想說的只不過是，長官，你們扣留我老弟的理由實在是太薄弱，我走遍世界各地碰都沒碰過。萬一必要，我打算聘請檀香山最好的律師，在今晚之前讓他獲得自由。不過呢，我還是想給你們最後一次機會將他釋放，省得讓你們荒謬的偵查工作曝光，面子上不好看。」

約翰昆西看了一眼凱洛妲．伊根，她兩眼發亮，不過沒有看向他這裡，而是注視著科普上校。

葛林的臉色有點發紅。「上校，虛張聲勢一向是不錯的策略。」他說。

「喔，那你承認你們的做法是在虛張聲勢囉？」科普上校立刻說道。

「我指的是你剛剛的態度，先生。」葛林回答道。

「喔，原來如此，」科普說：「我可以坐下來吧，希望你別介意。據我所知，你們認為有兩件事情對我老弟很不利，第一件是謀殺案發生那天晚上他去見了丹恩．溫特司禮，現在卻又拒絕透露見面時談了些什麼；另一件則是你們在死者客廳側門外的走道上發現了科西嘉牌香菸的菸蒂。」

葛林搖搖頭。「只有第一件才是，」他回答道：「科西嘉牌香菸不再是對伊根不利的證據了。」他突然俯身據在書桌上，「它反倒是對你不太有利的證據了，親愛的科普上校。」

科普上校毫不畏懼的面對著葛林的逼視。「喔，真的嗎？」他說道。

約翰昆西發現凱洛姐眼睛裡乍然出現一絲驚異。

「正是如此，」葛林接著說：「我非常高興閣下今天早上前來造訪，我正想跟你好好談一談呢。聽人家講，你曾經表示對丹恩．溫特司禮這個人強烈的厭惡。」

「也許有吧，我確實很討厭他。」

「為什麼呢？」

「身為英國戰艦上的一員，我聽過不少澳洲人談到一八八〇年代所發生的事，丹恩．溫特司禮這個人可說臭名遠揚。有個可靠的傳聞說，他在須羅少女號船長死後，把船長的財產全部占為己有。也許我們是有點吹毛求疵，但是這一類事情我們在海上生活的人忘不了的。除此之外，還有一些稀奇古怪的事則是和他販賣奴隸的犯罪活動有關。沒錯，我親愛的長官，我的確打心眼裡討厭丹恩．溫特司禮，這話我以前要是不曾講過，那我現在已經當面講出來了。」

「你是一個星期之前，也就是星期一中午來到檀香山的，」葛林接著說：「然後第二天就離開了，在這段期間，你曾經去找過丹恩．溫特司禮嗎？」

「沒有。」

「喔，原來如此。我可以告訴你，在伊根菸盒子裡發現的科西嘉牌香菸是土耳其菸草。至於在丹恩．溫特司禮謀殺案現場附近找到的菸蒂，則是維珍妮菸草。還有呢，我親愛的科普上校，上星期天晚上，你在亞歷山大青年飯店請我們的探員陳查禮抽的，也是用維珍妮菸草做的科西嘉牌香菸。」

科普上校看著陳某，露出了微笑。「你還真的什麼都查嘛，嗯？」

「那不干你的事！」葛林嚷道，「我要你解釋清楚。」

「道理非常簡單，」科普回答道：「我本來就要講的，結果你卻莫名其妙的盤問起來。你們在丹恩．溫特司禮家的門外發現的當然是維珍妮菸草做的菸，因為我從不抽別種菸。」

「什麼！」

「那沒什麼好懷疑的，長官，那根菸蒂正是我扔的。」

「可是你剛才說你並沒有去找過丹恩・溫特司禮。」

「那是實話，我並沒有去找他。我找的是明諾薇・溫特司禮女士，她來自波士頓，是他家的客人。其實呢，我是在上星期一下午五點的時候跟她一起喝下午茶的，不信你可以打電話向那位女士查證。」

葛林看了一眼哈利，哈利看了一眼電話，然後很生氣的轉過頭來向約翰昆西問道：「天殺的，她為什麼沒有告訴我！」

約翰昆西露出笑容。「我也不知道，組長。也許她根本沒想到科普上校會跟這件命案扯上關係。」

「她也不可能想得到，」科普上校說：「我跟明諾薇女士先是在客廳裡喝茶，然後走到外面庭院，坐在長椅上，聊了一些以前的事情。等到要回屋裡時，我正好抽著一根菸，就順手丟在客廳的側門外。明諾薇女士有沒有注意到這個舉動，我就不清楚了，可能她沒有吧，這種事誰會記得?你可以打電話向她問問看，假如你想要的話，長官。」

葛林又看哈利一眼，哈利這回搖搖頭。「我稍待一會再找她談。」這位刑事組組長說，很顯然他先前與明諾薇女士談得不太愉快。

「不管怎樣，」科普接著對檢察官說：「你必須放棄把香菸當作不利於我老弟的證據，而剩下來的就是他的緘默——」

「是的，他的緘默，」葛林打岔道：「而且死者還向人表示過他相當畏懼吉姆·伊根。」

科普上校皺起眉頭。「真的嗎，他曾經說過那樣的話？」他思考片刻。「好吧，那又怎麼樣？溫特司禮是有理由懼怕一大堆誠實的人。這樣不行的，親愛的長官，你除了我老弟保持緘默之外並沒有懷疑他的理由，而且那理由不夠充分。我要求——」

葛林舉起手來。「等一等，我剛才說你虛張聲勢，現在我仍然認為如此。你再假設下去，只是侮辱你的智慧罷了。你老弟不肯吐露他跟死者的關係，再加上他很可能是最後一個看到溫特司禮還活著的人，用這兩個事實來羈押他，理由已經很充分了，以你對法律的了解，當然很清楚才是。我光用那兩個理由就可以羈押他，現在也正在羈押他，而且我告訴你，親愛的上校，我會繼續羈押他，直到地獄結成冰為止。」

「非常好，」科普上校站起來說。「我要聘請一位能幹的律師——」

「你當然有那個權利，」葛林嘖道，「再見！」

科普上校停了下來，他轉向伊根。「吉姆，那意味著這件事會更受到注意了，」他說道：「而且時間會拖下去，讓凱洛姐更加痛苦。而既然你做的每件事都是為了她——」

「你怎麼知道？」伊根著急的問。

「我猜的，我可以把好幾件事串起來，二加二等於四，吉姆。凱洛姐要隨我回英國唸點書，你說錢由你來付，可是你沒有錢。吉姆，你的自尊又在作祟了，那會帶給你一輩子的麻煩。你為了錢，於是想到溫特司禮。我現在開始看出來是怎麼回事了，丹恩・溫特司禮有小辮子在你手裡，於是你那天晚上到他家去——」

「去敲詐他！」葛林道。

「那並不是正大光明的事，吉姆，」科普接著說：「可是你並不是為了自己。凱洛姐和我都曉得如果事情讓人知道了，你寧可馬上去死。可是你是為了女兒才出此下策，我們兩個都會原諒你的。」他轉頭向凱洛姐說：「妳說是不是，乖孩子？」

女兒眼睛裡充滿了淚水，她站起來親吻父親，「噢，老爸！」

「得了吧，吉姆，」科普上校乞求道：「把面子忘掉，就這一次好不好？說出來，然後你就可以跟我們一起回家。我相信檢察官會為你保密，不讓這件事情見報。」

「我已經向他保證過一千次了。」葛林說道。

伊根抬起頭來。「我才不管報紙會怎麼寫，」他解釋道：「重要是亞瑟你，還有凱洛妲，我不想讓你們曉得。可是你既然猜出來，凱洛妲也知道了，那我還是統統講出來好了。」

約翰昆西站了起來。「伊根先生，」他說：「假如你不希望我聽到的話，我可以離開這個房間。」

「坐下來吧，小伙子，」伊根回答道：「凱洛妲告訴我說你對她很好，更何況，那張支票你也看到了——」

「什麼，什麼支票？」哈利驚叫道，兩條腳條的彈了起來，站在約翰昆西面前。

「我有諾言在先，不能夠講出來。」約翰昆西沉靜的說。

「豈有此理！」哈利咆哮道：「你和你那個姑媽真是絕配。」

「你等一下吧，哈利，」葛林打斷道，「好了，伊根，噢，是科普，噢，不管你現在到底叫什麼，我正等著聽你怎麼講。」

伊根點點頭。「一八八〇年代，我在澳洲墨爾本的一家銀行裡當出納員，」他說道：「一天有個年輕人來到我的櫃台，自稱威廉斯或諸如此類的名字。他帶來一個皮革袋子，裡面裝滿金幣，有墨西哥、西班牙和英國的，其中有些金幣上面還沾滿污泥，他要我把這些金幣兌換成鈔票，而我也照辦。他來了好幾次，每一次都拿同一個袋子，反覆做同一種交易。我那時候也沒有多想，雖然他試圖給我一大筆小費，確實讓我起了疑心。

「一年後，我離開那家銀行去到雪梨，聽說了丹恩．溫特司禮在須羅少女號所做的醜事的傳聞，我忽然想起，那個威廉斯和丹恩．溫特司禮說不定是同一個人。但是後來似乎沒有人因此遭到起訴，大家也認為那到底是骯髒錢，湯姆．布瑞德原本就不是用正當的方法賺來的。所以我並沒有把我碰到的事講出去。

「十二年後，我來到夏威夷，人家向我指出那個人就是丹恩．溫特司禮，而丹恩．溫特司禮果然就是威廉斯。他也認得出我。可是我並不是個藉機敲詐的人。亞瑟，我曾窮困潦倒過，但是我向來不玩髒的，因此把事情擱一邊。這樣過了二十多年，什麼也沒發生。

「後來，在一個多月前，我老家的人終於找到我了，亞瑟寫信給我說他要來檀香山看我。我一直覺得我對不起女兒，她沒有得到應有的待遇。我想讓她去見我的老母親，在英國受一點教育，於是我寫信給亞瑟，而這件事也安排好了，我不願意承認我一事無成，沒有能力為她做任何事，所以我在信上說我要負擔她此行所有開銷。可是我——我連一毛錢也沒有。

「結果布瑞德來了，冥冥之中若有定數。我想我可以把我遇到的事當作情報賣給他，但是跟他談過之後，我發現他沒什麼錢，溫特司禮最後還是會打敗他。那怎麼行，溫特司禮是我的——他以及他那來路不正的財富。我不知道我是怎麼搞的，也許是發神經吧，我覺得這個世界欠我，而我自認那是為了女兒，不是為了自己。我於是打電話給溫特司禮，跟他約在星期一晚上見面。

「但是有些東西，或許是活了一輩子的生活信條，是很難加以改變的。當我剛打完電話給他，立刻就後悔了。我想懸崖勒馬，告訴自己一定還有別的辦法可想，也許可以賣掉沙洲棕櫚旅館；總之，我又打電話給他，說我不去了。但是他非常堅持，所以我還是去了。」

「當時我並沒有開口說要什麼。可是他知道。他已經開好一張支票等我前去，那張支票支付金額是五千美元，凱洛妲此後的幸福和機會就全依賴它了。於是我拿了支票離開，然而覺得很羞愧。我這樣講也不是為自己的行為找下台階，總之，我相信我不會把那張支票拿去兌現。後來凱洛妲在我書桌找到支票，並拿來給我，我就立刻撕了。全部的事情就是這樣。」他將疲憊的雙眼看向女兒。「凱洛妲，我這麼做全是為了妳，可是我不願意讓妳知道。」女兒上前擁住了他，破涕微笑。

「假如你從一開始就告訴我們，」葛林說：「你可以幫大家省去好多麻煩，連你也包括在內。」

科普上校站了起來。「我說，檢察官閣下，現在真相已經大白，你該不會再扣留他了吧？」

葛林立刻站起來。「不了，我立刻就安排交保。」葛林和伊根一起走出辦公室，哈利和科普也跟了過去。約翰昆西向凱洛妲．伊根伸出手來——他仍然認定那是她的姓名。

「我真是為妳高興。」他說。

「你馬上就會來看我嗎？」凱洛妲問道：「到時你會看到非常不一樣的女孩子，比較像你在奧克蘭渡船上遇到的那位。」

「那個女孩子是很漂亮，」約翰昆西回答道。「不過她理當那樣，因為她擁有妳這雙眼睛。」忽然他想起了艾嘉莎・派克。「不管怎樣，現在妳父親已經自由了，」他又補充一句，「妳也用不著我了。」

凱洛妲笑著仰頭看他，「我有點懷疑。」隨後走了出去。

約翰昆西轉向陳查禮。「看吧，就是這麼回事，」他說道，「我們現在置身在哪裡了？」

「就我個人而言，」陳查禮笑道：「我仍然跟往常一樣在原處不動。伊根就是殺人兇手的推論，我從未有過好感。」

「但哈利卻是如此，」約翰昆西答道，「今天早上他晦氣透了。」

他們在小接待室看到這位刑事組組長，他老兄顯得很不高興。

「我們剛才正在談你那個伊根理論呢，」約翰昆西愉快的說：「現在你還有哪些線索？」

「喔，我線索多著咧！」哈利咆哮道。

「是啊，結果你的線索一個接一個化為烏有，從來賓名錄上撕下來的那張紙，那枚胸針，被撕去一角的報紙，桃金孃木盒子，現在則是伊根和科西嘉牌香菸。」

「喂，伊根可還沒擺脫嫌疑咧。我們現在雖然沒辦法扣留他，但是我可沒把他忘掉。」

「算了吧，」約翰昆西笑道。「我問的是你還剩下哪些線索。從手套上掉下來的一粒鈕扣，看來沒什麼用。手套也許早被銷毀了。另外就是那隻夜裡會發螢光的手錶，錶面上那個2有點缺損。」

陳查禮的黑眼睛半瞇起來。「基本線索，」他自言自語，「記得我是怎麼說的。」哈利一拳捶在桌上。「一定是了——那隻手錶！假如戴那隻錶的人知道有人看見了，我們說不定再也找不到了。但是我們一直祕而不宣，說不定他還不曉得，這是我們唯一的機會。」他轉向陳某。「當初為了找那隻錶，我這幾個島都搜遍了，」他嚷道：「現在我要整個再來一次。珠寶銀樓、當舖、上天下地每一個角落，老陳，你去把這件事推動起來。」

陳查禮儘管肥胖，行動起來卻很敏捷。「我會積極的推動。」他保證道，隨即離開。

「好吧，祝你們好運！」約翰昆西動身準備離去。

哈利發起牢騷來，口不擇言的說：「你去跟你那個姑媽講，說我現在火藥庫爆炸了！」

此一訊息約翰昆西在吃午飯時並沒有機會傳達，因為明諾薇和芭巴拉人還在城裡。等到當天晚上吃過飯後，他才引著姑媽到黃槿樹下的長椅上坐下來談。

「我說姑姑，」他說道：「哈利組長對你非常感冒。」

「我也對他非常感冒，」他姑媽說：「所以我們算是扯平了。他主要在抱怨什麼？」

「他認為妳自始至終都曉得是誰把科西嘉牌香菸丟在門外。」

明諾薇沉默了一會。「也不是自始至終，」她最後說：「發生了什麼事？」

約翰昆西把早上在局裡的事扼要的描述一次，說完之後，滿臉問號的看著她。

「事情剛發生時我並沒有想起來，否則我應該會講，」她辯解道：「幾天之後我才想起來。當時回到客廳時，我的確看到亞瑟——我是說科普上校，把菸蒂丟在一旁，不過我後來並沒有說出來。」

「為什麼?」

「嗯，我認為那可以考考警方的辦案能力，讓他們自己去查出真相。」

「妳這樣解釋相當牽強，」約翰昆西毫不忌諱的說：「延誤辦案的時機，妳要負很大責任。」

「那並不是我唯一的理由。」明諾薇幽幽的說。

「喔，我洗耳恭聽，請講吧。」

「總之，我就是沒辦法把科普上校來訪，跟一件謀殺案扯上關聯。」

接下來是另一段沉默，之後約翰昆西——他並不蠢——一下全明白了。「他告訴我，妳一八八〇年代的時候非常漂亮，」約翰昆西緩緩的說：「我指的是科普上校，那是我跟他在舊金山俱樂部認識時，他這樣講的。」

明諾薇把手闔在他手上，再度開口時，那約翰昆西一向認為沉穩偏高的聲音竟有些發抖。「我少女時代在這個海濱，幸福就在一蹴可幾的地方，」她說道：「我只要手伸過去就搆到了。但是波士頓……波士頓總在不知不覺中召喚我回去，結果我就讓幸福從我指間溜走。」

「現在還不太遲。」約翰昆西建議道。

她搖搖頭。「上星期一下午他也想告訴我這點，可是在他聲音裡頭——我人或許在夏威夷沒錯，但是還不那麼瘋。青春，青春是永不回頭的，不管這裡的人怎麼說。」她按了一下約翰昆西的手，站起來。「假如你的機會到了，小伙子，」她說：「你絕不要當我這樣的傻瓜。」

明諾薇迅速的穿過庭院走了，約翰昆西看著她的背影，眼中生出一種新的熱情。驀然，約翰昆西發現鐵絲網外面亮起了火柴的黃色火焰。又是艾摩斯，他依然在角豆樹下徘徊。約翰昆西立起身來，漫步向他走去。

「嗨，艾摩斯堂叔，」約翰昆西問道，「你打算什麼時候把這道籬巴拆掉？」

「噢，我還要再猶豫個一陣子，」艾摩斯答道。「對了，我正想問你呢，案情有沒有新的進展？」

「是有幾個，」約翰昆西告訴他，「可是沒有一個能帶我們到任何地方。依目前看來，這案子簡直一塌糊塗。」

「噢，我也仔細想過，」艾摩斯說：「也許這樣的結果最後證明是最好。假設他們真的查出誰殺死丹恩，那也只是多揭發一樁新的醜聞，比任何情況都還來得壞。」

「我倒想賭賭看，」約翰昆西回答道。「以我來說，我打算看看這件事最後的結果。」

哈庫匆匆穿過庭院走來。「有人送電報來，是要給約翰昆西・溫特司禮先生的。送件的人說電報要收件人付款，正等著收錢。」

約翰昆西立刻隨他走到前門，一位少年正很不耐煩的等著。他把錢付了將人打發，拆開一看，原來是第蒙斯市郵局局長拍來的，上面寫道：

「經查本地並無沙拉汀其人。」

約翰昆西趕緊去打電話。警察局值班人員告訴他陳查禮回家去了，還將潘趣盂山的一個地址給他。他連忙去開那輛跑車，五分鐘後正飛馳在通往市區的路上。

【第十九章】「再見了，老彼！」

陳查禮的家是棟平房，緊依著潘趣盂山的半山腰。約翰昆西來到他家門口，向山下望去，但見在群山圍繞下，檀香山就像一座繽紛璀璨的大花園。好一幅美麗的風景，但是現在可顧不得美不美了，他快步走過棕櫚樹下的小徑。

一名看起來像是傭人的中國婦女帶他進入光線不很亮的客廳。陳查禮正在下象棋，見到有客人來，當即起立肅客。這位警察閒居時穿著寬大的絳紫色絲質長袍，領口部位貼著脖頸，袖子卻相當寬，長袍底下穿著相同質料的長褲，鞋子也是絲質的，鞋底相當厚。陳查禮現在是徹頭徹尾的東方人了，親切有禮卻保持著距離，約翰昆西和他握手時，第一次真正意識到彼此間相當大的差異。

「你的駕臨真是令寒舍蓬蓽生輝，」陳查禮說道。「能趁此機會引薦我的長子更是備感榮幸。」他示意和他奕棋的對手上前來，一位清瘦、眼睛琥珀色的少年——站在少年面前的陳查禮顯得更有分量了。「溫特司禮先生，這是犬子陳亨利。你來的時候，我正在教他下象棋，以免辱沒門風。」

少年躬身行個禮，顯然是個十分尊敬長輩的新生代。約翰昆西也行了個禮。「令尊是我的好朋友，」他說道：「從現在起，你也一樣。」

陳查禮欣然微笑。「請不要嫌棄，這裡坐吧。你帶來什麼消息嗎？」

「正是。」約翰昆西笑道，拿出第蒙斯市郵局局長傳來的信息。

「十分有意思，」陳查禮說道。「外面馬路上的汽車引擎是不是還發動著？」

「是的，我是開車來的。」約翰昆西答道。

「好極了，我們馬上到哈利組長家去，他家離這裡不遠。對不起，請容我進去換一下衣服。」

老爸離開，留下兒子，約翰昆西想了一下話題。「你打棒球嗎？」他答道。

少年的眼睛露出光彩。「打得不好，不過我希望能夠打好一點。我叔叔陳衛理很會打，他答應教我。」

約翰昆西環顧一下客廳，在他背後牆上掛了祝賀的掛軸，是主人家一位朋友新年時候送的。對面牆上掛的則是一幅畫，絹布上畫著一隻棲息在樹枝上的鳥，約翰昆西為構圖的簡單所吸引，上前欣賞起來。「畫得真好！」他說道。

「中國人有句老話說，詩中有畫，畫中有詩。」少年答道。

畫的底下是一張方形茶几，兩旁各是一張低靠背太師椅，廳內另有幾個雕刻精緻的紫檀木几座，上面放著藍白彩繪的瓷瓶、酒壺和盆景。天花板懸掛著幾個暈黃的燈籠，地板上鋪的是軟色地毯。約翰昆西再度查覺自己和陳查禮之間有一道鴻溝。

不過當這位刑事組探員再度出現時，身上穿的卻是在洛杉磯和底特律常見的打扮，那道鴻溝似乎不那麼寬了。兩人一起出門，坐上跑車，開到愛俄蘭尼大道上哈利組長的家。

組長正穿著睡袍閒靠在陽台的椅子上，看到兩人來到，欣然迎接。

「你們兩個這麼晚了還出門，」他說道：「有什麼事嗎？」

「當然有事，」約翰昆西答道，朝一張椅子坐下。「有一個名叫沙拉汀的人——」

一聽到那個名字，哈利立刻聚精會神起來。約翰昆西進而把自己對沙拉汀的了解，他聲稱的籍貫、經商性質以及牙齒失落的不幸一一和盤托出。

「不久之前我們發現一個事實，每次高拉和案情扯上關聯時，沙拉汀便感到興趣。那天高拉到沙洲棕櫚旅社問起布瑞德時，他便想要靠近櫃台附近。而那晚陳先生和另一名探員去旅社盤問高拉時，伊根小姐便看到沙拉汀蹲在窗外偷聽。因此陳先生和我想到一個方法，拍電報到第蒙斯市問當地郵局局長，因為沙拉汀說他在那裡從事食品雜貨批發。」他把電報交給哈利，補充說：「這是今天晚上收到的答覆。」

哈利向來嚴肅的臉上出現了古怪的笑容，他拿起電報，讀過之後，緩緩撕成碎片。

「算了吧，小伙子！」他鎮靜的說。

「什——什麼！」約翰昆西訝道。

「我說算了。你的用心我很欣賞，可是你這回走錯路了。」

約翰昆西非常錯愕。「請你解釋清楚。」他嚷道。

「我無法解釋，」哈利說：「你相信我的話就是了。」

「好幾件事情我都相信過你，」他激動的說：「而這件正開始讓我起疑，你究竟想掩護誰？」

哈利站起來，伸手搭住約翰昆西肩膀。「我今天忙了一天，不想跟你嘔氣。」他說道：「我並沒有掩護誰，你那麼著急的想找出是誰殺死丹恩．溫特司禮，我也跟你一樣，甚至比你還要心急。」

「可是我把證據拿來給你，你卻撕了。」

「你必須給我正確的證據，」哈利說道：「你去把那隻手錶弄來給我，我保證採取行動。」

約翰昆西被他話中的誠懇打動了，但也還是感到悵然。「好吧，」他說道：「這件事算了。我很抱歉把這麼微不足道的東西拿來煩你——」

「別那麼說——」哈利打岔道：「我很感激有你的幫助。不過跟沙拉汀有關的這件事，」他看著陳查禮，「不要去管吧！」

陳查禮行了個禮。「都聽你的，組長。」他說道。

他們開車回潘趣盂山，兩個人都很洩氣。當陳查禮在自家門口下車時，約翰昆西說道：「我說啊，這下我可玩完了。沙拉汀原本是我最後一個希望。」

陳查禮的視線越過港區的燈火，落在月光下的太平洋，看了好一陣子。「我們被四周的石壁圍住了，」他恍如夢寐的說：「然而我們繞著圈子，尋找其中的漏洞，時間一到就會有所發現。」

「但願我也能有你這種想法。」約翰昆西說。

陳查禮笑了起來。「對我來說，耐性是種非常可愛的美德，」他說道：「不過那也只是我這個東方人的想法吧。我覺得，跟你同種族的人好像越來越厭惡忍耐了。」

約翰昆西開車回威基基時，那種厭惡感的確越來越強。然而在接下來的幾天裡，他委實十分需要耐性，因為什麼事也沒發生。

命令他四十八小時之內離開夏威夷的期限截止了，但是寫恐嚇信的人並未找上門來，稍稍化解了他的厭煩。星期四又到了，白天和往常一樣的平靜；夜晚，則晴朗而恬適。

到了星期五下午，艾嘉莎．派克打破枯燥，從懷俄明州的農場寄來一封電報：

「**你一定瘋了，我發現美國西部粗俗得很，簡直無藥可救。**」

約翰昆西笑了起來，他可以想像她寫這封電報時的神情——高傲、自負、倔強。至於幫忙拍出這封電報的仁兄，一定和艾嘉莎有很好的交情吧。或者，那位仁兄自己也是位東部的逐客？

也許艾嘉莎是對的吧，說不定他真的瘋了。他坐在丹恩・溫特司禮家的涼台上，試著把事情想清楚。波士頓他上班的公司、藝廊、歌劇院。冬日下的波士頓公園，振奮的氣息，生機盎然。新股上市時的旋風，其魅力比起新戲碼的登台獻演毫不遜色——那支新股究竟是一炮而紅，還是一敗塗地？在朗格伍德球場的精彩網賽，查理士河畔的良宵漫漫、跟同好在蒙諾利亞的高爾夫球敘。又或，在燈光昏黃的舊畫室裡，手拿著精緻的茶具品嘗那優雅的茶香。想把這些東西全都放棄掉，他是不是瘋了？但是明諾薇姑媽那句話又是什麼意思？「一旦你的機會降臨——」

問題太大了，只有在這開放著蓮花的樂土才會有這麼些惱人的問題。他打了個呵欠，漫無目標的逛到城裡去。走進公共圖書館，他看到陳查禮正伏案閱讀一份大部頭檔案。約翰昆西走了過去。這份檔案全是檀香山過期的報刊資料，攤開來的地方是紙張發黃的運動版。

「嗨，老陳。你在看什麼？」

陳查禮給他一個歡迎的笑容。「嗨。沒什麼啦，我只是在查案子的漏洞，隨便看看而已。」他隨意將那份檔案闔上。「你看起來氣色挺好的。」

「噢，馬馬虎虎啦。」

「沒再碰到灌叢後面的黑槍？」

「啥玩意也沒有。我想那只是嚇唬嚇唬我而已，沒什麼了不起。」

「你說什麼——只是嚇唬而已嗎？」

「我想那傢伙終究不過是個孬種。」

陳查禮態度認真的搖搖頭。「請容我做個小小的建議，千萬別掉以輕心。在這種炎熱的天氣裡，很多人都熱昏了頭。」

「我會三思的，」約翰昆西允諾道，「我恐怕打擾你了。」

「沒有的事。」陳查禮不以為然的說。

「我想要繼續參與，有什麼突破請告訴我。」

「那一定。只是到目前為止，案情仍毫無動靜。」

約翰昆西離開參考閱覽室前，在門口佇足了一下。陳查禮又立刻翻開那份厚厚的檔案，再次伏在上面津津有味的看著。

回到威基基海灘，約翰昆西面對著一個乏味的夜晚。芭巴拉到考艾島的一位朋友家去了。他並沒有捨不得她去，因為芭巴拉在家的話，他並不覺得自在。芭巴拉和堅尼森的裂痕仍持續著，她走的時候，堅尼森未到碼頭送行。沒錯，約翰昆西是樂於跟她分開，但是她人不在卻也為嘉利亞路的這棟房子罩上了一層寂寞。

吃過晚飯後，他坐在涼台抽著菸斗。他只消走到海灘那邊，沙洲棕櫚旅館的那位可人兒就可陪伴他——可是他猶豫著。白天他已經看到凱洛妲·伊根很多次了，不是在沙灘上便是在海裡。她現在快樂極了，雖然一想到即將前往英國就不免有些不安，他們就此談了幾次——都是白天時候談的。約翰昆西現在一到晚上便有點不太敢信任自己，他會想到陳查禮談起他那實心神像的事。畢竟再怎麼說，他生活裡還有個艾嘉莎，還有波士頓。是啊，還有個芭巴拉。同時和三名女子牽扯不清實在是很累人的事，他站起來，驅車到城裡看場電影。

星期六一早他就被屋子上空翱翔的飛機吵醒了。從美國本土來的敦睦艦隊已出現在海面上，本地航空隊的小老弟們也趕緊升空盤旋，以示歡迎。這一天，檀香山到處都是歡樂的氣氛，每一艘船的大小桅桿都升起旗子，也正如芭巴拉所預測的，市街上觸目皆是穿著帥氣軍服的英俊少年郎。他們散布在各個角落，湧入工藝品店，包圍賣汽水的小攤，在電車上嬉鬧。夜晚降臨，海邊飯店將舉行大型舞會，約翰昆西到戶外散步時，看到每一位穿著鮮潔制服的小伙子都走到海灘邊來，身旁無不伴隨著一位樂於擔任甜心的妙齡佳麗。

約翰昆西突然覺得滿不是滋味的，每看到一位漂亮女子就會想到凱洛妲・伊根。他將散漫的腳步轉移到沙洲棕櫚旅館的方向，妙的是，步調突然加快起來。

旅社主人親自坐鎮在櫃台後面，他的眼神現在已經變得平靜、毫無煩憂了。

「晚安，伊根先生——噢，還是我應該稱呼你科普先生？」約翰昆西開口道。

「噢，我想我們會持續用伊根這個姓，」主人回答道，「這樣比較與眾不同。你好啊，溫特司禮先生，凱洛妲馬上就下來。」

約翰昆西環顧著大廳，情況有些混亂，樓梯被濺得五顏六色，地上散置著好幾個油漆桶，另外還堆放著好幾綑新壁紙。「這些是怎麼回事？」

「重新裝潢一下，」伊根答道：「你知道，我們現在可露臉了。」他笑道。「老舊的沙洲棕櫚旅館在這裡立足了很長一段時間，從沒被檀香山中上階層的人看在眼裡。不過現在他們知道我跟英國海軍總部有點關聯，忽然發現這是個既古怪又有趣的地方，紛紛跑來喝下午茶，純粹只是好奇，但是檀香山就是這個樣子。」

「在波士頓也一樣。」約翰昆西告訴他。

「對啊！說老實話，我很久以前從英國跑出來就是要逃避這樣的事，我本來可以叫那些人去死好了，但問題是還有個凱洛妲。總之，女人對這一類的事想法就是不太一樣，能夠讓那些老貴婦對她笑一笑，她心裡就舒服多了。現在她們還真的笑嘻嘻的哩，你知道嗎，她們居然查出我堂兄喬治因為生產一種強效牌子的肥皂而受封為騎士。」他做個鬼臉，「我自己可絕口不提，依我看那應該算是家醜吧。可是社會的價值觀很奇怪，因此我也不能太鄙視喬治那個可憐的老傢伙了，就像亞瑟所說的，生產肥皂是既乾淨又有趣的一件事。」

「科普上校還住你這裡嗎？」

「沒有，他回范寧群島去完成任務了。等他回來，我要送凱洛妲到英國好好住上一段時間。喔，我講得沒錯，由我花錢送她去，」他馬上補充道：「還有這些修理裝潢的費用也是。你知道嗎，這棟搖搖欲墜的旅社先前已經抵押過一次了，現在居然還可以再次抵押，借了一筆錢。那又是因為我跟英國海軍以及那個愚蠢的老肥皂企業有關的緣故咧。喔，你看，凱洛妲下來了。」

約翰昆西轉過身去，立刻為自己這麼做感到高興，因為他一定不願意錯過凱洛妲出現在樓梯上的這個鏡頭。凱洛妲穿的是一種閃閃發亮的晚禮服，烏黑的頭髮梳成新穎亮麗的款式，雙肩雪白，眼睛終於流露出歡愉的神情。當她快步朝約翰昆西走來時，約翰昆西不禁屏住了呼吸，他從來沒看過她那麼漂亮過。他想，凱洛妲一定是在辦公室裡聽到自己的聲音，然後飛也似的打扮成這副模樣迎接他。執起她的手時，他心中真是狂喜不已。

「嗨，你這位稀客，」她嗔道，「我們還以為你把我們全忘了。」

「噢，那怎麼會，」約翰昆西答道。「只是我滿忙的——」

他聽到背後有腳步聲走來，轉身去看，眼前站著一位穿海軍制服的帥哥，高大，金髮，大盤帽拿在手上，笑容十分燦爛。

「嗨，強尼，」凱洛妲喚道：「這位是溫特司禮先生，波士頓人。這位是布斯中尉，維吉尼亞州李奇蒙市人。」

「你好！」軍校生點個頭，眼睛沒有離開老闆女兒的臉。依這位中尉所見，眼前這位姓溫的老兄不過是位客人罷了，沒啥了不起。「都準備好了嗎，凱洛妲？車子在外頭等哩。」

「我很抱歉，溫特司禮先生，」凱洛妲說：「我們得趕去參加舞會了，你知道，這週末是屬於海軍的。你還會再來吧？」

「噢，當然，」約翰昆西答道。「別讓我耽擱到了。」

凱洛妲朝他一笑，隨即跟身邊的強尼迅速出門去了。約翰昆西看著他倆的背影，一顆心沉到谷底，霎時對歲月催人老感到徬徨無助、百味雜陳起來。年輕，年輕的就可以通過那扇門，把他拋在後面。

「真可惜她這麼急匆匆就走了。」伊根同情的說。

「嗄，那沒什麼啦！」約翰昆西故作輕鬆的說：「這位布斯中尉是你們家的好朋友嗎？」

「不是。他只是凱洛妲在舊金山舞會上認識的小伙子。你要不要坐下來陪我抽根菸？」

「謝謝你，改天好了，」約翰昆西索然無味的說：「我得趕快回去了。」

他想要逃，逃到戶外那恬適可愛的夜色裡，他這個夜晚已經完全破碎掉了。他沿海邊走著，恨恨的踹起腳下的白沙。「強尼！」她居然叫那個人強尼，就連眼神也是如此。約翰昆西再一次感覺到心臟咚咚的跳了起來。愚蠢，真是愚蠢！他最好趕快回波士頓把這件事情忘了。寧靜古老的波士頓，那才是他的歸屬。在這裡他只是個老男人——三十歲，快了。他最好離開此地，讓那些小男生小女生在月光下的海灘盡情的談情說愛。

明諾薇坐那輛大車看朋友去了，整個房子靜得宛如墳墓似的，約翰昆西漫無目標的從這個房間逛到那個房間，失魂落魄一般。在底下的摩恩娜飯店，一個夏威夷樂團吹奏美妙旋律，來自李奇蒙市的布斯中尉正親暱的擁著凱洛妲，不知教多少年輕人為之羨煞。呿！如果沒有人強制他離開夏威夷，天吶，他明天就走！

電話鈴聲響了，佣人似乎沒有去接，約翰昆西於是自己來。

「我是陳查禮，」那頭說。「是你嗎，溫特司禮先生？好極了。馬上有大事情要發生，到河川街九二七號的柳盈雜貨店跟我碰面，請盡量快，地點你瞭嗎？」

「我會找到的！」約翰昆西嚷道，高興極了。

「就在河邊，我等你，回頭見。」

行動——最後終於有了行動！約翰昆西心臟狂跳著，他今晚正需要有所行動。跟尋常一樣，每當有事情發生時就是沒有汽車好用，那輛跑車正停在車庫裡維修，大車子也開走了。他匆匆跑到卡拉卡華大道想攔計程車，可巧一輛電車正好駛來，他改變主意，跳上去再說。

從來沒有一輛電車開得這樣不甘不願，當到達市中心砲台街轉角時，他乾脆下車用走的。天色還相當早，四周卻一片靜寂，一對男女觀光客漫無目標的從他身邊走過。一棟氣派的藝廊，門口燈光明亮，一群駐軍正在那裡閒逛，當中有幾名是海軍。約翰昆西快速走過國王街，從幾家中國麵館和當鋪前面經過，轉個彎來到了河川街。

在他左側是河，右側則是一排簡陋的商店。他來到九二七號停下，正是柳盈雜貨店。看向裡面，一座屏風擋著，幾名中國人都只看到頭，正在聚精會神的打牌。約翰昆西開門走進去，一串鈴璫響了起來。他聞到一陣霉味，四下一看，有好些奇特的東西

——曬乾的藥草，好幾罐泡在液體裡的海馬，胸腹被撐開且泛著油光的板鴨，一條條臘肉。一位中國老頭站起身，向他走來。

「我找陳查禮先生。」約翰昆西說道。

老頭點了點頭，帶他到店後頭掛著一大塊紅布幔的地方。老頭掀起紅幔，示意約翰昆西走進去。約翰昆西依言而行，來到一個空房間裡，裡頭只有一張便床，一張飯桌，上面點著一盞油燈，在燻黑的燈罩裡曖曖的發光，桌旁還有兩張椅子。坐在其中一張椅子的一男子突然站起來，此人一頭紅髮，身材十分魁梧，渾身散發一股海水的腥味。

「嗨！」紅髮男子說。

「陳先生在嗎？」約翰昆西問道。

「還沒到，不過就快到了，我們不如一邊喝酒一邊等他吧！老劉，拿兩杯米酒來。」中國老頭退出去。「坐吧！」那男子說。約翰昆西聽話坐下，海員也坐下。約翰昆西見他一邊的眼瞼邪惡的垂下，雙手放在桌上——手背長了很多毛的巨掌。「查禮很快就來了，」他說道：「等他來了之後，我再把一件事告訴你們。」

「哦？」約翰昆西答道，他四下看著這個散發著臭味的小房間，後面有一道門，門關住了。他又看那名紅髮男子，心想如何才能離開這裡。

他現在明白陳查禮並沒有打電話給他，那聲音並不是陳查禮的，他知道得太遲了。「地點你瞭嗎？」那個聲音這麼說，想模仿陳查禮的語氣，可是陳查禮學過英文，他會擷取詩詞用語，避免使用洋涇濱式的英語。沒有，陳查禮絕對沒打那通電話，他現在一定在家裡埋頭下象棋，而他約翰昆西卻被關在河川區邊緣的一個小房間裡，一名健壯的海員正用不懷好意的眼神瞅著他。

中國老頭回來了，手上的兩個小酒杯已經倒入了酒。他把兩杯酒擺在桌上，紅髮男子拿起其中一杯。「來吧，祝你健康，先生！」男子說道。

約翰昆西拿起酒杯沾到唇邊，他看到那名海員睜著那隻正常的眼睛，很渴望他喝下的樣子。「很抱歉，」他說道：「我不想喝酒，謝謝你。」

那張長了紅色短鬚的大臉湊近他。「你說你不肯和我喝酒？」紅髮男子挑釁的說。

「我是這麼講的。」約翰昆西答道。他想，還是早點攤牌好了，省得這樣懸而未決的。他站了起來，說道：「我得走了。」

他朝紅布幔的方向走去，那海員顯然也不多話，站起來擋住去路。約翰昆西情知多言無益，悶不吭聲朝那人臉上就是一拳。海員當下反擊，出手迅猛。接下來房間裡陷入混戰，約翰昆西看到到處都紅紅的，紅布幔，紅髮，油燈的紅色火焰，向他臉頰揮來的拳頭背也長滿了紅色的毛。羅傑的話是怎麼說的？「你曾經跟某艘船的船長幹過架——那種老式的，拳頭像會飛的火腿般不斷的揮過來？」沒有，那時他並沒有遇上，但現在他可嘗到了，而教約翰昆西感到欣慰的是，他這次新買賣幹得還不錯。

他比起在閣樓挨揍的那次可好太多了，因這回有了準備，且搶得先機。有一兩次他抓向紅布幔，卻又不得不掉頭應付新一波的攻擊。那名海員急欲將他擊倒，有幾拳雖然是打到了，但美好的結果——站在海員的立場而言——卻無法解釋的落空了。約翰昆西也有好幾次攻擊得手。兩人在房間裡打得驚天動地，但令人訝異的是，前面店裡那幾位老中卻仍繼續在打他們的牌。

約翰昆西感到漸漸累了，氣吁吁的十分難受，他明白對手還沒露出真功夫。當兩人隔著桌子形成對峙，紅髮男子正思考下一步如何出手時，約翰昆西忽然靈機一動，把桌子掀翻，油燈遂掉在地上打破，眼前一下子暗了。趁著油燈的最後一星餘光，他看到那名大漢蹲下身子向他接近，於是用橄欖球場學到的標準姿勢猛然撞過去。這一擊果然奏效，海員頭部重重撞擊，轟然倒地。約翰昆西放過對方，搜尋最靠近的出口，驀然他摸到後門，而門沒有鎖。

他匆忙穿越凌亂的後院，爬上一道圍牆，發現自己就在河川區附近一帶，四周盡是複雜交錯的狹路，沒有路名，沒有人行道，沒有起始也沒有終點，各色人種在黑暗中生活在一起。有的房子高出路面，有些在路面以下，排列得毫不整齊，約翰昆西覺得自己好像迷失在未來畫派的構圖裡。他停下腳步，聽到周圍傳來咿咿呀呀的中國小調、打字機的敲擊聲、發自一台廉價留聲機的美國爵士樂、遠處一輛汽車的尖銳喇叭聲、一首童音唱的日本哭腔式演歌。驀然他被圍牆後院傳來的腳步聲驚動了，連忙拔足飛奔。

他必須逃出這片骯髒巷道構成的神祕迷宮，而且是立刻。夜暗中出現若干塗上油彩的奇異臉孔，那白得像是石膏的臉孔底下想必也穿著奇裝異服，周圍的人七嘴八舌的講著，訝異的眼神發亮著，他的手臂還被一隻纖瘦的手碰了一下。路燈下一群圓嘟嘟的中國孩子因他的來到而哄散。當他再度氣喘吁吁的停下來時，只聽到許多人的腳拍嗒拍嗒的踩踏著，當中有赤裸的腳、穿著拖鞋的腳，又有木屐的踢踏聲，以及他老家麻省廉價皮鞋的吱嘎吱嘎聲。忽然他又聽到很可能是那名水手的粗重腳步聲，遂又奔跑起來。

未幾他來到河川街，這裡安靜了些，他知道自己兜了個圈子，因為眼前又是柳盈雜貨店。正當他想要趕快跑到國王街時，回頭卻看到紅髮男子還在後頭跟著。路旁有一輛窗簾拉下來的大型旅行車，約翰昆西趕緊鑽到駕駛座旁。

「快離開這裡，快！」他上氣不接下氣的說。

昏暗中一張日本人的臉睡眼矇矓的望著他，「我現在沒空。」

「我不管你現在是否——」約翰昆西一面說，一面看到那名日本人搭在方向盤的手，心臟差點停了。那人手上竟戴著一隻螢光手錶，而且2那個數字晦暗無光。

正當他在注視的時候，一雙強而有力的手抓住了他的衣領，一股腦兒將他拉至晦暗的後座。正在此時，那名紅髮男子也趕到了。

「抓到他了嗎，麥克？嘿，運氣真好！」海員跳進旅行車的後座，立刻動起手腳，約翰昆西雙手被拉到背後反綁，嘴巴塞進一塊腥臭欲嘔的破布。「去他媽的，這傢伙若不是剛好打中我眼睛的話，」紅髮男子說：「等上了船，我會討回公道的。喂，開到七十八號碼頭，開快點！」

車子在顛簸中奔馳，約翰昆西倒臥在骯髒的車廂裡，雙手被綁住，想動也動不了。

要到碼頭是嗎？然而他所關心的不是這個，他關心的是前座駕駛員手上戴的錶。

駛了沒多久，他們來到一座碼頭倉庫的陰暗處停住，約翰昆西才剛躬起身體，即猛然向前衝去，臉頰撞到托住窗簾的一個按鈕，不過神志還很清楚，借助衝力將口中的破布鬆脫開來。被押下車後，他試圖瞄一眼車牌號碼，但也只能確定頭兩個數字是33，車子便開走了。

兩名大漢一左一右押著他往碼頭上走，不遠處他看到有好幾個人在那裡，其中三個穿著白色海軍制服，另一位衣服顏色比較深，還抽著菸斗。約翰昆西心臟一陣狂跳，用牙齒將破布推出嘴巴，使它掉在衣領上。「再見了，老彼！」他使出吃奶的力氣大叫，身旁兩人吃了一驚，他立刻奮力掙脫開來，拔足狂奔。

隔沒兩秒，碼頭那邊傳來一陣奔跑的腳步聲。一位肌肉結實的白制服青年開始和那個叫麥克的人對罵起來，另外兩名軍校生則和紅髮男子對上了，彼德·梅貝里來到約翰昆西背後，割斷他手上的繩索。

「喔，真沒想到，是溫特司禮先生你呀！」他嚷道。

「我也一樣沒想到，」約翰昆西喜道。「要不是你的話，再過一分鐘我就被綁架到上海去了。」他跳進去加入混戰，不過那名紅髮男子及其同夥已經敵不過對手的年輕和人手優勢，轉身逃跑。約翰昆西欣喜的追上去，一拳朝他老對手的後腦勺捶過去，打得那海員一陣踉蹌，站穩腳步後加速逃去。

約翰昆西回去找救他的人。「我那最後一拳很爽！」他說道。

「我知道那兩個傢伙在哪裡，」梅貝里說：「他們那艘不定期貨輪，已經在港口停靠了一個多禮拜。一定是走私鴉片的，我敢打賭。你得立刻到警察局報案。」

「那當然，我一定得去。」約翰昆西說道：「可是我得謝謝你，梅貝里先生。還有，」他轉向三名穿白制服的青年，「我也要謝謝你們。」

肌肉結實的那位正舉起杯子。「喔，沒什麼啦，」他說道：「一定要謝的話，我只能說非常高興。對了，我說老彼，」他又向梅貝里說：「你剛才說的檀香山海濱韻事和昔日風情後來怎麼樣了？我們還想要聽咧。」

約翰昆西匆匆離去時，彼德．梅貝里正滔滔講著聞所未聞的往事，二十年，不，可能更久之前——他的聲音漸漸消失在遠處。

哈利人就在組長辦公室裡。約翰昆西詳述了今晚的奇遇，哈利本來無法置信，但講到那名司機手上的錶時，他正襟危坐認真聽下去。

「這下你逮到了！」他大叫道。「你說車牌號碼前兩個是33是吧？我今天晚上就發動警網去查那輛車，還有那艘船我也要叫人去查，真有那些玩意兒的話，他們在這裡是逃不掉的！」

「噢，先別管他們了，」約翰昆西頗有肚量的說：「焦點要放在那隻錶上。」

回到安靜的市區，他頭抬得高高的走著，心中充滿打贏架的喜悅。他一面這麼想，一面走進電報局，想要發一封電報給人在懷俄明州西部農場的艾嘉莎・派克，拍出去的內容只有幾個字：「舊金山，否則否談。」

當他沿著無人的街走去，想要到轉角等電車時，驀然聽得背後又有人跟了過來。這個時候會是誰呢？他渾身痠痛，累得要死，經過這一晚上的拼鬥已經吃不消了。他加快腳步，但背後那個人也同樣加快腳步。他又走得更快了些，跟在背後的人亦然。喔，好吧，他還是停下來面對吧。

約翰昆西轉身一看，只見一位年輕人快步走上來，體形很瘦，頭上戴了頂棒球帽。

「請問是溫特司禮先生嗎？」年輕人把一個暗褐色的東西塞進他手中。「這是你要的七月號《大西洋月刊》，先生。今天早晨才剛剛運到茂伊島。」

「喔，」約翰昆西一下子軟了下來。「好的，我買，我姑媽說不定想看。零錢不必找了。」

「謝謝你，先生。」年輕人說道，伸手摸了一下他的帽子。

約翰昆西坐在電車最後一排椅子，回威基基海灘。他的臉腫腫的，還有點裂傷，每一根肌肉都在疼痛。在他腋下緊緊夾著一本七月號《大西洋月刊》，但是並不很想翻閱目錄的內容。「我們持續行動，就會取得進展！」他很得意的告訴自己，因為他已經看到那隻錶面會發螢光的手錶了，而且2那個數字看起來暗暗的。

【第二十章】老何的說法

星期日一早，約翰昆西就被一陣急促的敲門聲吵醒了，他睡眼惺忪爬起來，穿上晨袍和拖鞋，打開房門一看，是他姑媽明諾薇。明諾薇一臉擔心的表情。

「約翰昆西，你沒事吧？」她問道。

「當然沒事，不過我覺要是沒睡飽就被挖起來，那就會有事。」

「噢，真抱歉，可是我必須看一下你怎麼樣了。」她把夾在腋下的報紙拿給他。「這是怎麼回事？」

報紙頭版用的八號字體使睡意濃厚的約翰昆西也眼睛一亮：「波士頓男子港埠驚魂」。副標題則說，約翰昆西．溫特司禮先生在遭人挾持到中國前的「千鈞一髮之際」，被三位來自奧勒岡的艦艇實習生救了。可憐的彼德．梅貝里！他自己才是這次事件的靈魂人物呢，可是他的報紙要等到明天，也就是星期一傍晚才出刊，到時候別家報紙搶到的新聞已經比他多了。

約翰昆西打了個呵欠。「上面寫的都是真的，親愛的姑媽，」他說道：「我差點就要離開妳了，結果海軍的年輕人救了我。妳看吧，生活這下成了喜劇片了。」

「但是為什麼會有人要綁架你呢？」明諾薇嚷道。

「哈，我正希望妳這麼問。因為妳侄子剛好是個腦筋還不錯的人，他將那精明的分析能力用在案件的偵查上，把某人給得罪了。那個人前兩天晚上對我開了兩槍之後，還送給我一封信承認了這一點。」

「有人向你開槍！」明諾薇震驚道。

「可不是嘛。妳自詡是個偵探，可是有沒有人躲在樹叢後向妳開過槍呢？告訴我。」

明諾薇兩腳發軟的往椅子坐下。「你下一班船就給我回老家去。」她聲明說。

約翰昆西笑了起來。「大約兩星期前我也向妳做了同樣的建議，而妳是怎麼回答我的？哈，親愛的姑媽，現在情形顛倒過來，我才不搭下一班船回去咧，我說不定不回去了。這個自在快樂的地方已經開始吸引我了，你讓我自行決定吧。」

他的注意力回到報紙。「昨晚，檀香山港埠的時鐘又回到三十年前，」報導的開頭如是說，相當具有想像力，寫到最後則提及不定期輪「瑪麗．聖愛里森號」在警方趕到前先一步離港了，很顯然那艘船早已辦好離境手續，只等那名紅髮男子及其人質回來。約翰昆西把報紙還給姑媽。

「太糟糕了，」他說道：「他們從哈利手底下溜了。」

「那他們當然逃得掉啦，誰都逃得掉，」明諾薇嘖道。「我真想跟哈利組長談談，我若是可以把我對他的感覺告訴他，心裡頭會舒服些。」

「那份報紙麻煩保留下來，」約翰昆西說道：「我想寄回去給我媽看。」

明諾薇驚訝的看著他。「你瘋了不成？可憐的葛瑞絲，她會精神崩潰的。我只希望你平平安安回波士頓後，再讓她知道這件事。」

「噢，是啊，波士頓，」約翰昆西笑道：「他們告訴我說，波士頓是個古怪的老城市，哪天我一定要去那裡瞧瞧。現在可不可以麻煩妳離開一下，讓我換一下衣服，一起吃早點時我再把我的奇遇講給妳聽。」

「那很好，」明諾薇同意道，她站起來，走到門邊又停住。「你搽一點金縷梅膏的話，臉上的傷看起來會好一點。」

「我這些傷是光榮的戰役所留下的，」她侄子說：「幹嘛要消除它們？」

「無聊的光榮，」明諾薇回答，「畢竟，住在貝克灣區的人有其一定的格調。」然而出到房間外的走道，她卻欣然露出了微笑。

姑侄倆吃過早餐離開飯廳時，卡麥桂威嚴挺立的穿著新洗乾淨的荷璐扣長袍，來到約翰昆西面前。

「今早能看到你平安無事真是太好了。」她說道。

「喔，謝謝妳，卡麥桂！」他回答道。他忽然想到，不知道高拉跟他昨晚的遭遇有否關聯，如果有的話，這位高大沉默的女人曉得她孫子的行為嗎？

「真是可憐！」走進客廳時明諾薇說：「丹恩走掉之後她一直好沮喪，我真是替她難過，我一直很喜歡她。」

「那當然啦，」約翰昆西笑道，「妳們之間有共通點。」

「什麼共通點？」

「妳和她都是日漸式微的族類，一個是波士頓的上流階層，一個是純種夏威夷人。」

不久，凱洛妲．伊根打電話找他，非常激動的樣子，她才剛看過星期天的早報。

「那些都是真的，」他坦承道：「當妳跳舞跳得正心花怒放的時候，我正在拚命掙扎，以免被送到東方去。」

「我若是知道的話，想玩也玩不起來了。」

「還好妳不曉得。舞會很棒吧，我想？」

「是啊。你知道嗎，自從那天晚上在林蔭道上發生那件事之後，我就一直好擔心你。我想跟你談一下，你會來看我嗎？」

「我會嗎？我正準備好了要去呢。」

他掛好話筒，匆匆往海灘那邊走去。凱洛妲就坐在離沙洲棕櫚旅館不遠的白沙丘上，全身穿得一片雪白。這位大眼睛的女孩，渾不似昨晚興沖沖要趕去跳舞的那位女孩。

約翰昆西在她身邊坐下，就昨晚的舞會和他的奇遇交談了好一會兒。突然她轉身對著約翰昆西。

「我知道我沒有這個權利，可是——我想請你為我做一件事。」

「那我非常樂意，不管什麼事我都答應。」

「你回波士頓吧。」

「什麼！那不行，我剛才說錯了，那樣的話我不樂意。」

「會啦，你會樂意的，也許你現在不這麼想，因為被這裡的太陽曬得頭暈目眩了，可是這裡並不屬於你這種人。你可能自認為喜歡我們，可是你很快就會忘掉。你得回到跟你氣味相投的人群中，那些人的興趣、愛好都跟你一樣。求求你，回去吧。」

「那樣我就臨陣脫逃了。」他不服氣道。

「可是你昨晚已經證明自己很有勇氣了。這地方有人對你心存歹念，我好擔心你，假如你在這裡出了什麼事，我是不會原諒夏威夷。」

「妳實在對我太好了。」他挪近了些。但是，真該死，那兒還有個艾嘉莎啊。他無論如何都必須忠於艾嘉莎。他復又挪開了些。「我會考慮的。」他同意道。

「你知道嗎，我也要離開檀香山呢。」凱洛妲提醒他。

「這我知道，妳在英國會過得很快樂的。」

她搖搖頭。「噯，我好怕那主意兒。爸爸一心只想著那件事，而我得如他的願。可是我並不想去，我覺得我不配到英國。」

「哪有這回事。」

「沒有，我才沒有亂講。我太單純了，不懂規矩，這是真的，我只不過是一個生長在小島上的女孩子。」

「但是妳總不想一輩子生活在這裡吧？」

「我當然不想。這裡是個美麗的地方，適合度假漫遊。可是我身上帶有太多北方人的血統，不會以此滿足的。等再過一陣子，我想要爸爸把旅館賣了，一起到美國本土去，我可以在那裡找到工作——」

「妳目的地是本土哪裡？」

「噢，我到過的地方當然不很多，不過因為一直住校的關係，所以我總以為跟世界任何地方比起來的話，我寧可住舊金山。」

「那太好了，」約翰昆西嚷道：「我也選擇住那裡。記得嗎，那天早晨在渡船上妳伸出手來說：『歡迎來到屬於你的城市！』」

「可是你立刻糾正我說你是屬於波士頓的。」

「我現在發覺我錯了。」

凱洛姐搖搖頭。「你只是一時想昏了頭而已，但還是會清醒過來的。你既然是東部人，到別地方生活絕不會快樂。」

「喔，妳錯了，我可以的，」約翰昆西保證說：「我是溫氏家族的一分子，一個浪跡天涯的蕩子，不管到了哪裡，我們都會把帽子掛起來，」這回他的身體挨得更近了，「去到哪裡我都有辦法如魚得水。」他說道，本想再加上「只要有妳在身邊的話」，但是艾嘉莎那隻纖細的手彷彿正加在他肩上。「不管是去哪裡。」他又說了一遍，音調和先前不太一樣。這時沙洲棕櫚旅社傳來一聲鑼響。

凱洛姐站起來，說：「要吃午飯了。」約翰昆西也站起來。「不管你去哪裡都沒關係啦，」她接著說：「我只是想請你為我做這件事。」

「我曉得。如果妳要我做的是其他事的話，我現在一定捲起袖子來了。然而偏偏是這個教我為難的事，……離開夏威夷……而且跟妳說再見……」

「我是說真格的。」她忍不住打岔道。

「可是我必須考慮考慮。妳可以等嗎?」

凱洛妲仰頭笑望著他。「你腦筋比我聰明多了,」她道:「好吧……我會等的。」

約翰昆西在海灘緩緩走著,說到單純嘛,是的——而且十分迷人。「你腦筋比我聰明多了!」在美國本土哪裡還找得到一個女孩子肯這樣講?他渾然忘了凱洛妲說這話時臉上的笑容。

當天下午,約翰昆西上警察局去。哈利人在辦公室裡,心情壞透了。陳查禮還在外面追查那隻錶的下落。沒有,他們還沒有找到那隻手錶。

約翰昆西輕微表示苛責。「我說,你親眼看到了那玩意兒,是不是?」哈利咆哮道:「天殺的你幹嘛不把它搶到手?」

「因為他們把我綁住了,」約翰昆西提醒他。「我已經幫你們縮小搜查範圍到檀香山一地的計程車司機了。」

「我說老弟,這些人一共有好幾百個。」

「沒那麼多,我已經把那輛車車牌號碼的頭兩個數字給你們了,如果你們夠行的話,現在那隻錶已經得手了。」

「噢，我們會逮到的，」哈利說道：「給我們一點時間吧。」

約翰昆西有的是時間。星期一來了又去，明諾薇講的話也尖酸刻薄起來。

「忍耐是一種很不錯的美德，」約翰昆西告訴她，「這是陳查禮對我說的。」

「果真如此的話，」她啐道：「至少那是哈利最需要的一種美德。」

在另一方面，約翰昆西也真的要好好練一下這種動心忍性的功夫了。他在出事當晚拍出那封斷然的電報，艾嘉莎．派克竟然沉默以對。她生氣了嗎？派克家族的人向來以態度強硬著稱，但是像這麼重要的問題，女孩子家應該會願意聆聽理由何在吧。

遲至星期二下午，陳查禮方從警察局打電話來——這回毫無疑問是陳查禮打來的。他問約翰昆西可否賞光，與他在亞歷山大青年飯店提前吃頓晚飯？

「有很要緊的事要進行是吧，老陳？」約翰昆西興奮的問。

「有可能是，」陳查禮答道：「也有可能不是。可否勞你的駕，六點鐘飯店大廳見。」

「我會到的。」約翰昆西答應，而且準時赴約。

兩人碰面時，他兩眼巴望的看著陳查禮，陳查禮卻神閒氣定，不置可否的引他走入餐廳，細心挑了靠窗的桌位。

「幫幫忙好嗎，靠椅背坐嘛。」陳查禮建議道。

約翰昆西往後靠坐。「老陳啊，別吊我胃口好不好？」他懇求道。

陳查禮笑了起來。「現在是社交聚會，」他回答道：「談謀殺案煞風景。你現在有心情喝碗湯嗎？」

「什麼？噢，當然有。」約翰昆西答道，這才顧及到禮貌，把好奇心收藏起來。

「請送兩碗湯來。」陳查禮向白制服的服務生吩咐道，這時飯店大門口駛來一輛汽車，他欠身注視起來，復又坐回椅子上。「我很高興能在你回去波士頓前請你吃頓飯，我對波士頓相當感興趣，你可以談談嗎？」

「真的？」約翰昆西笑道。

「一點都不用懷疑。我有一次遇到一位紳士，他說波士頓就像中國一樣，兩地的未來將會看到墓園裡天堂貴客的遺體毫無用處的越埋越多。這話是什麼意思，我不太懂。」

「他意思是說，這兩個地方都生活在過去，」約翰昆西解釋道。「就某方面來說，他是對的。波士頓就跟中國一樣，自詡擁有光榮的歷史。但是那可不是說今天的波士頓就不進步。呃，你知道嗎……」

他滔滔不絕的講起了自己的老家，陳查禮入神的傾聽著。

「一直以來，」當約翰昆西講完後，陳查禮歎道：「我對於旅行總是有著無窮的渴望。」他頓了頓，注視另一輛駛近飯店門口的汽車。「但是卻徒勞無功。我是個警察，待遇微薄，年紀還輕的時候，每天晚上都在半山腰或是月下的海邊徘徊漫遊，夢想職務的升遷。現在已經不那麼做了。但是另外卻有個美國公民，也就是我的大兒子，他還在做這樣的夢。也許他有一天能夠美夢成真！說不定他會成為全壘打王貝比．羅斯第二，成千上萬的掌聲把他震得耳聾。誰能說得準呢？」

晚飯過後，黑暗面的事談起來也不那麼煞風景了，他們走到街上。陳查禮給了一根他認為最爛的菸，並提議在飯店門口站一會兒。

「你是在等誰嗎？」約翰昆西忍不住問道。

「正是如此，不過我不太敢提起，因為隨時都有可能空歡喜一場。」

一輛寬敞的車來到飯店門口停住，約翰昆西眼睛搜尋著車牌號碼，突然心驚肉跳起來。車牌號碼前兩個數字是33！

有三名觀光客，二女一男，從車內出來。飯店門口的接待員跑上前去，殷勤的接過行李。陳查禮若無其事的漫步逛到車道另一邊，日本司機轉動方向盤，正要開走，他連忙伸手搭住車門加以阻止。

「請等一下！」司機吃了一驚，轉過頭來。「你是奧田，替路那邊的租車店工作？」

「是……是的。」日本人低聲說。

「你剛才是載觀光客環島遊覽回來嗎？這一趟是星期天一大早出發的嗎？」

「是……是的。」

「你手上有戴錶嗎？」

「有……有的。」

「借我看一下。」

日本人猶豫了一下，陳查禮隨即俯身過去，伸手拉開那人的袖子。他回過身來，眼睛出現得意的光彩，並且把後座的門打開。「溫特司禮先生，麻煩來後座坐。」約翰昆西順從的坐上車，陳查禮則坐在司機旁邊。「到警察局去，麻煩你。」車子隨即上路。

基本線索！他們終於找到了。約翰昆西坐在後座心跳得好快，想想他在這車上被人綁住，嘴巴塞進東西，也只是兩三天前的事。

哈利組長在辦公室門口看到他們時，兇巴巴的一張臉立刻雲開霧霽，化為一條條歡喜的笑紋。「你們找到他啦，嗯？幹得好。」他看了一眼嫌犯的手錶。「老陳，把他的錶脫下來。」

陳查禮聽令行事。他將手錶檢查一下，然後交給組長。

「這隻錶牌子不錯，價錢卻不很貴。」陳查禮說道。「錶面的2字螢光粉褪掉了。還有一點，這個日本人手腕很小，不過從錶帶磨損的部位來看，這隻錶曾經被手腕粗得多的人戴過。」

哈利點點頭。「對，你說得沒錯。這隻錶以前是另一個人的，那個人手腕比較粗。不過你也知道，這地方大部分男人的手腕都那麼粗。坐下吧，奧田。我要聽聽你的講法，你知道說謊會有什麼下場吧？」

「我不會說謊的，長官。」

「那最好，否則拿你的小命試試看。你先告訴我，上星期六晚上是誰租你的車的？」

「星期六晚上？」

「我是這麼問的！」

「噢，是的，是兩個船上下來的水手，說要租一整個晚上，立刻付了我很多錢。我車子開到河川街一家商店旁邊，等了好久。然後我們到碼頭去，後座還多了一名乘客。」

「你知道那兩個水手的名字嗎？」

「不知道。」

「他們是哪艘船上的。」

「我怎麼曉得？他們又沒說。」

「好吧。接下來這件事很重要，你懂嗎？實話實說，那就是我要的。你這隻錶打哪兒來的？」

陳查禮和約翰昆西都關心得傾過身去。「那是我買的。」那日本人說。

「哦，在哪買的？」

「在茂納奇街中國人老何開的銀樓裡買的。」

哈利回頭看著陳查禮。「你曉得那地方嗎，老陳？」

陳查禮點點頭。「我知道。」

「現在還在營業嗎？」

「營業到十點，說不定更晚。」

「很好，」哈利說道。「來吧，奧田，你可以載我們到那裡。」

老何是個瘦巴巴的中國老頭，人坐在工作檯後面，其中一個眼眶正夾著一只貼目顯微鏡。四個人走進他那不很大的店裡，空間登時顯得擁擠起來，但是老何連睬都不睬。

「我說，姓何的，打起精神啦，」哈利大聲說道：「我有話跟你談。」

老何很從容的離開長凳，走到櫃台，帶著敵意看著哈利。哈利將手錶放在展示台上，底下可以看到一些綠色的玉石陳列著。

「這個你看過嗎？」哈利問道。

老何很隨便的看了一眼，緩緩抬起眼睛。「也許吧，我也說不上來。」他的聲調稍微偏高。

哈利漲紅了臉。「你胡說。這隻錶本來在你店裡，後來賣給這日本人，你說，有沒有這件事？」

老何兩眼朦朧的看著那司機。「也許吧，我也說不準。」

「混帳！」哈利大叫道。「你知道我是誰嗎？」

「警察吧，或許。」

「你說對了，我就是警察！我要你告訴我這隻手錶的事。你現在就給我清醒過來，張大眼睛，否則——」

陳查禮敬謹的伸手觸了一下組長的胳臂。「請讓我問問看吧！」他說道。

哈利點點頭。「好吧，對他你比較在行，老陳。」他退後一步。

陳查禮很有禮貌的行了個禮，用中國話指東道西談了起來。老何有點興趣的注視著他，隨後簡略的答了一兩句。陳查禮又講了好長一段，偶爾停下來，換老何講。沒過多久，陳查禮臉上露出笑容。

「現在這件事像拔蛀牙般的整個掀開來了，」他說道：「老何得到這隻手錶是命案發生那個禮拜的禮拜四，賣錶給他的是一個皮膚棕黑的年輕人，臉頰上有淺淺的刀疤。老何買下這隻錶，因為裡頭的機件受損，所以修理了一番。星期六早上他用適當的價錢把錶賣給一位日本人，有可能就是這位奥田，不過老何並不敢打包票。到了星期六晚上，那個皮膚棕黑的年輕人神色倉皇的跑來，百般哀求想把錶拿回去。老何說錶已經賣給日本人了。哪個日本人呢？老何並不知道名字，也說不上來，因為不管哪個日本人的臉他都不感興趣。後來那個皮膚棕黑的年輕人破口大罵了一陣，隨後走了。我們最近好像經常來探問消息，但是老何向來不吃硬的，這就是他所要講的話。」

他們走到外面街上，哈利怒視著那個日本人說：「好吧，你可以走了。這隻錶我要留著。」

「太感謝了！」那日本人說，隨即鑽進他的車裡。

哈利轉頭去問陳查禮：「他說是一個皮膚棕黑的年輕人，臉上還有個刀疤？」

「那對我而言已經夠清楚了，」陳查禮答道：「那傢伙是西班牙人，名叫荷西．卡貝拉，專門在城裡頭混，名聲不怎麼好。溫特司禮先生，你該不會忘了他吧？」

約翰昆西愣了一下。「我？我看過他嗎？」

「你回想一下，謀殺案發生後的第二天晚上。」陳查禮說道：「你和我在全美餐廳裡面，跟那個經理爭論他們的派很不衛生。然後門打開來，一位名叫鮑克的人走進來，他是泰勒總統號的服務生，當時喝多了歐克里郝，似乎挺快樂的哩。那時他身邊有個皮膚棕黑的年輕人，就是這位荷西．卡貝拉。」

「喔，我現在想起來了。」約翰昆西答道。

「嗯，找那個西班牙人很容易，」哈利說道：「我一個小時之內就把他……」

「拜託請等一等，」陳查禮打岔道：「明天早上九點，泰勒總統號將從東方回到這裡，我敢打賭到時候一定會有某位西班牙人在碼頭上等鮑克先生。假如你現在不堅持反對的話，我很希望在最關鍵的時刻逮住他。」

「喔，那當然好，」哈利同意道。他敏銳的看著陳查禮，「我說老陳吶，你這個老壞蛋，最後還是被你查出端倪來了。」

「你說的是誰，我嗎？」陳查禮笑道。「你要是准許的話，讓我換另一種說法——現在大石牆已經被敲成粉塵，光線從好幾個孔透進來，就像清晨乍現的曙光。」

【第二十一章】石牆粉碎

石牆粉碎，曙光照射進來。但那只是對陳查禮而言，約翰昆西仍然在黑暗中摸索，當他返回威基基海灘住處時，每一思及便覺得滿不是滋味的。他和陳查禮並肩戮力，努力的結果已來到緊要關頭，而顯然警探只想獨自推進，將同伴拋在後面，有能力就跟上來吧。好吧，那就算了！然而約翰昆西的自尊心卻被挑了起來。

他忽然欲望強烈的想要向陳查禮證明，他豈能就這樣被甩在後頭。不過除非他能靈光乍現，跟那位警探在同一時間破解這個懸案。為了波士頓，也為了溫氏家族的顏面。

他眉頭深鎖，重新推敲每一個遭放棄的線索。那幾個先前啟人疑竇，之後又能自圓其說的嫌疑人——伊根、康普敦太太、布瑞德、高拉、李樂比、沙拉汀、科普，他甚至考慮到好幾位沒被調查的對象。而後他想到鮑克，鮑克的再度出現代表的是什麼意思？

這是約翰昆西兩個禮拜以來，頭一次想到這位梳著後梳髮型、戴金邊眼鏡的矮個子男人。為消逝的酒吧和酒友而感慨繫之的鮑克，到底這位泰勒總統號上的服務生跟丹恩・溫特司禮的謀殺案之間有何牽連呢？事實很明顯，那案子不是他親手幹的，然而兩者之間卻有某方面的關聯。約翰昆西花了很久的工夫苦思鮑克和另一名嫌犯加在一起的可能性，但卻百思不得其解。

星期二整個晚上他便這樣苦苦思索著，悶不吭聲，心不在焉，逼得明諾薇終於把他放棄，回房看自己的書。星期三一早起來，問題並沒有比較接近解決的邊緣。

芭巴拉預定十點從考艾島回來，約翰昆西開那輛小跑車到城裡接她。在銀行停下來提款時，他遇到了當時一起搭乘泰勒總統號的夥伴，精神矍鑠的梅諾夫人。

「我真的不該跟你講話，」老夫人說：「你一次都沒有來看我。」

「我知道，」約翰昆西答道：「可是我真的好忙。」

「我也聽說了，跟警察與嫌疑犯到處跑。我一點都不懷疑你回波士頓之後會到處向人家宣傳，說我們這裡的人都是一些作姦犯科的殺人犯。」

「噢，我才不會那樣。」

「會的，你就是會，因為你對檀香山有偏見。你何不放下身段，偶爾也跟一兩位值得尊敬的人打打交道。」

「我很樂意那麼做——假如他們也都像妳老人家一樣的話。」

「像我？他們可比我聰明且有魅力多了。今天晚上他們有一些人會到我家開個小小的派對，大家談談話兒，然後在月光底下游泳，你要不要一起來？」

「我是很想去啦，」約翰昆西答道：「可是我堂叔丹恩……」

老太太眼睛一亮。「你聽我說吧，即使他是你親戚，你也只要向丹恩默哀個十分鐘就夠了。來吧，我等你喔。」

約翰昆西大笑道：「我會去的。」

「一言為定。」她說道：「把你姑媽明諾薇也帶來。你要告訴她說，我認為她已經快要被那些老規矩困死了。」

約翰昆西把車停在砲台街與國王街的轉角，他走到那裡正要上車時，忽然停了下來。一條熟悉的人影正輕快的穿過馬路，正是那位船上的服務生鮑克，陪在一旁的則是陳衛理，太平洋棒球隊的魔鬼捕手。

「嗨，鮑克！」約翰昆西喚道。

鮑克先生愉快的走到他身邊。「喔，原來是我的老朋友溫特司禮先生。來跟陳衛理握個手吧，他是咱們這裡的泰．科布。」（譯註：泰．科布是美國知名棒球選手。）

「我和陳先生以前見過面了。」約翰昆西告訴他。

「你每一個名人都認識？那太好了。我說啊，我們在泰勒總統號上好懷念你咧。」

約翰昆西發現鮑克人相當清醒，說道：「你剛到吧，我想。」

「剛到不久，要不要加入我們？」他走近兩步，壓低聲音。「這位聰明的年輕人告訴我說，他知道海邊有一家租車店可以買到牌子很棒的『雜醇類飲料』，瓶子外面貼的商標很漂亮。」

「很抱歉，」約翰昆西答道：「我堂妹搭的離島交通船就快到了，我得去接她。」

「我也很抱歉，」這位都柏林大學的校友說。「我要是能力夠的話，我想要開一個小派對，把你也邀請來。是一件相當大的事情，用來紀念提姆，以及對七大洋來個最依依不捨的告別。」

「什麼?你要『波兒』啦?」

「正是要『波兒』了。我今晚搭泰勒總統號離開之後就結束海上生涯了。你搞不好不知道有一家風評還不錯的地方性報紙要賣,價錢是——呃,就說是一萬美元好了。」

「這件事會不會太突然了點?」約翰昆西問道。

「老兄啊,我們人在這裡什麼事都很突然。好了,我們該走了,很可惜你不能加入我們。假如我這一去路途不很坎坷,又能混得不錯的話,我就會把杯中物戒掉,為了提姆那個老傢伙。再見了,老兄,祝你事事順利。」

他向陳衛理點個頭,兩人沿街走了過去。約翰昆西看著他們漸去的背影,臉上充滿疑惑。

芭巴拉似乎比以往更蒼白,也瘦了些,不過她聲稱這一趟玩得相當愉快,坐車回海邊時,努力表現出歡喜開朗的樣子。回到家後,約翰昆西向姑媽提到梅諾夫人的邀請。

「最好能去一趟。」他敦促道。

「也許會去吧,」明諾薇說:「我再考慮看看。」

白天很安靜的度過了,一直到傍晚這股單調的氣氛方被打破。吃過晚餐和姑媽、芭巴拉離開飯廳時，約翰昆西收到一封電報。他立刻把電報打開，一看是發自波士頓，很顯然的，艾嘉莎．派克完全被西部生活的粗魯貧薄嚇得逃回老家了，約翰昆西所發的「舊金山，否則免談」電報，也隨她回到老家，故而延遲了。

電報的內容很簡單：「免談。艾嘉莎。」約翰昆西將它揉成一團，希望自己會難過一點，但卻沒用，他是個十分快樂的男人。這段愛情的結局是——此路不通。他們之間從未有過那麼荒謬的情況，情緣如此之薄，禁不起兩地分離。艾嘉莎比他年輕多了，她會跟某位中規中矩的小伙子結婚，那個人沒有流浪的欲望。而約翰昆西．溫特司禮會看到她結婚的消息的，在舊金山的報紙上。

他發覺客廳只有明諾薇一個人。「雖然不干我的事，」她說：「可是我很關心你那封電報裡寫什麼？」

「免談。」他據實以答。

「你收到電報倒很高興似的。」

他點點頭。「是啊，我猜，沒有人會為了沒有過的事而如此快樂。」

「我的天吶，」明諾薇嚷道，「你連話要怎麼講都不會了嗎？」

「我想的就是那樣。怎樣，要不要跟我到海灘那邊去？」

明諾薇搖搖頭。「有人要過來看這棟房子，應該是個一流的律師吧，我想。他考慮要買，我覺得我最好留下來帶他參觀一下。芭巴拉顯得很無精打采，並不太關心。請你告訴莎莉．梅諾，說我也許晚一點會到。」

七點四十五分，約翰昆西拿著泳衣沿嘉利亞路走去。這是另一個浪漫的夜晚，明月高掛，開著紫色小花的阿拉曼達樹下有棟小屋，輕柔的夏威夷小調就從屋裡流瀉出來。被當成籬笆的芙蓉火焰般的盛開著，使他嗅到這化外之島的異香。

梅諾夫人的大宅邸是棟不甚討喜的新英格蘭建築，但是那種感覺卻被一百多種蔓生的花卉隱藏起來。在通風良好的大會客室裡，約翰昆西看到了女主人，她周旋在一群快樂優秀的俊男美女之中，那也是最怡然自得的一群。夫人介紹他的時候，他不禁疑惑自己是否錯過了許多意氣相投的夥伴。

「我是硬把他拉來這裡的，」老夫人解釋道：「我覺得我對夏威夷有虧欠，他已經跟那些中下階層的人廝混得夠久了。」

大家堅持請他坐在主位，硬要敬他香菸，種種的盛情紛至沓來。等他坐下來後，大家又恢復了交談，他想道，即使在波士頓，最有教養的團體亦不過如此。而為什麼不呢？這些家庭大部分都是從新英格蘭來的，儘管播遷到這裡，卻仍緊守著自身文化及階級的傳統理想。

「以前，加州有百分之四十九的人把子女送來這裡唸教會學校，」梅諾夫人說：「甚至連小麥也從這裡進口，你們貝肯大街的人對這點一定很感興趣。」

「還有咧，妳再告訴他別的吧，莎莉姑媽，」一位穿著藍衣服的漂亮女孩笑道：「譬如舊金山最早看到的報紙，還是從檀香山這裡運過去的呢。」

梅諾夫人聳聳肩。「嗯，那有什麼用？我們離得那麼遠，新英格蘭永遠也無法跟我們直接發生關係。」

約翰昆西抬頭看到凱洛妲·伊根來到門口，過不久那位李奇蒙市的布斯中尉也出現在她的身邊。此情此景使得這位從波士頓來的年輕人覺得，敦睦艦隊未免在檀香山停靠得太久了吧。

梅諾夫人起身迎接那位女孩。「快進來，乖女孩，這裡大部分人妳都認識。」她向其他人說：「這位是伊根小姐，我在海邊這裡的鄰居。」

原來這些人大部分也認識凱洛姐，這可有趣了。一想到英國海軍跟那個肥皂公司的關聯，約翰昆西不覺笑了起來。那對她而言，原本一定是相當苦惱的事，然而她卻通情達理的接受了這一切，這教約翰昆西不禁想到，她在英國也會過得很愉快，假如她去到那裡的話。

凱洛姐朝一張沙發坐下，布斯中尉正忙著在她背後塞靠墊，約翰昆西於是到她身邊坐下。幸運的是，那張沙發太小，容不下第三人。

「我正想要見妳呢，」他低聲說道：「結果我被帶來這裡，見到檀香山最優秀的一群人。可在我眼裡，妳卻是眾人之中最出色的一位。」

凱洛姐笑盈盈的看著他，客廳這時又充滿了切切的交談。不久一位手上拿著酒杯的年輕人站起來，聲音蓋過了其他人。

「鄉村俱樂部今天下午接到了喬．克拉克最新消息的電報。」他宣布道。

喧笑聲一時停了下來，每一個人都關心的聽著。「克拉克是我們這裡的選手，」那位年輕人向約翰昆西解釋道：「他一個月前出發去參加英國公開賽。」

「他贏了嗎？」穿藍衣服的女孩問。

「他在半準決賽被海京淘汰了，」年輕人說：「不過他打出聖安德魯球場距離最遠的球，受到各方矚目。」

「那有什麼？」一位老先生說：「他那雙手腕是我見過最有力的，有誰比得上？」

約翰昆西站了起來，剎那間感到非常好奇。「你這話怎麼說？」他問道。

老先生露出笑容。「我們這裡的人手腕都相當粗，」他回答道：「玩衝浪嘛，那就是其中的原因。有一陣子喬．克拉克還是衝浪和風浪板比賽的雙料冠軍哩，他經常在環礁外面被捲進大浪裡面，消失好幾個鐘頭，結果便造就他那雙神奇的手腕。有一次我看他打高爾夫球，一揮就是三百八十碼。是的，老兄，我打賭他把那些英國佬嚇壞了，大家都對他留下深刻的印象。」

約翰昆西正在仔細玩味著這番話，有人建議說該去游泳了，登時引來一陣混亂。一名中國管家引領大家到更衣室去，更衣室出去便是外頭陽台，在場的年輕人無不雀躍的跟在他後面。

「我到海邊等妳。」約翰昆西對凱洛妲說。

「你知道，我是跟強尼來的。」她提醒道。

「我當然知道，」他回答道：「可是妳對海軍的承諾只有上個週末。有些人就是得寸進尺，連星期三晚上也以為該他們的。」

她笑了起來。「我會去找你的。」她同意道。

更衣室裡不是衣服扔來扔去，就是黝黑粗壯的手臂揮來揮去，他飛快的換好了泳衣，一看布斯中尉還悠哉悠哉換著衣服，為之寬心不少。他快步走向通往海灘的門，在鄰近的一棵黃槿樹下等著，不久凱洛妲來了，苗條的身材在月光下顯得有些單薄。

「啊，妳可來了，」約翰昆西大叫道：「咱們游到最遠的那個浮筏！」

「好，看誰先到。」她應道。

兩人躍入波光粼粼的溫暖海水中，暢快的越游越遠。五分鐘後，他們並肩坐在浮筏上面。遠處鑽石岬上的燈火閃爍著，環礁外舨板上的燈籠熒熒發亮，整個檀島的海岸線是一整列如繁星般的燈光描出的輪廓，燦爛的星空中高懸著一條月虹，一端始於太平洋，另一端則沒入海岸旁的叢林中。

終於讓年輕相愛的戀人擁有如此絢麗的場景，可以放心說話了。約翰昆西挪近伊人的身旁。

「好迷人的夜晚，是不是？」他開口道。

「美極了！」她溫柔的應道。

「凱洛姐，我有話想跟妳講，所以才帶妳來這裡，不跟其他人一塊……」

「可是，」她打岔道：「這樣對強尼不太公平。」

「別管他了，妳有沒有想過我的名字也叫強尼？」（譯註：約翰的暱稱是強尼。）

她笑了起來。「噢，但那是不可能的啦。」

「妳什麼意思？」

「我是說，我根本不可能那樣叫你。你太高貴了。而且——有點遠。就叫約翰昆西，我想我可以叫你約翰昆西吧……」

「喔，妳要拿定主意，必須有個稱呼我的方式，因為將來我會經常在妳身邊晃來晃去哩。是的，親愛的，我將會變成這個世界上離妳最近的傢伙。也就是說，假如我能夠把我所看到的未來也讓妳看到的話。凱洛姐，我最——」

他們背後突然出現咕嚕咕嚕的聲音，兩人連忙轉過頭去，只見布斯中尉爬上浮筏來。「最後十五碼我潛在水裡游，想要嚇妳一跳。」他口沫橫飛的說。

「喔，你成功了。」約翰昆西毫不帶勁的說。

中尉坐下來，一副不知要坐多久的樣子，「我會告訴全世界今晚實在太棒了。」

「說到全世界，你們這些好漢什麼時候要離開檀香山？」約翰昆西問。

「不知道。也許明天吧，我想。我的話，就算大家永遠不走，我也不在乎。夏威夷可不是那麼容易就捨得離開的地方，妳說是不是，凱洛妲？」

她點點頭。「據我所知是最令人難以離開的地方，強尼。再不久我就要坐船走了，我知道到時候一定痛苦死了。也許我會效法游泳健將威厄里的例子，當船經過威基基海灘時立刻跳下船。」

他們默默的斜倚在浮筏上好一陣子，突然約翰昆西坐直起來。「妳剛才說什麼？」

「威厄里嗎？我沒告訴過你嗎？他是我們這裡最會游泳的人，有好幾年他們一直想遊說他到美國本土參加運動會，像杜克．卡哈納馬古那樣。可是他是個感情很豐富的人，捨不得離開夏威夷。最後他們終於說動他，然後在一個天氣很好的早上，他坐上馬索尼號，表情十分傷心。結果船要駛離威基基海灘時，他竟從船上跳了下來，自己游泳上岸。這就是威厄里的故事，後來他再也沒有上船過。你知道——」

約翰昆西站了起來。「我們離開海灘的時候是幾點？」他緊張的低聲問道。

「大約八點半。」強尼說。

約翰昆西忙著說：「那是說我只能用三十分鐘游回岸上，換好衣服，在泰勒總統號開船之前趕到碼頭。很抱歉我必須走了，但是這件事情很重要……非常重要。凱洛妲，我有事情要告訴妳。我不知道會幾點回來，可是我必須見到妳當面講，不管是在梅諾夫人那裡、還是妳家都好，妳會等我嗎？」

凱洛妲被他語氣裡的鄭重嚇到了。「會的，我會等你。」她說道。

「那太好了。」他遲疑了半晌，把心愛的女孩留在浮筏上，讓她在月光下和一名英俊的海軍軍官在一起，那不是很危險嗎？可以他又不得不如此。「我走了！」他說道，旋即跳入水中。

當他的頭浮出海面時，耳朵聽到那名中尉說道：「嘿，老兄，你那跳水姿勢整個錯了。你讓我教你——」

「你見鬼去吧！」約翰昆西在水裡嘀咕著，一面奮力划水泅回岸上。他急匆匆的衝進更衣室裡，換好衣服，又急匆匆的衝了出去，連道歉的話也來不及向女主人講，只顧沿著海邊跑回住處。回到家時，哈庫正在玄關打著盹兒。

「趕快趕快，」約翰昆西喊道。「去叫司機把那輛跑車駛進車道，引擎讓它發動著。醒來啦！用跑的！芭巴拉小姐呢？」

「最後看到的時候，人在海灘那裡——」哈庫吃驚的說。

芭巴拉正獨自坐在那棵黃槿樹下的長椅上，他氣喘吁吁的走到她面前。

「芭巴拉，」他說道。「我終於知道是誰殺害妳父親了。」

芭巴拉跳了起來。「你知道了？」

「是的……要我告訴妳嗎？」

「不要，」她說：「不要，我沒有勇氣聽，那太可怕了。」

「這麼說，妳已經有所懷疑了？」

「是的，只是懷疑，是一種感覺，直覺知道是誰。我無法相信，也不肯相信，我離開這裡就是想把這個忘記，那太可怕了……」

約翰昆西把手放在她肩上。「別難過了。妳不用擔心，不管怎樣妳都不會被人指指點點的，我會全力保護妳。」

「發生了什麼事？」

「我現在沒空解釋，回頭再告訴妳。」他向車道跑去，明諾薇忽然從屋裡出來。

「沒時間多解釋了。」他高聲說道，隨即跳進跑車。

「可是約翰昆西，有一件很奇怪的事情發生了，那個來看這棟房子的律師，他說丹恩在死前一個禮拜的時候告訴他要另立新的遺囑……」

「那太好了！那就是證據！」約翰昆西嚷道。

「但是為什麼要立新的遺囑呢？芭巴拉當然是他唯一的……」

「妳聽我說，」約翰昆西打斷她的話說：「妳已經耽擱到我了。妳叫司機開那輛大車載妳到警察局，把這些話告訴哈利組長。還有請妳也告訴他，我人已經在泰勒總統號上，請他立刻派陳查禮到那裡。」

他猛踩油門，按照車內時鐘所顯示的時間，在泰勒總統號開航之前他只有十七分鐘可以趕到碼頭。他有如瘋子似的疾馳於夏威夷華麗的夜色下，平直、無人的卡拉卡華大道簡直像燈火輝煌的高速道路，他只花八分鐘便跑完通往碼頭的三英哩路，只在市中心碰到些微車流和一位憤怒的交通警察，耽擱了些許時間。

船馬上就要開了，晦暗的碼頭倉庫下散布著一些人在等候著，約翰昆西快步從他們之間穿過，跑上扶梯，這艘船的二副赫普渥斯正在頂端站著。

「嗨，溫特司禮先生，」他說道：「你也要搭這艘船嗎？」

「不是，但是請讓我上船！」

「很抱歉，我們正要把扶梯升起來。」

「噢，不行，你絕對不可以，這是性命攸關的大事，你們必須再延遲幾分鐘。貴船有位名叫鮑克的服務生，我必須立刻找到他，這是性命攸關的大事，我向你保證。」

赫普渥斯欠身往旁邊一站。「噢，好吧，既然是這樣。不過請務必快點，老兄！」

「我會的。」約翰昆西急忙從他身邊走過。當他正要前往由鮑克服務的客艙時，驀然一條高大的人影引起他的注意，那個人穿著一件綠色的阿爾斯特長大衣，頭戴一頂扁扁的綠帽子。約翰昆西上次看到那頂帽子是在歐胡鄉村俱樂部的高爾夫球場。

那名高個子登上樓梯，要到最頂端的甲板上去。約翰昆西跟過去，看到那人進入一間頭等客艙。他仍舊跟隨過去，把客艙門推開，穿阿爾斯特長大衣的男子背對著他，但旋即轉過身來。

「啊，堅尼森先生，」約翰昆西大聲說道：「你想要搭這艘船離開嗎？」

有一剎那的時間堅尼森瞪著他。「是啊！」他鎮定的說。

「算了吧，」約翰昆西說：「你得隨我回岸上。」

「是嗎？你憑什麼？」

「不憑什麼，」約翰昆西板著臉說：「我要逮捕你，那就夠了。」

堅尼森臉上笑著，但卻眼露兇光。而一向溫文爾雅的約翰昆西面對這個人時，內心亦升起了怒火，他想到死在床上的丹恩．溫特司禮；又想到那天早晨上岸時，堅尼森隨他們一起走下扶梯，當可憐的芭巴拉遭到惡耗打擊承受不起時，堅尼森攬住了她；他也想到有人在樹叢後面朝他開槍，以及和紅髮男子在滿室通紅的房間裡的惡鬥。好吧，他又必須挺身一戰了。泰勒總統號的汽笛發出一聲尖銳的警告，沒有退路可走了。

「你給我離開這裡，」堅尼森的聲音從牙縫中發出來。「我會陪你到扶梯……」

他停住不動，腦中想到那對自己不利，右手迅速伸入口袋裡。約翰昆西靈機一動，抓起一個裝滿水的瓶子朝對方頭部扔去。堅尼森躲過攻擊，瓶子砸上一扇玻璃窗，玻璃破碎的聲音在黑夜中傳出去，但是沒有人跑過來看。約翰昆西見堅尼森向他撲過來，手上還抓著亮亮的東西，他側身一讓，向堅尼森背後撲去，迫使堅尼森兩膝跪地。他抓住堅尼森的右手腕，手槍正牢牢握在那隻手上。兩人僵持了一陣，隨後堅尼森緩緩站直起來，持槍的手也開始拉開了去。約翰昆西咬緊牙關，拚命支持住，但是他遭遇到的是比紅髮男子還要強壯的對手，自己遠遠不及，一明白這點他體內更竄起一股絕望的力量。

堅尼森已站起來了，右手也近乎掙脫。再過一會兒會怎樣呢？約翰昆西忖道。這個人絕對無意讓他上岸，適才甫一出口便改變了心意。一聲被滅音器摀住的槍聲，而後是漆黑的夜，當船已完全駛到太平洋上——約翰昆西想到波士頓，想到他的母親，想到凱洛妲正在等他回去。他鼓起全身所剩的力氣，最後一次拚命抓緊對方的手腕。

突然間，被砸破的玻璃窗外出現一張沉著的白臉，一隻拿槍的手伸了進來。

「把武器丟掉，」陳查禮命令說：「否則我會往你身上的要害射進致命的一槍。」

堅尼森的槍掉在地上，約翰昆西一陣踉蹌的跌臥在背後的臥鋪上，客艙的門被人打開，哈利及史本塞警探走了進來。

「嗨，溫特司禮，你在這裡幹嘛？」哈利組長說道，他把一張紙塞進堅尼森的阿爾斯特大衣口袋裡。「走吧，堅尼森，」他說：「我們要逮捕你。」

約翰昆西四肢發軟的跟著走出客艙，陳查禮在艙房外加入他們。走到下扶梯處時，哈利停住腳步。「我們等赫普渥斯一分鐘。」他說。

約翰昆西把手搭在陳查禮肩上。「老陳，我不知該怎麼謝你才好，你救了我一命。」

陳查禮一鞠躬。「我的快樂難以言喻。我救過不少人的命，可是沒有一個是從有文化的波士頓來的，這永遠是記憶裡快樂的一頁。」

赫普渥斯來了。「沒問題，」他說：「船長答應延後開船一個小時，我跟你們一起去警察局。」

下扶梯時，陳查禮回頭對約翰昆西講：「說真的，我要向你的英勇道賀。顯然你以勇健與必勝的心情撲向這個姓堅尼森的，可是他應該會把你推倒在地，成為贏家的。你知道為什麼嗎？答案是他有那雙強勁的手腕。」

「一個很了不起的衝浪選手，是嘛？」約翰昆西說。

陳查禮凝視著他。「你一點都不笨嘛。十年前何瑞．堅尼森是全夏威夷的游泳冠軍選手，我是從早期的《檀香山記事報》擷取到這個訊息。不過近幾年來並沒有他從事水上活動的新聞。我查的是以前的事實，而不是他殺死丹恩．溫特司禮那天晚上之後的。」

【第二十二章】曙光大量湧入

他們從碼頭走到街上，赫普渥斯、堅尼森和三名警察都坐上哈利的車。組長轉身對著約翰昆西。

「你來嗎，溫特司禮先生？」他問道。

「我有開車過來，」約翰昆西說：「我會跟在你們後頭。」

跑車的狀況有點欠佳，他在眾人抵達警局足足五分鐘後才趕到。他注意到丹恩．溫特司禮的豪華轎車停放在街上。

他發現哈利、陳查禮和另一個人在哈利組長辦公室裡密談，他又看了一眼，確認那人是沙拉汀先生。現在那位缺牙的矮個子男人似乎比約翰昆西原先所想的年輕了許多。

「啊，溫特司禮先生，」哈利嗅道，他轉向沙拉汀。「我說賴瑞呀，你可弄得我跟這位老弟發生好大的糾紛哩，他居然控告我試圖掩護你，我希望你來為他解開這個結。」

沙拉汀笑道：「喔，沒問題。我在這裡的工作差不多要結束了。當然，我說的話溫特司禮先生應該會保密吧？」

「那是一定的，」約翰昆西保證，他注意到這位先生講話已不再口齒不清了。「我發覺你好像找到牙齒了。」他補充道。

「噢，是啊，我是在皮箱裡找到的，當我來威基基海灘時就已經放進皮箱裡了。」沙拉汀答道，「二十年前我打橄欖球把牙齒撞壞了，當時非常痛心，不過這個損失對我的工作來說幫助很大。一個在海水裡尋找牙床的人，聽起來既荒謬又好笑，任何人都不會把他跟正經事聯想在一起，他可以隨心所欲在海邊晃來晃去。溫特司禮先生，我是財政部派來這裡的特工人員，任務是打擊販毒組織。當然啦，我的名字並不是沙拉汀。」

「噢，」約翰昆西說：「我終於明白了。」

「好在你明白了，」哈利說：「我不知道你清不清楚政府的緝毒作業。那些毒品是透過不定期輪，譬如瑪麗．聖愛里森號，從東方運來的。當那些船來到威基基外海，就會把貨卸在一隻隻小竹筏上，再放到海中。近海會有一些小船，也許假裝去捕魚，再把那些小竹筏撈起，運到岸上。毒品被送到城裡，再偷偷混進開往舊金山的船上，通常是那些只在夏威夷和美國本土往來的船，因為這兩地的港口並不會對這種船檢查得那麼嚴。不過我們剛剛破獲泰勒總統號的主舵手是他們的一個中間人，今天晚上搜查他的艙房時，發現了不少毒品。」

「泰勒總統號上的主舵手，」約翰昆西說：「他是狄克．高拉的朋友。」

「是啊，話又回到狄克身上。他在近海利用漁船接應毒品，已經被抓起來了。命案發生當晚他正在忙毒品的事，沙拉汀看到他，於是用那張小紙條通知了我，我會讓那小鬼走就是這個緣故。」

「那我得向你道歉。」約翰昆西說。

「噢，算了吧。」哈利心情相當好。「咱們這位賴瑞還糾出一些大人物，譬如說，他發現堅尼森是販毒集團的專用律師，他們只要有人被抓，他就替他們辯護。這件事本來不會扯上丹恩．溫特司禮，除非是溫特司禮曉得了，而那也是他不要堅尼森娶他女兒的原因之一。」

沙拉汀站了起來。「我會把那個主舵手轉交給你，」他說道：「因為還涉及另外的案子，你們當然可以扣住堅尼森。我的工作完成了，我要走了。」

「明天見了，賴瑞。」哈利說。沙拉汀走後，組長轉向約翰昆西。「好啦，老弟，咱們今晚獲得了重大的勝利。我不知道你跑去堅尼森的客艙裡幹什麼，不過你如果認為他是兇手而想去抓他的話，我會說你的確有兩把刷子。」

「我正是要抓他，」約翰昆西說。「噢，對了，你見到我姑媽沒有？她得到一個挺有趣的訊息。」

「我見過她了，」哈利說：「她現在在檢察官那裡陳述事實。對啃，葛林在等我們呢，一起過去吧。」

他們走到檢察官辦公室，葛林正全力問案，書記官就在身旁，明諾薇也坐在他辦公桌前。

「嗨，溫特司禮先生，」他說：「你現在認為我們這裡的警察怎樣？非常棒是吧，非常棒的。坐吧，各位。」在約翰昆西、哈利和陳查禮各自找椅子坐時，他瞄了一下辦公桌上的若干文件。「不瞞你說，這件事讓我非常震驚，何瑞．堅尼森是我的老朋友了，昨天還一起在俱樂部吃午飯。我打算用跟平常不太一樣的方式偵辦本案。」

約翰昆西作勢想站起來。「別緊張，」葛林笑道：「堅尼森會得到他應得的東西，不管是友誼還是非友誼。我的意思是說，假如我能節省曠日廢時的偵訊過程，立刻教他俯首認罪，我就打算那麼做。他馬上就要被帶到這裡來，我計畫透露一切案情。那也許有些愚蠢，其實不然，因為我手上握有王牌，而且是所有的王牌，他立刻就會和每一個人一樣知道這一點。」

門打開了，史本塞把堅尼森帶進辦公室，隨後離開。被告傲然的站立著，旁若無人，彷彿熱帶地方的北歐海盜，一個陷入窘境但毫不畏懼的金髮巨人。

「嗨，堅尼森，」葛林說：「有關這件事情我非常遺憾！」

「你當然要感到遺憾，」堅尼森答道：「你們把自己給騙慘了，你們究竟在鬼扯些什麼呢，莫名其妙。」

「坐下吧，」檢察官厲聲說道，他指著辦公桌面前的一張椅子，桌上的檯燈先前調過方向，任何人坐在那裡，整個臉都會直接承受燈光的照射。「這盞燈困擾了你嗎，何瑞？」他問道。

「我怎麼會被困擾？」堅尼森反問道。

「很好，」葛林笑道：「我相信哈利組長已經在船上把逮捕令給你了，你看了嗎？」

「看了。」

檢察官上身向前傾，道：「你殺人了，堅尼森！」

堅尼森的表情沒有改變。「我說過了，這些都是鬼扯。我幹嘛要殺人？」

「哈，你說的是動機是吧，」葛林答道。「你的話很對，我們應該從那個問題談起。你要找律師到場嗎？」

堅尼森搖搖頭。「要拆穿你這個西洋鏡，我這個律師就夠了。」他回答道。

「那太好了，」葛林轉頭對書記官說：「把這個記下來。」書記官點點頭，葛林對明諾薇說：「溫特司禮女士，我們先聽聽妳發現的事。」

明諾薇身體前傾，說道：「正如我所說的，丹恩．溫特司禮先生的女兒準備賣掉他在海邊的房子，今晚吃過晚飯後有一位先生去看那棟房子，他名叫海黎，是個知名的律師。當我帶他上上下下參觀的時候，海黎先生說，他在丹恩．溫特司禮死前一個禮拜曾在街上遇見他，丹恩表示不久之後想要另立新的遺囑，至於新遺囑的內容為何當時並沒有講，之後也不曾建立下來。」

「哦，是這樣？」葛林說：「可是這位堅尼森先生不是妳堂兄的律師嗎？」

「他是的。」

「妳堂兄如果要另立新遺囑的話，照理來說，他該不會去找另一位律師吧。」

「應該不會，除非他有別的理由。」

「非常正確。譬如說，除非他的遺囑跟何瑞．堅尼森有所牽連。」

「我抗議！」堅尼森大叫道：「這只是揣測而已。」

「的確如此，」葛林回答道。「不過這裡並不是法庭，我們想揣測就揣測。溫特司禮女士，這遺囑說不定跟堅尼森有某種牽連，依妳猜，這個牽連會是什麼？」

「我用不著猜，」明諾薇答道：「因為我知道那是什麼。」

「啊，那太好了。妳知道。請說吧。」

「我今晚來這裡之前和我侄女談了一下。她承認當她父親知道她正在和堅尼森熱戀時，非常反對她兩人結合，甚至還說她如果非要如此下去，那他這個當老爸的遺產將不留給她繼承。」

「那麼，丹恩·溫特司禮所要立的新遺囑就是，一旦他女兒嫁給堅尼森，到時候將一毛錢也繼承不到？」

「無疑是如此。」明諾薇篤定的說。

「你問我說動機在哪裡，堅尼森，」葛林說：「這對我來說就是充分的動機，每一個人都知道你是個為錢瘋狂的人。你想要娶溫特司禮的女兒，夏威夷最有錢的女孩子，結果溫特司禮說你不准娶她，錢你也得不到，但是你又不是肯完全不為錢結婚的那種人，你決心人財兩得，只有一個人擋住你的去路，那就是丹恩·溫特司禮。所以，這就是那個星期一晚上你會出現在他家涼台……」

「等一下，」堅尼森反駁說。「我才不在他家涼台，那時候我在泰勒總統號輪船上，大家都曉得一直到第二天早上九點那艘船才讓乘客上岸。」

「那個我接著會講，」葛林對他說道。「至於現在——噢，對了，現在是幾點？」

堅尼森從口袋裡拿出一只繫著細鍊的錶。「現在是九點十五分。」

「噢，是的，你平常都帶著這隻錶嗎？」

「是啊。」

「曾經戴過手錶嗎？」

堅尼森遲疑了一下。「偶爾。」

「只有偶爾。」檢察官站起來，繞過辦公桌。「你的左手腕讓我看一下吧。」

堅尼森伸出手來。他的手被太陽曬得黝黑，不過腕部留有白色的痕跡，正好和手錶與錶帶的形狀吻合。

葛林露出微笑。「沒錯，你曾經戴過手錶，而且還經常戴，從這個形狀就可以知道。」他從口袋裡拿出一個小東西，出示在堅尼森眼前。「可能是這隻錶吧？」堅尼森面無表情的看在眼裡。「這隻錶你看過嗎？」葛林問道。「沒看過？好吧，我們總可以比對看看吧。」他把錶套在堅尼森手腕，勾住固定。「何瑞啊，」他接著說：「我不禁發現它的形狀跟你手腕沒曬到太陽的白色部分十分吻合哩，就連搭鉤也可以很自然的扣入錶帶上磨損最明顯的環孔。」

「那又怎樣？」堅尼森問道。

「喔，是巧合吧，有可能。不過呢，你的手腕異常的粗，從事過衝浪、游泳，是吧？不過那是我等一下還要講的。」他轉身對明諾薇說：「溫特司禮女士，麻煩妳過來我這裡。」

明諾薇走過去，快要走到身邊時，檢察官忽然俯身關掉桌上的檯燈，剎那間除了天窗漏下來的微弱光線外，整個房間全暗了，明諾薇只看得到朦朧的人影，一張張暗白色的臉，帶著壓迫感的寧靜。檢察官執起某個物體緩緩移到她驚詫的眼前。一個手錶，戴在一個人的手上——一個錶面會發光，但2那個數字幾乎消失的手錶。

「請注意看，然後告訴我，」檢察官的聲音說道：「妳看過這個嗎？」

「看過。」明諾薇篤定的答道。

「在哪裡看到的？」

「在丹恩．溫特司禮家黑暗的客廳裡，時間是六月十三日子夜剛過。」

葛林打開檯燈。「謝謝妳，溫特司禮女士。」他回到書桌後面，按了一下按鈕。

「我想，妳是因為它的某些特徵而認出來的吧？」

「是的，是2那個數字，它很不明顯。」

史本塞出現在門口。「帶那個西班牙人進來，」葛林吩咐道。「我就問到這裡，溫特司禮女士。」

卡貝拉被帶進來，一看到堅尼森便嚇住了。得到檢察官的示意，陳查禮把錶從堅尼森手上取下，拿給卡貝拉。

「你認得那隻錶吧，荷西？」葛林問。

「我……我……是的。」那年輕人答道。

「你不必害怕，」葛林打氣道，「沒有人會傷害你的。我要你再講一遍你今天下午告訴我的話，你沒有固定的工作，也算是這位堅尼森先生的親信吧。」

「是的。」

「很好，現在那全都結束了，你可以實話實說。七月二日是星期三，你那天早上在堅尼森先生的辦公室，他交給你這隻手錶，要你拿去修理，因為它有毛病，不會走了。於是你拿去一家大銀樓，後來呢？」

「店裡的人說這隻錶故障得很厲害，修理費用比買一隻新的還貴。我回去告訴堅尼森先生，他大笑說，那就送我好了。」

「原來如此，」葛林看了一下書桌上的筆錄。「之後是星期四下午，七月三日，你賣了那隻錶。賣給誰？」

「賣給老何，一個茂納奇街的銀樓業者，他是個中國人。到了星期六傍晚，可能是六點的時候吧，堅尼森先生打電話到我家，態度非常緊張。他一定要拿回那隻手錶，不管花多少錢都可以。我火速趕到老何的店，但錶又被賣了，這回是賣給不認識的日本人。當天晚上我去見堅尼森先生，他非常生氣的罵我。他說，你去把那隻錶找來。我找是找了，但卻無法找到。」

葛林轉向堅尼森。「你對那隻錶太大意了，何瑞。不過無疑你認為自己非常安全，因為你有不在場證明。還有就是，當命案發生後的那個早上，哈利在溫特司禮家陽台向你描述本案的線索時，卻忘了提到有人看到那隻手錶。多虧有這種可愛的意外，我們才能賴以破案。不過你在星期六晚上就曉得了這個危機，我就不懂你是怎麼發現的——」

「這我知道。」約翰昆西插嘴道。

「什麼！那是怎麼回事？」葛林說。

「那個星期六的下午，」約翰昆西說：「我跟堅尼森先生去打高爾夫球，在回到市區的路上，我們談起這個案子的線索，當時我提到了這隻手錶。我現在明白那是他頭一次知道這件事。那天他是要到我們那裡跟我們一起吃晚飯的，可是他要求回他的事務所一趟，說是有一些文件要簽。結果我在那棟大樓底下等了好久，那時他一定是在聯絡這個年輕人，想知道這隻手錶的下落。」

「好極了，」葛林很興奮的說：「那這隻錶的疑問就了結了，堅尼森。我很驚訝你做案時居然戴著它，不過你大概認為掌握時間很重要，而且你也知道它的功能沒那麼快受到海水的影響……」

「你在胡說些什麼啊？」堅尼森問道。

葛林又按了一下書桌上的按鈕。史本塞立刻開門而入。「把這位西班牙人帶走，」他指揮道：「帶赫普渥斯和那個主舵手進來。」他再度向著堅尼森。「再過一分鐘我就讓你知道我說的是什麼。六月十三日那天晚上，你是泰勒總統號船上的一名乘客，那艘船在第二天黎明之前一直停在進港水道的入口處是吧？」

「沒錯。」

「一直到第二天早上之前，並沒有任何乘客離船上岸？」

「那個查一下船上的記錄就可以了。」

「非常好。」泰勒總統號的二副進來了，在他後面跟著一名粗蠢的大漢，約翰昆西認出是同一艘船上的主舵手。令他驚奇的是，這個人右手戴著戒指，這不禁使他回想到在舊金山那個閣樓上遇到的事。

「赫普渥斯先生，」檢察官說道：「你們的船在六月十三日晚上抵達本島時，因為時間太晚而無法進港靠岸，因此在威基基外海下錨。在當時，有誰在甲板上——我是說，從子夜開始？」

「在當時，是船上的二副，也就是我本人，」赫普渥斯說：「另外還有主舵手。」

「在那晚之前，舷側的便梯有放下來嗎？」

「通常是有，那天晚上也放下來了。」

「誰的崗位最靠近那裡？」

「是主舵手。」

「喔，原來如此。六月十三日晚上你在當班，當時你有注意到什麼不尋常的事嗎？」

赫普渥斯點點頭。「我有。主舵手似乎喝醉了，凌晨三點我發現他在舷梯附近打瞌睡。我把他叫醒，然後走去檢查一下啟錨的方位，因為到四點半時船要轉向，結果我回來看時，他已經睡死了。我把他扶回艙房去睡，當然第二天我舉發了他。」

「你還注意到其他不尋常的事嗎？」

「沒有，長官。」赫普渥斯答道。

「非常謝謝你。好了，現在換你——」葛林對那位主舵手說。「六月十三日你在當班時喝醉了，你喝的酒哪裡來的？」那人猶豫了一下。「在你還沒說話之前，讓我給你一點忠告好了。你最好實話實說，老兄，你現在的情況已經夠糟了。我不給你任何承諾，不過你在這裡如果老實說的話，說不定對你的另一個案子有幫助。假如你撒謊，處境只有更惡劣而已。」

「我不會說謊的。」主舵手說。

「很好。你是從哪裡弄到酒的？」

那人頭向著堅尼森點了一下。「是他給我的。」

「他給的，嗯？全部講出來吧。」

「我是子夜剛過在甲板碰到他的，我們仍然有來往。以前我們就認識了……他和我……」

「你們兩個都在走私毒品，這個我曉得。你在甲板上碰到他之後……」

「是的，那時他說，你今晚當班，是嘛？我說是的。於是他拿給我一小瓶酒，並說這可以幫我度過當班的這段時間。我並不是很能喝酒的人，那是千真萬確的，我只沾了一點點，可是那瓶威士忌裡加了東西，這我敢發誓。我的腦袋整個糊塗掉了，等我清醒時人是睡在艙房被人叫起來的，說是上頭在找我。」

「那瓶酒呢？」

「去見船長途中丟下海了，我不想讓任何人看到。」

「六月十三日晚上你有看到什麼事嗎？有什麼異常的事？」

「看到不少呢，長官，但都是那瓶酒起的作用，並沒有你想要聽的東西。」

「好吧。」檢察官轉向堅尼森。「我說，何瑞，你用藥迷倒了他，是吧？為什麼？因為你要上岸去，是嘛？因為你知道當你回來時，他在舷梯旁邊當班，而你不願意被他看見。所以你在那瓶威士忌裡加了某種東西……」

「全是猜測！」堅尼森打斷道，人顯得格外鎮定，動也不動。「我本來還對你在這一行的表現滿尊敬的，但現在全都完了。假如你最多只能拿出這種……」

「那你就錯了，」葛林愉快的說，他再度按下按鈕。「我還有更棒的東西，何瑞，你只需要等一下。」他轉向赫普渥斯。「你船上有個叫鮑克的服務生，」他開口道，約翰昆西覺得堅尼森似乎愣了一下。「他近來表現如何？」

「噢，他在香港喝酒喝得天昏地暗，」赫普渥斯答道。「不過，有問題的還是他那筆錢。」

「什麼錢？」

「事情是這樣的。上一次我們離開檀香山開赴亞洲時，也就是兩個禮拜前，我那時在事務長的辦公室裡，船剛剛經過鑽石岬，鮑克就進來了，他手上拿著一個有點厚度的信封，想要寄放在事務長的保險箱裡。他說信封裡有一筆錢，可事務長在看過之前不肯為此負責，鮑克就撕開信封，結果裡頭有十張一百美元大鈔。事務長於是把錢另外包起來，放進保險箱裡。據事務長告訴我說，當我們抵達香港時，鮑克提走了不少錢。」

「像鮑克這種人哪來的那麼多錢？」

「我想像不出。他說他在檀香山幹了一樁買賣，不過……總之，我們太了解鮑克了。」

門打開了，顯然史本塞猜出這回要的是誰，因為他把鮑克推進辦公室來。這位泰勒總統號的服務生渾身髒兮兮的，雙眼還有點朦朧。

「嗨，鮑克，」檢察官說。「你現在清醒了沒？」

「我要告訴世界我清醒了，」鮑克答道。「他們逼著我走到舊金山又走回來。噢，我可以坐嗎？」

「當然可以，」葛林笑道：「今天下午，你還酒醉的時候告訴了陳衛理一件事，地點是卡拉卡華大道上的岡本租車店。之後，也就是今天晚上稍早的時候，你又再度對哈利組長和我講了一遍。現在我要你重複講一次。」

鮑克向堅尼森看了一眼，隨即移開視線。「我隨時聽命。」他答道。

「你是個泰勒總統號的服務生，」葛林接著說：「你們上次從美國本土航向本島時，堅尼森先生住的是你負責服務的九十七號客艙。他是一個人住的吧，我想？」

「從頭到尾一個人。我聽說，他多付了額外的錢。他搭船時一向如此。」

「九十七號客艙在主甲板上，離舷側的梯子不遠？」

「是的，正是如此。」

「請告訴大家，六月十三日晚上你們在威基基外海下錨時發生了什麼事。」

鮑克把金邊眼鏡扶了扶，一副要發表餐後演講的樣子。「好吧，那天晚上我很晚仍未就寢。在座的溫特司禮先生先前借給我幾本書，其中一本我特別感興趣，想把它看完，以便在第二天早上靠岸前還給他。快要凌晨兩點時我終於把書看完，覺得挺沉悶的，於是走到甲板上透透氣。」

「你停在舷梯不遠處？」

「是的，長官。」

「你有看到這位主舵手嗎？」

「有，他坐在折疊椅上，睡得很沉。我走過去，身體靠著欄杆，舷梯就在我腳下。我站了幾分鐘，忽然有人從海中露出頭來，伸手搭住最底下的橫木。我立刻往後退，站在陰影處。

「嗯，這個人很快就從梯子爬上甲板，他打赤腳，一身是黑，上衣和褲子都是黑色的。我注視著他，他走到主舵手那邊彎腰看了一下，然後朝我的方向走來。他是踮著腳尖走的，雖然是那樣，我卻沒有領悟到哪裡不對勁。

「於是我從陰影處走出來，說：『今天晚上游泳很不錯呀，堅尼森先生。』結果我立刻發現我弄錯了場合，他一個箭步上來雙手掐住我脖子，我還以為我陽壽到了。」

「他渾身溼溼的，是嗎？」葛林問道。

「還滴著水咧，他在甲板留下一條水跡。」

「你注意到他有戴手錶嗎？」

「有的，不過我當然不會特別去研究那隻錶，當時我在想別的事。我設法掙脫開來，並叫他住手，否則我要喊了。他說：『喂，我想你可以跟我談個生意，到我的房間來吧。』

「可是我才不想在任何房間裡跟他面對面談，我說我明早再跟他見面，他要我不得告訴任何人，然後才放我走。我上床睡覺時，感到非常奇怪。

「第二天早上我去他房間時，他已經換好了衣服，一身光鮮，還帶著微笑。假如前晚喝得酩酊大醉，那我就不認為自己曾經看見了什麼。我去那裡時，心想著可以因那件事賺個一百美元，可是當他開口時，我開始聞到錢的味道。他說昨晚他游泳的事絕不可讓任何人知道，這樣的話我想要多少錢呢？嗯，我屏住呼吸，說要一萬美元。結果當他說好的時候，我簡直要昏倒了。」

鮑克轉向約翰昆西：「我不知道你會怎麼看我，也不知道提姆會怎麼想。我並不是天生的騙子，可是卻受夠了服務生的工作，我想要一間屬於我的小報社，而在那之前我看不出自己辦得到。還有你一定記得那時我並不知道謀殺案發生了。後來當我發現時，幾乎嚇死了，我不知道他們會怎樣對付我。」他轉向葛林，「我被收買了！」他說。

「我保證你會沒事的，」檢察官答道，「我一定遵守承諾。接下來呢，你願意收他一萬美元？」

「是的，我中午十二點到達他的辦公室。他開的條件是我得待在泰勒總統號上，直到船回到舊金山，而且從此之後不得在這條航線上露面。那合我的胃口。然後堅尼森先生介紹這位卡貝拉給我，那天其餘的時間他就一直陪著我，真的是這樣。當我回船上時，他給了我一個信封，裡面有一千美元。

「等我這次回來，我必須由卡貝拉陪著我度過這一天，離開本島時得到其餘的九千美元。今早當我們靠岸時，我看到這個西班牙人在碼頭上，可是上岸時卻不見了。結果我遇到陳衛理，瘋狂的玩了一天。這個地方賣的私酒使我管不住舌頭，可是我並不後悔。當然啦，美夢成了泡影，從今以後我一輩子只能在甲板上討生活。不過岸上也不再是多麼了不起的地方了，即使暗地裡有那麼多酒吧，海上的生活也使人無法看到另一個世界。就如我所說的，我並不後悔講出來，我又能夠跟其他人的眼神接觸，並且勸他去……」他看了一眼明諾薇，「親愛的女士，什麼地名我就不講了。」

葛林站起來。「好啦，堅尼森，這就是全部的證據，我全都透露給你了，不過我要你自行斟酌這是不是無懈可擊。你有兩條路可走，一條是讓這些搬上法庭，而你主張自己無罪，那對你可是長期而羞辱的折磨；另一條是你可以現在就在這裡承認罪行，要求法官從輕發落。假如你是我所知道的聰明人的話，這是你應該選擇的路。」

堅尼森沒有回答，甚至眼睛也沒有看檢察官。「這是個很不錯的主意，」葛林繼續說：「我會接受這個方案的。只有一件事我搞不懂——你是臨時起意，還是先前就有這個計畫？最近你經常跑美國本土，是在尋找機會嗎？不管怎樣，機會來了，是不是，它終於來了。游泳對於你來說，只不過是小孩子的遊戲。離開那艘船你也不用梯子，也許當時泰勒總統號還在航行呢。你一下就無聲無息的跳入海裡，潛入水中一小段路，以免有人在甲板上看到，然後游到岸上，距離很長，卻很容易。然後你在威基基海灘上岸，那裡離丹恩・溫特司禮睡覺的涼台不遠，你們之間連一道上鎖的門也沒有。丹恩・溫特司禮攔阻在你和你想要的東西之間，而一個小小的掙扎，你只需用刀子迅速一刺。好了吧，堅尼森，不要傻了。現在對你最有利的一條路，就是徹底招認。」

堅尼森跳了起來，兩眼噴出火來。「我第一個在地獄等你！」他大叫道。

「那好極了，假如你那樣覺悟的話——」葛林轉身背對著他，低聲和哈利交談。堅尼森和陳查禮站在辦公桌同一側，陳查禮拿起一枝鉛筆卻不慎掉落在地，彎腰去撿。

約翰昆西看到陳查禮手槍插在臀部口袋，在西裝底下槍柄突了出來，堅尼森一躍上前搶了過去，他驚叫一聲搶上前，手臂卻被葛林一把拉住。不可思議的，陳查禮竟對整個情況毫不在意。

堅尼森將槍口對著自己額頭，扣下扳機，「咔」的一聲——也僅僅是那一聲。手槍從他手上掉下來。

「逮到了！」葛林勝利的叫道：「那就是我要的招認，一句話都沒講的招認。我看到了，堅尼森，大家都看到了，你經不起尊嚴掃地，一個像你這麼有地位的人，所以你就試圖自殺。用的卻是沒有子彈的槍。」他走去拍拍陳查禮的肩膀。「你這個點子好棒啊，老陳。」他說：「這是老陳想出來的！」他向堅尼森補充道，「東方人的心思，何瑞，非常的靈巧，是不是？」

但堅尼森只是跌坐在椅子上，雙手蒙住臉孔。

「我很抱歉，」葛林徐緩的說：「可是我們逮住你了，也許你現在肯講了。」

堅尼森慢慢抬起頭來，臉上的輕蔑不見了，取而代之的是一條條皺紋，以及蒼老的感覺。

「也許是吧！」他聲音沙啞的說。

【第二十三章】海路輻輳點的月光

他們魚貫走出辦公室，只留下堅尼森、葛林和書記官。陳查禮在大門口會客處趕上了約翰昆西。

「你就要回到用成功妝點得十分耀眼的家了，」他說：「只是有一點我忍不住要問。你在同一時間獲得跟我們一樣的結論，這當中你想必跳過相當多的障礙。」

約翰昆西大笑起來。「的確如此，我是今天晚上才想到的。起初有人提到有個高爾夫球選手的手腕很粗，開球可以打得很遠，我立刻想到跟堅尼森在球場打球時，他開球真的打得很好。他們告訴我說，手腕很粗的人代表他是水上健將。之後是另一個人——一位年輕的小姐，她說有一位游泳選手在船要離開威基基時跳海游回岸上，那是我頭一次猛想到這件事。我那時候熱血沸騰起來，覺得鮑克是可以為我解開疑點的人。當我衝上泰勒總統號想找他的時候，卻看到堅尼森搭船要離開這裡，那證實了我的想法，所以我跟蹤他。」

「相當勇敢！」陳查禮評論道。

「可是正如你看到的，老陳，我連一點證據也沒有，只是用猜的。你才是把證據建立起來的人。」

「這一行講究的是證據。」陳查禮答道。

「我也忍不住要問哩，老陳。我記得你在圖書館找檔案，想必很早就注意到這條線索了，你是怎麼想到的？」

陳查禮露齒而笑。「命案後第二天晚上我們在全美餐廳聊天，你應該還記得我講的，中國人是很敏感的一群人，敏感得像照相機底片。也許一個表情，一個笑容或一個手勢，你就被什麼東西觸動了一下。鮑克那時走進來，四處晃來晃去，在酒精的作用下嘮叨個不停，『我是自己的主人，不對嗎？』我那時心裡就觸動了一下：他不是自己的主人。我跟蹤他們到碼頭，看到那個西班牙人給他一個信封。但是後來很多天卻一頭霧水，我僅僅獲悉卡貝拉和堅尼森的關係很密切，許多線索連續在我們面前化為烏有，而這件事依然很可疑。我在圖書館查閱到堅尼森是個游泳好手，在那之後就是手銬的事，於是我們獲得了勝利。」

明諾薇走向門口。「我有榮幸能陪你上車嗎？」陳查禮問道。

到了街上，約翰昆西交代司機單獨開那輛轎車回威基基。「請妳坐我的車，」他對他姑媽說：「我有話告訴妳。」

明諾薇轉身向陳查禮說：「恭喜你偵破這案子，你很有腦筋，料事如神。」

陳查禮彎腰行了個禮。「妳如此讚美我愧不敢當。分手在即令人心情沉重，我最後祝福妳：不管冬雪酷寒或溽暑難當，願它們全為妳化為溫暖的陽春。」

「謝謝你，你心腸太好了。」她謙和的說。

約翰昆西握住他的手說：「認識你真是件快樂的事，老陳。」

「你們都會回到美國本土，」陳查禮說：「屆時我們之間將間隔著兇惡的海洋，而我會一直記住你們的友誼，就像我心裡開放的花朵。」約翰昆西坐上了跑車。「我的驛馬星還沒有動，旅行的歡愉我還無法體會，」陳查禮接著說：「不過我期待哪一天我可以到你的老家拜訪拜訪，彼此熱情的握手敘闊。」

約翰昆西發動車子開走了，留下陳查禮像尊佛像似的站在路邊。

「可憐的芭巴拉，」明諾薇忽然說道：「我真不敢當面告訴她這件事，可話又說回來，這也不是什麼令人訝異的事。芭巴拉對我說，從上岸以後她就一直感到她和堅尼森之間不對勁了。她並不認為堅尼森殺了她父親，然而她相信堅尼森多多少少涉入其中。她打算明天和布瑞德達成和解，後天就離開這裡，很可能就此一去不回。我已經說動她到波士頓去，在那裡住久一點，你到時候會在那裡看到她。」

約翰昆西搖搖頭說：「噢，我看不到了，不過謝謝妳提醒我，我必須立刻跑一趟電報局。」

當他從電報局出來坐回車上時，整個人笑得很開心。

「我在舊金山的時候，」他解釋說：「羅傑指責我活得像個清教徒似的，他列舉了一堆的特殊遭遇，說我一輩子都不可能遇上。好啦，現在大部分我都遇上了，我電報上告訴他的就是這些。我還說接受他給我的工作。」

明諾薇皺起眉頭。「你必須三思，」她警告道：「舊金山可不是波士頓，依我看，文化水準要低得多，你在那裡會寂寞的……」

「噢，那倒不會，有人會和我一起去那裡。至少我希望她如此。」

「是艾嘉莎嗎？」

「不，不是艾嘉莎。那裡文化水準對她來講太低了，我們的婚約她不要了。」

「那，是芭巴拉？」

「也不是芭巴拉。」

「可是我時常認為……」

「妳認為芭巴拉和堅尼森吹了是因為我，堅尼森的想法也一樣，可現在真相已經大白。正因為他有那個想法，他才要恐嚇我，迫使我離開檀香山，當我不走時，他又唆使走私毒品的朋友向我下手。可是芭巴拉並沒有愛上我，我們現在都知道她為什麼要取消婚約。」

「既不是艾嘉莎，也不是芭巴拉，」明諾薇重複唸道：「那會是誰……」

「妳還沒見過她啦，不過在臨睡前這個快樂的權利是妳的。她是這幾個島上，或說世界上最最甜美的女孩，她父親是吉姆．伊根，妳也聽說過，那個被稱為海灘浪人的人。」

明諾薇再度皺起眉頭。「那太冒險了，約翰昆西。她的身分背景和我們不同……」

「是不同，可那是個愉快的轉變。她是妳那位老朋友的侄女，妳知道嗎？」

「我知道。」明諾薇溫婉的答道。

「妳一八八〇年代的摯友。妳是怎樣告訴我的？一旦你的機會降臨時……」

「我希望你會非常幸福，」他姑媽說：「你寫信給你母親時，請務必提到科普上校的名字。可憐的葛瑞絲！經過這場破滅之後，那成了她唯一可以堅持的。」

「破滅？什麼破滅？」

「對你全部希望的破滅。」

「沒那回事，我媽會了解的。她知道我是個漂泊的溫氏子孫，一旦我們開始漂泊，就會一直漂泊下去。」

他們去找梅諾夫人，發現她坐在客廳裡陪著幾位年紀比她還要老的朋友，海灘那邊不斷傳來年輕人喧鬧的聲音。

「喔，小伙子，」老太太喚道：「看來你終究連一個晚上都離不開你那些當警察的朋友，我已經放棄你了。」

約翰昆西大笑起來。「我現在已經結束了。對噢，凱洛妲．伊根她還在不……」

「他們總是在外面的哪裡，」老夫人說。「他們有進來用了點晚餐，噢，對了，餐廳裡有三明治和……」

「謝謝妳，現在不用，」約翰昆西說道：「我回頭再來看妳！」

他火速向海灘衝過去。黃槿樹下的一夥年輕人告訴他凱洛妲在離這裡最遠的一個浮筏上。她一個人嗎？喔，不是，還有那個海軍中尉。

當他一面向著大海飛奔時一面想著，他對海軍實在有些煩透了，如依海軍曾經為他做的，他本不該有這樣的想法。可是這就是人性啊，約翰昆西最後也露出人性了。

有那麼一瞬間他站在水邊動也不動，游泳衣還放在更衣室裡，但他也沒多想，將皮鞋踢掉，外套扔在一邊，向浪滔衝了過去。溫氏子孫漂泊的血液快速在他的血管中奔流起來，熱帶地方的海水不足以將它冷卻。

果然沒錯，凱洛妲．伊根和布斯中尉兩人都在浮筏上，約翰昆西爬到他們身邊。

「喔，我總算回來了。」他說道。

「你果然回來了，」中尉說：「整個人也弄溼了。」

他們坐在那裡，貿易風越過一千英哩的溫暖水域而來，吹拂著他們的臉頰。海平面上方低懸著南十字星，島上的燈光在岸邊浮動著，鑽石岬上那隻黃色的眼睛眨呀眨的。海天如此美妙，只有一件事不對勁，現場似乎太擠了些。

約翰昆西靈機一動。「先前我游上岸時，」他說：「我好像聽到你說我跳水如何如何，你覺得不太對嗎？」

「是不太對！」中尉和氣的說。

「我想，你肯為我示範哪裡錯了，是嗎？」

「那當然，假如你要我做的話。」

「就麻煩你了，」約翰昆西說道：「日有所進，這正是我的座右銘。」

布斯中尉走到跳水板的末端。「第一點，足踝始終都要併攏，像這樣。」

「我懂了！」約翰昆西應道。

「而且兩隻手要伸直，貼住自己的耳朵。」

「貼得越緊越好，對我來說。」

「然後腰彎下去，像隻摺疊刀。」指導員接著說。他像隻摺疊刀似的彎下腰，然後彈跳起來。

同一時間，約翰昆西雙手握住女孩的手。「請聽我說，我等不及了。我想告訴妳，我愛的是妳。」

「你瘋了！」她叫道。

「為了妳而瘋的，自從那天在渡船上……」

「可是你那邊的人怎麼辦？」

「什麼意思我那邊的人？只有我和妳，我們會在舊金山住——我是說，如果妳也愛我的話……」

「這個，我……」

「看在老天的份上，請快一點。那艘人體潛水艇馬上要浮起來了。妳愛我是不是？妳願意嫁給我吧？」

「我願意。」

他擁她入懷，親吻她。溫氏子孫中只有漂泊的那一批人會如此擁吻，留在老家的那群人永遠只會暗地裡羨慕他們的成就。

女孩終於掙開了去，嬌喘不已。「強尼！」她大叫道。

他倆身邊出現一陣水花，布斯中尉爬上浮筏來，渾身水淋淋的喘著氣。「什麼事？」他喉嚨咯咯的響。

「她是在叫我啦！」約翰昆西得意揚揚的大聲說。

國家圖書館出版品預行編目資料

不上鎖的房子／厄爾・畢格斯（Earl Derr Biggers）著；
劉育林譯．-- 初版．-- 臺北市：臉譜出版：城邦文化發行，2002〔民91〕
面： 公分．--（陳查禮探案全集；1）
譯自：The house without a key
ISBN 957-469-720-7（平裝）

874.57 90017239

臉譜出版

臺北市信義路二段 213 號 11F
TEL：（02）2396-5698
FAX：（02）2537-0954
郵撥帳號：1896600-4
戶名：城邦文化事業股份有限公司

【昆恩推理作品系列】

R1001	X 的悲劇	唐　諾◎譯	特 99 元
R1002	Y 的悲劇	許瓊瑩◎譯	200 元
R1003	Z 的悲劇	林大容◎譯	180 元
R1004	哲瑞．雷恩的最後探案	林淑琴◎譯	200 元
R1005	希臘棺材的祕密	林淑琴◎譯	220 元
R1006	暹羅連體人的祕密	許瓊瑩◎譯	200 元
R1007	紅心四點	溫怡惠◎譯	180 元
R1008	另一邊的玩家	易萃雯◎譯	200 元
R1009	法蘭西白粉的祕密	顧效齡◎譯	220 元
R1010	災難之城	劉育林◎譯	220 元
R1011	昆恩探案系列	謝德潾◎譯	200 元
R1012	昆恩再次出擊	謝德潾◎譯	200 元
R1013	惡之源	易萃雯◎譯	200 元
R1014	十日驚奇	沈雲驄◎譯	220 元
R1015	多尾貓	許瓊瑩◎譯	250 元
R1016	玻璃村莊	謝德潾◎譯	200 元
R1017	國王死了	曾筱光◎譯	200 元
R1018	從前有個老女人	許敏娟◎譯	200 元
R1019	中國橘子的祕密	吳曉芬◎譯	200 元
R1020	荷蘭鞋子的祕密	劉秀瑾◎譯	200 元
R1021	美國槍的祕密	溫怡惠◎譯	200 元
R1022	然後在第八天	黃妧俐◎譯	200 元
R1023	西班牙岬角的祕密	唐　諾◎譯	220 元

✤本書所列書價如與該書版權頁不符，則以該書版權頁定價為準。

【卜洛克偵探小說系列】

R2001	八百萬種死法	易萃雯◎譯	250 元
R2002	黑暗之刺	陳佳伶◎譯	200 元
R2003	酒店關門之後	王凌霄◎譯	250 元
R2004	刀鋒之先	林大容◎譯	250 元
R2005	到墳場的車票	金　波◎譯	250 元
R2006	屠宰場之舞	曾筱光◎譯	250 元
R2007	行過死蔭之地	唐嘉慧◎譯	250 元
R2008	父之罪	易萃雯◎譯	160 元
R2009	惡魔預知死亡	顧效齡◎譯	250 元
R2010	在死亡之中	黃文君◎譯	180 元
R2011	一長串的死者	林大容◎譯	280 元
R2012	謀殺與創造之時	呂中莉◎譯	200 元
R2013	向邪惡追索	林大容◎譯	340 元
R2014	每個人都死了	唐　諾◎譯	340 元

【卜洛克雅賊系列】

FR2101	別無選擇的賊	王凌霄◎譯	230 元
FR2102	衣櫃裡的賊	易萃雯◎譯	200 元
FR2103	喜歡引用吉卜齡的賊	徐秋華◎譯	230 元
FR2104	閱讀史賓諾莎的賊	林敏雅◎譯	240 元
FR2105	畫風像蒙德里安的賊	嚴　韻◎譯	280 元
FR2106	把泰德威廉斯交易掉的賊	易萃雯◎譯	350 元
FR2107	自以為是亨佛萊鮑嘉的賊	林大容◎譯	380 元
FR2108	圖書館裡的賊	王志弘◎譯	360 元

【錢德勒偵探小說系列】

R3001	大眠	許瓊瑩◎譯	250 元
R3002	再見，吾愛	焦雄屏◎譯	250 元
R3003	高窗	林淑琴◎譯	220 元
R3004	湖中女子	林俊穎◎譯	220 元

✤本書所列書價如與該書版權頁不符，則以該書版權頁定價為準。

R3005	小妹	易萃雯◎譯	250 元
R3006	漫長的告別	宋碧雲◎譯	300 元
R3007	重播	葉美瑤◎譯	200 元
R3008	找麻煩是我的職業	林淑琴◎譯	220 元
R3009	謀殺巧藝	林淑琴◎譯	300 元
R3010	雨中殺手	唐嘉慧◎譯	350 元

【范達因推理作品系列】

R4001	綁架殺人事件	王知一◎譯	200 元
R4002	葛蕾西．艾倫殺人事件	鄭初英◎譯	180 元
R4003	主教殺人事件	沈雲驄◎譯	240 元
R4004	聖甲蟲殺人事件	黃淑齡◎譯	220 元
R4005	班森殺人事件	陳曾緯◎譯	220 元
R4006	格林家殺人事件	鄭初英◎譯	320 元
R4007	金絲雀殺人事件	劉玉嘉◎譯	280 元
FR4008	賭場殺人事件	黃美娟◎譯	200 元
FR4009	龍殺人事件	金競男◎譯	250 元
FR4010	狗園殺人事件	陳秋蓮◎譯	230 元
FR4011	花園殺人事件	唐嘉羚◎譯	200 元
FR4012	冬季殺人事件	毛幼葦◎譯	120 元

【漢密特偵探小說系列】

R5001	馬爾他之鷹	林淑琴◎譯	180 元
R5002	紅色收穫	林淑琴◎譯	180 元
R5003	丹恩咒詛	易萃雯◎譯	180 元
R5004	黯夜女子	唐　諾◎譯	100 元
R5005	大陸偵探社	易萃雯◎譯	250 元
R5006	瘦子	林大容◎譯	220 元
FR5007	玻璃鑰匙	林大容◎譯	220 元
FR5008	螺絲起子	易萃雯◎譯	390 元

【約瑟芬．鐵伊推理作品系列】

✤本書所列書價如與該書版權頁不符，則以該書版權頁定價為準。

R6001	時間的女兒	徐秋華◎譯	200 元
R6002	法蘭柴思事件	藍目路◎譯	300 元
R6003	萍小姐的主意	金　波◎譯	250 元
R6004	博來・法拉先生	洛　麗◎譯	300 元
FR6005	一張俊美的臉	珍妮佛、艾瑞卡◎譯	240 元
FR6006	排隊的人	黃妡俐◎譯	250 元
FR6007	一先令蠟燭	黃正綱◎譯	250 元
FR6008	歌唱的砂	吳麗娟◎譯	240 元

【約翰・哈威警察探案系列】

R7001	冷光	林淑琴◎譯	280 元
R7002	荒蕪年歲	易萃雯◎譯	280 元

【米涅・渥特絲偵探小說系列】

R8001	冰屋	嚴　韻◎譯	300 元
R8002	女雕刻家	胡丹彝◎譯	320 元
R8003	暗室	藍目路◎譯	360 元
FR8004	回聲	易萃雯◎譯	320 元
FR8005	毒舌鉤	沈雲驄◎譯	320 元
FR8006	暗潮	胡丹彝◎譯	340 元

【狄公案系列】

FR1101D	黃金奇案	陳海東◎譯	特99 元
FR1102	漆畫屏風奇案	黃祿善◎譯	200 元
FR1103	湖濱奇案	康美君、季振東◎譯	260 元
FR1104	朝雲觀奇案	印永清◎譯	280 元
FR1105	銅鐘奇案	申霞、姜逸青◎譯	330 元
FR1106	紅閣子奇案	梁甦、王仁芳◎譯	240 元
FR1107	黑狐奇案	陸鈺明◎譯	240 元
FR1108	玉珠串奇案	金昭敏◎譯	200 元

【康薇爾作品】

✤本書所列書價如與該書版權頁不符，則以該書版權頁定價為準。

FR9001	屍體會說話	顧效齡◎譯	320 元
FR9002	殘骸線索	藍目路◎譯	360 元
FR9003	失落的指紋	嚴　韻◎譯	360 元
FR9004	肉體證據	溫怡惠◎譯	320 元
FR9005	人體農場	蔡梵谷◎譯	360 元
FR9006	波持墓園	王瑞徽◎譯	360 元

【火星三部曲】

FR3101D	紅火星	王凌霄◎譯	特 399 元
FR3102	綠火星	藍目路◎譯	650 元
FR3103	藍火星	蔡梵谷◎譯	650 元

【陳查禮探案全集】

FR5101	不上鎖的房子	劉育林◎譯	360 元
FR5102	中國鸚鵡	劉育林◎譯	350 元
FR5103	帷幕背後	劉育林◎譯	350 元
FR5104	保管鑰匙的人	劉育林◎譯	300 元
FR5105	黑色駱駝	劉育林◎譯	310 元
FR5106	陳查禮接手	劉育林◎譯	330 元

✣本書所列書價如與該書版權頁不符，則以該書版權頁定價為準。